BED BUG

KATHERINE PANCOL

BED BUG

roman

ALBIN MICHEL

IL A ÉTÉ TIRÉ DE CET OUVRAGE

Vingt exemplaires
sur vélin bouffant des papeteries Salzer
dont dix exemplaires numérotés de 1 à 10
et dix exemplaires, hors commerce, numérotés de I à X

À Berthe
À Madeleine…

Mais le sanglot de l'enfant dans le silence
Maudit plus profondément
Que l'homme fort dans sa colère.

Elizabeth Barrett Browning,
« The Cry of the Children ».

Rose invita Leo à dîner un mardi soir…

$\mathscr{R}$ose invita Leo à dîner un mardi soir huit jours avant Noël. Elle avait hésité, se balançant sur les marches du laboratoire où ils avaient passé la journée à étudier *Lamprohiza splendidula*, une petite luciole de la famille des *Lampyridae*, qui vivait en Alsace et produisait une molécule prometteuse pour le traitement du cancer avec, en outre, une action régénérante sur les tissus cutanés. Le directeur du laboratoire se frottait les mains à l'idée d'exploiter cette découverte.

Rose s'était aussitôt demandé si c'était une bonne idée d'inviter Leo à dîner. Elle avait mordillé ses ongles, froissé et défroissé un pan de sa blouse de labo qui dépassait de son manteau, calculé le nombre exact de jours qu'il restait avant Noël. Leo repartait pour New York. Il fallait qu'elle l'invite, c'était une question de courtoisie, une manière de souligner que leur collaboration, ces six derniers mois, s'était bien passée, qu'elle avait été fructueuse, que leurs travaux pourraient déboucher sur une réelle avancée scientifique. Pour les malades atteints du cancer du sein et du poumon, et pour les grands brûlés, par exemple. Rose aimait être « utile ». Elle trouvait que ce mot était le plus beau de la langue française. Et s'il y avait deux choses que Rose aimait par-dessus tout, c'étaient les mots et les insectes.

Le lendemain, le laboratoire fermerait pour quelques jours. C'était donc maintenant ou jamais.

– Tu es libre pour dîner ce soir ?

– Dîner ? Toi et moi ?

– Oui... Enfin... On pourrait peut-être...

Il avait eu un petit sourire comme si elle était tombée de la lune en guêpière et bas résille, un seau de météorites à la main. Il avait passé les doigts dans ses cheveux, les avait ébouriffés et avait dit :

– Waouh... Attends une minute...

Elle avait pensé c'est pas révolutionnaire comme demande ! Y a pas de quoi s'arracher les cheveux.

– Il faut que je consulte mon agenda.

Il avait sorti son téléphone de la poche de sa parka.

– J'ai pas mal de choses à faire avant de partir...

Il avait fait défiler son emploi du temps, froncé les sourcils. On aurait pu croire qu'il était contrarié.

– Tu me prends un peu de court... Vous êtes des rapides, vous, les filles !

Bien fait pour moi ! Ça m'apprendra à vouloir être courtoise. Qu'est-ce qu'elle m'a dit ma psy, la dernière fois ? « Rose, il faut vous placer au centre d'un cercle, imposer une distance et, quand il vous vient une pulsion, ne pas en subir la pression mais tenter de savoir si vous avez VRAIMENT envie de faire ce qu'on vous demande, ou si vous n'obéissez qu'à la répétition de quelque chose qu'on vous a appris et qui ne vous appartient pas. Pour résumer, il faut vous demander si vous agissez sous influence ou si c'est votre choix. Posez-vous la question : "Qu'est-ce que je veux, moi, Rose Robinson ?" Ensuite seulement, agissez. »

Elle n'avait pas eu le temps de rejoindre le centre du cercle. Elle s'était précipitée, OFFERTE sur un plateau. Les mains liées dans le dos et deux brins de persil dans les narines, faites de moi ce que vous voulez.

– Oh, tu sais, on n'est pas obligés de… C'était juste comme ça…

– Non, non, ne le prends pas mal, Rose. Surtout pas.

Il avait adopté le ton du médecin au chevet d'un dangereux psychopathe à qui il tente d'enfiler une camisole de force et elle s'était crispée.

– J'aimerais beaucoup dîner avec toi mais j'ai un article à rédiger pour mon université à New York. J'ai pas tout à fait fini et je dois le rendre demain matin…

Il avait fait une grimace assortie d'un bruit de succion pour aspirer une saleté coincée entre deux dents. S'y était repris à plusieurs fois avant de déglutir, satisfait, en mâchant ses lèvres.

Elle avait préféré regarder ailleurs.

Bon d'accord, il était pas mal. Les filles du labo se pâmaient devant sa mèche brune, sa manière de la remettre en place en plongeant en avant et en la rattrapant in extremis, d'enfoncer les mains dans les poches de sa blouse avec nonchalance, bien droit sur ses jambes, et de sourire en creusant une fossette dans sa joue gauche. Elles parlaient de son regard grave et sérieux, de ses yeux noirs, mystérieux… Mais de là à l'imaginer poursuivi par une horde de femelles, il ne fallait pas exagérer. Il restait dans la catégorie des moyens +. Nez moyen, bouche moyenne, épaules moyennes, un peu voûté, taille haute, longues jambes. Elle aimait bien ses longues jambes mais pas ses pantalons jaunes. Or les pantalons de Leo Zackaria étaient souvent jaunes. Parfois violets ou bordeaux, mais le plus souvent très jaunes. Avec des souliers très marron, immondes. Elle faisait exprès de ne pas utiliser le terme de « chaussures » car ce qu'il portait aux pieds ne le méritait pas. Il devait avoir son âge, dans les vingt-neuf ans, peut-être trente, ne portait pas d'alliance, ne disait ni « nous » ni « on » et n'employait jamais le pronom possessif à la première personne du pluriel. Depuis six mois qu'ils travaillaient ensemble et poussaient leur plateau de déjeuner chaque jour à la cantine du labo, il n'avait jamais prononcé sur un ton affectueux un nom de fille ou de garçon. Et personne ne l'avait accompagné la veille au pot de Noël alors que les autres collègues étaient presque tous venus flanqués de leur compagne ou de leur compagnon. Ils avaient eu un début de fou rire lorsque Kirsten avait présenté son ami Niels en disant « ma moitié ». Niels portait des nœuds papillons à pois, se tenait sur la pointe des pieds pour arriver à l'épaule de Kirsten et devait s'habiller au rayon garçonnets du Monop. Les yeux de Leo avaient brillé, remplis de larmes contenues. Rose avait bloqué sa respiration et s'était étouffée. Leo lui avait tapé dans le dos en disant « remets-toi, Rosa, remets-toi ! ». Et son prénom prononcé avec l'accent cubain avait glissé telle une caresse jusqu'à ses reins. Elle avait eu l'impression qu'ils étaient unis, complices, et... qu'il allait la demander en mariage sur-le-champ. C'était l'un de ses fantasmes. La demande en mariage façon coup de foudre. Tadaaam ! Je suis fou de toi. Veux-tu être ma femme ?

Mais c'était surtout dans les films que ça arrivait.

Ce soir-là, sur les marches du labo alors que les réverbères du périphérique clignotaient, blafards, entre les gouttes d'eau, ils jouaient une autre séquence. Et elle n'avait pas le beau rôle.

– Bon, je vais m'arranger... Je rendrai mon article avec vingt-quatre heures de retard, ce n'est pas si grave, avait-il fini par dire en essuyant une goutte qui pendait au bout de son nez.

Elle s'était demandé si c'était de la pluie ou de la morve.

– J'aimerais passer chez moi me changer, avait-il ajouté. Tu veux qu'on se retrouve à la Taverne alsacienne ? On rendrait hommage à notre luciole et en plus, j'aime beaucoup la choucroute. Et je n'ai pas souvent l'occasion d'en manger à New York.

Il avait éclaté d'un rire de bon vivant qui n'allait pas du tout avec le brouillard, les trombes d'eau, les lampadaires et le périphérique. Comme s'il se réjouissait de déguster son chou fermenté, seul ou accompagné, ce n'était pas l'important. Elle n'était qu'un prétexte à se remplir la panse. Elle s'était sentie humiliée. Elle n'avait plus eu envie de dîner avec lui. Une fois encore, le centre du cercle étant trop loin, elle avait renoncé à s'y poser. Ils étaient convenus d'une heure de rendez-vous. Il avait à nouveau effacé une goutte au bout de son nez – morve ou pluie ? – et ils s'étaient séparés en se serrant la main avec la vigueur de deux lutteurs professionnels. Elle avait essuyé ses doigts sur son manteau et l'avait regardé s'éloigner.

Ses souliers marron couinaient *pouic-pouic* dans les flaques et il penchait en avant, entraîné par le poids de son cartable.

— Je vais choisir un vin blanc, il déclara après avoir commandé une choucroute royale. Tu aimes le vin blanc ?

Elle détestait le vin blanc. Le vin blanc lui donnait des crampes dans les jambes, la nuit, et mal aux reins, le lendemain.

— On va prendre une bouteille, n'est-ce pas ? Il faut fêter la fin de nos travaux et Noël qui approche.

— Si tu veux…

— Un excellent vin blanc alsacien pour deux excellents camarades de travail ! Si ça se trouve, on va recevoir le Nobel pour nos travaux. Ha, ha ! Je plaisante, mais pas tant que ça… On a mis la main sur un filon avec notre *Lamprohiza splendidula*. On n'est pas loin de la ruée vers l'or.

Il est stupide ou quoi ? Il ne peut pas ignorer que notre travail risque d'être confisqué par Ronald Lupaletto, le directeur du labo, qui bombera le torse, recevra récompenses, félicitations et brochettes de chèques. Il doit le savoir ou… il est stupide.

Et je perds mon temps.

Comment ça je perds mon temps ?

Qu'est-ce que je sous-entends quand je dis ça ? J'ai l'espoir que… ? J'investis mon temps dans… ? J'ai un bouquet de mariée dans la main droite et une jarretière à la cuisse gauche ?

Reprends-toi, Rose !

Il parcourait la carte des vins, fredonnait un air de son pays avec des « o », avec des « a », se frottait les mains et répétait « ah ! Paris ! Paris ! Il n'y a qu'ici, il n'y a que là... ».

Elle ne savait plus quoi dire. Elle avait cru avoir le dessus en lançant l'invitation à dîner. Elle s'était sentie un peu supérieure, un peu magnanime, très généreuse, moi, chercheuse française du CNRS, je convie un confrère étranger à dîner. J'ai cette attention, cette délicatesse, je ne suis pas obligée, ce n'est pas dans mon contrat, et me voilà réduite à l'état de figurante, obligée de manger du chou cuit et de boire du vin blanc qui va me torturer toute la nuit.

– Vois-tu, Rose, la choucroute étant acide, elle se marie bien avec un vin sec, minéral, un sylvaner ou un riesling, lequel préfères-tu ?

Ni l'un ni l'autre. Mais devant sa mine réjouie, elle répondit :

– J'aime les deux.

Et elle enfonça ses ongles dans les paumes de ses mains en se traitant de lâche. Une fois de plus, elle voulait plaire à l'autre avant de se plaire à elle. Elle ne visait pas le centre du cercle. Elle gambadait loin de son vrai moi. Et, c'est bien connu, loin de son vrai moi, on ne vaut pas tripette, on s'étale comme une carpette et on crie aux passants marchez-moi dessus !

Elle loucha sur la table voisine où les sept membres d'une famille blond oxygéné dévoraient chou, saucisses, poitrine fumée, lard grillé, bacon torsadé en comparant les différentes choucroutes dégustées dans l'année comme s'ils récitaient les versets de la Bible. La fille aînée, bouche sanglante, décolleté tremblant, cheveux décolorés à blanc, rongeait un os plat qu'elle serrait entre ses doigts. Les autres mastiquaient, les yeux dans le vague. La pointe de leurs cils semblait avoir brûlé. Dans leurs bouches entrouvertes, tournaient des lamelles de chou bouilli, des bouts de charcuterie, des pommes de terre. Autant de hublots de machines à laver en pleine activité.

Pourquoi elle pensait à ça ?

La soirée venait à peine de commencer.

Sois positive, ma fille. Il arrive que, dans une histoire, un début maladroit débouche sur une belle relation. « Parfois un pas dans une merde augure un écu d'or ! » dit Babou, sa grand-mère maternelle. Babou se peint les orteils en bleu marine. Elle parle à ses doigts de pied. Ses dix petits marins. Elle leur demande si elle va gagner au Loto. Ça lui permettrait d'acheter un appartement. Ce n'est pas de gaieté de cœur qu'elle s'est réfugiée, à la mort de son mari, il y a deux ans, chez sa fille, 8, rue Rochambeau en face du square Montholon. On ne loue plus d'appartement aux femmes de soixante-treize ans. On a peur qu'elles s'incrustent sans payer et, passé soixante-cinq ans, on ne peut plus les virer.

– C'est la seule raison pour laquelle j'habite ici, explique Babou. Y a toi aussi, bien sûr. Mais toi, c'est évident. Si je gagne au Loto, on part sous les tropiques toutes les deux. Pour ce qu'on la voit, ta mère, de toute façon ! Un vrai courant d'air.

– Pourquoi tu parles à tes doigts de pied ?

– C'est une habitude que j'ai prise, petite. Je me réveillais et *je les comptais. J'avais toujours peur d'en avoir perdu un pendant la nuit et comme j'avais pas beaucoup de copains à l'école...*

Leo gloutonnait sa choucroute, son vin blanc, s'essuyait la bouche tel un essuie-glace déchaîné et recommençait. Il s'excusait de ne pas parler en pointant le chou bouilli du bout de sa fourchette et disait la bouche pleine faut pas que ça refroidisse. Elle hochait la tête, message reçu.

Elle jouait avec une saucisse longue et mince, la faisait passer de chaque côté de l'assiette, en coupait un bout, la saucisse se tordait, se recourbait, retombait, décapitée. Un peu de chair rose, suintante, se répandait tel un crachat de sperme. Elle frissonna en pensant à un sexe d'homme. Reposa son couteau. S'interdit de regarder la saucisse qui dégorgeait. Il paraît que c'est sain d'avoir le sexe décalotté. Qu'on devrait couper un bout de zizi à chaque petit garçon.

Elle a dit « zizi ».

Comme sa mère.

« Sucer le zizi d'un homme, c'est dégoûtant, mais si on veut arriver à ses fins, faut bien en passer par là ! » Et sa mère de conclure, « pourquoi croyez-vous que Raymond, paix à son âme, m'a acheté cet appartement rue Rochambeau, face au square Montholon ? ».

Rose se demanda si Leo avait le zizi coupé. Et puis, elle se reprit. C'était un dîner de travail. Leo Zackaria n'avait pas de zizi.

Est-ce que les autres filles voient des zizis partout ?

Chaque fois que sa psy commence la séance d'EMDR*, qu'elle remue les doigts de droite à gauche, de gauche à droite, qu'elle lui demande :

– À quoi pensez-vous ?

Rose répond :

– Je vois une bite.

– C'est normal, dit la psy. C'est votre mère.

Ah ! se dit Rose qui ne voit pas le rapport.

– Votre mère manipulatrice, castratrice, perverse. On reprend...

Les doigts repartent, la bite s'efface. Revient, s'efface, revient. Comme sa mère. Elle entre, elle sort, on ne sait jamais quand elle reviendra. Parfois Rose perçoit d'autres choses. Des scènes qui lui picotent la poitrine mais n'impriment pas sa rétine.

Et la bite est toujours là.

Une main se posa sur l'épaule de Rose. Une trombe de cheveux blonds tomba devant ses yeux.

– Hel-lo-ooo ! Je pensais pas te trouver ici !

C'était Paula. Une journaliste américaine qui courait le monde, souriait tout le temps, parlait plusieurs langues et aurait pu faire

---

* EMDR : *Eyes Movement desensitization and reprocessing*, ou « désensibilisation et retraitement des traumatismes et des émotions passées par des mouvements oculaires ». Le patient suit les doigts du thérapeute qui vont de droite à gauche et de gauche à droite. Cela permet de faire revenir et retraiter des vécus traumatiques et de les effacer. Le traumatisme est traité et rangé dans un endroit où il ne causera plus de dégâts.

des pubs pour beauté des cheveux, beauté des yeux, beauté des mains, beauté des pieds, beauté des dents, beauté du nombril et taille fine. Elle était de passage à Paris pour un colloque sur les plastiques dans les océans.

– Rien que dans l'hémisphère Sud, il y a un continent de plastique plus grand que le Mexique. Dix millions de tonnes déversées tous les ans qui éclatent en minibilles que les poissons avalent. En 2050, les poissons seront en plastique. Et tout le monde s'en fout !

Paula balaya Leo d'un œil pointu. Il se leva, appuyé des deux poings sur la nappe blanche, et la salua. Puis se rassit et réattaqua sa choucroute.

Il portait un pantalon JAUNE.

À tous les coups, Paula l'avait vu. Tout le monde allait savoir qu'elle dînait avec un type qui portait un pantalon JAUNE. On raconterait que c'était son amoureux et on ajouterait « ... pas étonnant ! La pauvre, elle a vraiment pas d'allure ».

Paula le salua de son sourire perpétuel à l'émail si blanc. Puis, profitant de ce que Leo remarquait que son téléphone vibrait et prenait l'appel en se détournant, elle se pencha vers Rose et, derrière la masse de ses cheveux, chuchota :

– C'est ton mec ?

– T'es folle ! s'étouffa Rose en parlant dans sa serviette. C'est un collègue de labo. Rien d'autre !

– Il est sexy.

Rose faillit s'étrangler.

– Tu trouves ?

– Ben oui… Très ! Et ça fait un moment que j'ai pas… Si tu consommes pas ce soir, tu me le refiles ? T'as mon numéro ?

Rose hocha la tête.

– Je suis à Paris pour une semaine. On peut dîner tous les trois…

– Si tu veux…

Leo parlait toujours au téléphone. Paula lui fit un signe de la tête et s'éloigna en agitant les doigts de la main, *bye bye, see you !*

– Elle a l'air sympa, ta copine, il dit après avoir raccroché.

– Elle est journaliste au *New York Times*. Spécialisée dans les sujets scientifiques.

Paula Alsberg trouvait Leo Zackaria sexy !

– Si notre luciole devient un enjeu commercial, dit Leo, elle pourra nous servir. Grosse caisse de résonance, le *New York Times*.

Paula Alsberg trouvait Leo Zackaria sexy !

– On va avoir besoin d'alliés. Les revues scientifiques, c'est important. Mais pour se faire connaître, la presse généraliste, c'est beaucoup mieux.

Paula Alsberg trouvait Leo Zackaria sexy !

– Tu sais comme moi, Rose, que les labos n'hésitent pas à exploiter les petits jeunes et à leur piquer leurs travaux. Il va falloir prendre nos précautions. Pas question qu'on se fasse scooper ! Garçon !

Il tendit le bras et agita la main.

– Y a plus de moutarde et j'adore la moutarde, il dit, la bouche en biais. Je pourrais m'en faire des tartines au petit déjeuner. Si, si, je te jure. Avec de la confiture de cerises, c'est délicieux.

Une virgule de moutarde ornait le coin de sa bouche. Rose lui fit un petit signe. Il attrapa sa serviette et s'essuya.

– Ah ! tu vois ? Je fais même des provisions ! Gaaarçon !

Il laissa retomber son bras, s'adressa à la table voisine et demanda s'il pouvait emprunter la moutarde. La fille à la bouche sanglante fit trembler son décolleté, battit de ses cils aux bouts brûlés et lui tendit un pot jaune dans un sourire où brillait son numéro de téléphone.

Toutes les filles trouvaient Leo Zackaria sexy.

C'est vrai qu'il est pas mal. Quand il passe sa main dans ses cheveux, qu'il sourit pour s'expliquer, il a l'air si sérieux et si… vulnérable. Ses doigts sur le verre, sa bouche qui mord le bord, ses mains fortes et brunes qui…

– Comment ça se fait que tu parles si bien français ?

– L'école. J'ai pris *opción francés*. À cause de Victor Hugo, Flaubert, Diderot, Baudelaire, Rimbaud, etc. J'en étais fou. J'apprenais des pages entières par cœur. Et puis l'allemand me rebutait… Le russe et le chinois aussi.

– Tu vois, « rebuter », c'est un mot que peu de Français emploient.

– Parce que les Français ne savent pas parler français.

Il touillait la moutarde, déchirait un morceau de baguette, étalait une couche jaune, épaisse, sur la mie blanche et mordait dedans. Il avait de la moutarde sur les doigts et les suçait un à un.

– Je récitais des poèmes français à mes copines au clair de lune. J'avais un succès fou.

– Tu habites où à New York ?

– Downtown. TriBeCa, il bafouilla en mâchant.
– Un grand loft ?
– Un loft.

Il habite seul ? Il a une petite copine qui garde l'appartement en son absence, qui nourrit les chats et arrose les plantes ?

– Sans chat ni plantes à arroser. Au dixième étage, continuait Leo.

Il lit dans mes pensées ou quoi ?

– Ce sont mes parents qui l'ont acheté. Je suis fils unique. Et puis, c'est un placement. Elle ne perd pas le nord. Je parle de ma mère, bien sûr !
– Ah… Tu as toujours habité New York ?
Il déglutit, les dents habillées de moutarde, jaunes comme son pantalon.
– Je suis arrivé à New York à dix-neuf ans. Mon père était chirurgien à Cuba. Il a sauvé la vie d'un Américain très riche de passage à La Havane et pour le remercier, l'Américain l'a fait venir à New York. Il lui a trouvé un job, un avocat pour la *green card* et on est restés. Mon père gagne plein de blé. Ma mère collectionne les robes des grands couturiers et moi, je m'éclate. Ça change de Cuba !

Un peu rude, quand même. Ce ne doit pas être un sentimental.

– Elle fait quoi, ta mère ?

– Elle s'occupe de mon père et de moi. Ah si ! Elle adore les comédies musicales. Elle prend des cours de claquettes sur Broadway. Tu connais New York ?

Il attrapa une saucisse, en coupa un bout, le piqua de sa fourchette.

– J'y suis allée plusieurs fois. Avec ma mère. Elle a une agence artistique. Je connais Central Park, Madison, SoHo, le Met, le MoMa...

– C'est une ville formidable. Tu adorerais vivre là-bas...

Ah là là ! Vivre là-bas ? Vivre là-bas AVEC lui !

Elle est mariée à Leo Zackaria. Le doorman l'interpelle le matin. « *Hello Mrs Zackaria, how are you today ?* », et elle répond en souriant, « *Very well, thank you, and you ?* » en tenant Tom et Bianca par la main. Le doorman se précipite pour leur ouvrir la porte et lance « *Have a good day ! Bye Tommy, bye Bianca ! Bye Mrs Zackaria !* ».

Aujourd'hui, elle les emmène à Central Park. Ils iront au zoo et ensuite, Tom et Bianca escaladeront la statue d'Alice au pays des merveilles et ils feront le tour du lac. En revenant, elle s'arrêtera chez Dean & Deluca, elle achètera une tarte au chocolat et les enfants insisteront pour aller dire bonjour à Tyrone au rayon fromages. Tyrone n'a qu'une dent sur la mâchoire du haut et la fait branler avec sa langue pour amuser les petits. Le soir, Leo rentrera dans le grand loft sur Thompson entre Prince et Spring. Ou carrément dans l'East Village. C'est le nouveau quartier à la mode. Pas à Brooklyn, non, elle préfère Manhattan. Ils sont riches. Ils touchent des royalties de la luciole alsacienne qui sauve des vies humaines et répare les grands brûlés.

Elle lui aura commandé de belles chaussures et des pantalons pas jaunes chez Brooks Brothers.

Le chou bouilli avait refroidi et exhalait une odeur d'ammoniaque. Rose divaguait, appuyée sur sa fourchette. Leo lui sourit.

– Tu rêves à quoi ?

Rose rougit. Ses joues la brûlèrent.

– Je pensais à New York.

– Dans huit jours, j'y suis.

– Tu as de la chance.

– Pas faux. En tout cas, ce soir, j'ai bien mangé, j'ai bien bu. Je suis un homme heureux.

Un sourire de vainqueur troua sa joue. Il se souriait à lui-même comme si elle n'était pas là. Émit un petit rot qu'il étouffa de la main et reprit en jouant avec sa fourchette :

– Tu connais le passage dans le roman de Mary Shelley où Frankenstein Jr va voir son père et lui reproche d'avoir fabriqué un monstre ?

– Non.

– Son père lui demande pourquoi il est si vicieux et commet tant de crimes. Frankenstein ricane et répond « donne-moi le bonheur et je serai vertueux ». Tout est dit dans cette phrase. Les gens méchants sont souvent malheureux. On devrait les soigner en leur administrant des rations de bonheur. Peut-être que ça marcherait…

La fourchette rebondissait sur la nappe au rythme de ses pensées.

– C'est drôle, confia Rose, je me dis la même chose quand je rencontre des gens malveillants.

– La malveillance, c'est de la paresse intellectuelle. La bienveillance aussi, parfois. Elle peut même être suspecte. Une manière habile de se débarrasser des gens. On les écoute avec un grand sourire mais on ne les entend pas. On n'a qu'une envie, c'est d'en finir. Il faut trouver un chemin entre les deux, un sentier escarpé. Mais ça vaut le coup d'essayer, non ?

Il souriait en la regardant cette fois. Elle eut envie de se jeter dans ses bras. Six mois de travail quotidien, au coude à coude, chacun boutonné dans sa blouse blanche, et elle n'avait rien vu. Obsédée par la luciole alsacienne et la certitude qu'elle allait trouver la molécule miracle.

– C'est comme être optimiste ou pessimiste. Le pessimisme donne l'air intelligent…

– Et l'optimisme, idiot ? demanda Rose.

– Oui. C'est la raison pour laquelle les Français ont la réputation d'être très intelligents.

– Parce qu'ils sont très pessimistes.

– Peut-être, il dit en riant. Moi, je suis si optimiste que lorsque je souhaite une bonne année ou un bon anniversaire à quelqu'un que j'aime, je le souhaite deux fois de suite. *Happy New Year, Happy New Year !* pour être sûr que l'année sera heureuse. *Happy birthday, Happy birthday !* pour multiplier les cadeaux. C'est ma signature secrète.

Ça sera la nôtre quand on sera loin l'un de l'autre et qu'il m'enverra des sms. Je lirai dans ses mots ce qu'il n'osera pas me dire.

Leo s'étira, leva les bras au plafond. Se retourna.

– Garçon ! L'addition !

Il sortit sa carte de crédit de son portefeuille. Elle fouilla dans son sac à la recherche de la sienne.

– Tsstt tsstt ! C'est pour moi. Ça me fait plaisir.

Elle sourit, prit un air confus, pencha la tête sur le côté, faisant semblant de protester non, non, il ne faut pas, c'est trop gentil.

Elle se reprit. Vas-y, laisse-toi aller, tu adores ça. Il va te prendre la main, te caresser le poignet, déplier tes doigts un à un comme s'il voulait les respirer.

Elle se sentit défaillir. Elle entendait loin, très loin, les cris des garçons, les rires des clients, les bruits de vaisselle. Elle ferma les yeux, enregistra cette première soirée, la choucroute, le riesling qui va si bien avec le chou bouilli, New York-New York, Leo-Leo. Quelque chose commençait. Il suffirait de garder les yeux fermés pour que ça dure toujours, mais elle avait très envie de les ouvrir, que l'action s'accélère, qu'ils achètent leurs billets et embarquent pour New York.

Toutes les filles trouvaient Leo Zackaria sexy. Rose Robinson aussi. Et elle allait l'épouser.

Il faudrait bien sûr que les enfants parlent français. Elle leur lirait *Les Trois Mousquetaires* et les poèmes de Paul Verlaine. Les pièces de Racine et de Victor Hugo. Elle inviterait Babou à venir vivre avec eux. Elle nous fera des gâteaux, des lièvres royaux, elle gardera les enfants quand nous sortirons le soir.

– Je te dois bien ça, il ajouta en prenant l'addition. Tu as été une bonne camarade. Vraiment. Une chic fille.

Une bonne camarade ! Une chic fille !

La guitare en bandoulière devant un feu de bois pendant que le garçon qu'elle aime embrasse sa meilleure amie ? Une chic fille avec du poil aux jambes, des culottes remontées jusqu'au nombril, de grosses cuisses rouges, des cheveux gras, des points noirs sur le nez ?

— Non, je tiens à payer. On partage.

— Trop tard ! il s'écria en abattant sa carte de crédit. Prenez vite, garçon ! Mademoiselle ne veut rien accepter d'un homme.

Le garçon rit :

— Ha, ha ! toutes les mêmes ! Un coup, elles nous provoquent, l'autre coup, elles minaudent, et toujours, elles nous maltraitent. Vous voulez que je vous dise ? C'est nous, les hommes, qui sommes harcelés. On devrait porter plainte.

Il sourit en prenant la carte de Leo. Se tourna vers Rose.

— Je plaisante, mademoiselle. Y a pas plus romantique que moi. Je succombe à chaque fois. « Je n'ai jamais pu voir les épaules d'une jeune femme sans songer à fonder une famille. »

Il déclamait, une main sur le cœur, l'autre sur la couture du pantalon.

— Valery Larbaud ! s'écria Leo en tapant son code. Les poésies de A.O. Barnabooth.

Le menton du garçon tomba sur son plastron.

— Bravo ! Monsieur est un fin lettré.

Les deux hommes se congratulèrent.

– Ah ! Paris ! Paris ! Il n'y a qu'ici que choucroute et poésie se marient…, soupira Leo.

– Paris… « Ville où les âmes et les cœurs s'enlacent en quête d'un immortel espace, Ville qui trouble le ciel, la pierre, la glace et dans l'infini prend place. »

Leo fronça les sourcils, chercha s'il connaissait ces vers, fit la moue que non, et le garçon rosit en avouant :

– C'est de moi ! J'écris le soir…

– Vraiment ?

– Je ne vis que pour ça… Je me sens libre quand j'écris.

– Continuez ! Vous avez du talent.

– D'habitude, je n'en parle pas, mais là… avec le coup de Valery Larbaud… Je me suis dit que vous étiez un connaisseur et qu'entre connaisseurs, on pouvait se parler d'égal à égal. Vous croyez que je suis doué ?

– Vous vous appelez comment ?

– Félix.

– Eh bien Félix, bravo !

Le garçon passa un doigt dans son col de chemise pour reprendre son souffle.

– Vous ne pouviez pas me faire plus plaisir !

Leo avait rangé sa carte. Plié en deux son reçu. Replacé le tout dans son portefeuille. Il se souleva sur une fesse, fouilla dans la poche de son pantalon jaune, en sortit un billet de dix euros qu'il laissa tomber sur la table.

Félix fixa le billet, livide, et le repoussa du doigt.

– Ah non, monsieur ! S'il vous plaît…

Le billet glissa jusqu'à la soucoupe du café de Leo. Et Félix tourna les talons, la nuque raide, digne.

– J'ai fait une gaffe ? demanda Leo, étonné.

– Et pas qu'une ! grinça Rose en plaquant un accord furieux sur la guitare de la girl-scout assise près des braises.

– Plusieurs ? Mais… il s'exclama en retournant les paumes de ses mains comme s'il cherchait la trace de ses crimes.

Ses épaules s'affaissèrent, son cou disparut.

– C'est pas possible !

– Si. Et par deux fois, siffla Rose.

– Parce que… Toi aussi… je t'ai…

Alors la chic fille, la bonne camarade se vengea :

– Mets-toi à la place de ce garçon… Vous partagez un moment unique. Il te récite des vers, et pas des plus connus, tu lui réponds du tac au tac. Il se sent entendu, compris. Il te fait un aveu. Il se met à nu. Et tout ce que tu trouves à faire, c'est de lui balancer un billet de dix euros qui le remet à sa place de larbin ! C'est pas très délicat, c'est même mufle. Qu'est-ce que tu disais déjà ? Qu'entre la bienveillance et la malveillance, le chemin est étroit ? Ben… t'es pas près de l'emprunter, le sentier escarpé ! Va te falloir une corde, un piolet et une bonne dizaine de sherpas pour réparer tes conneries !

Leo la contemplait, stupéfait, le cou sorti telle une tortue apeurée flairant une feuille de salade. Ses paupières battaient. Il ne comprenait pas.

– Mais, mais… en France, le service est compris, je suis pas obligé de…

– Très chic comme argument !

Rose haussa les épaules, soulignant la balourdise du propos, la vulgarité de l'explication.

– Je vais rattraper ça ! il promit en jetant sa serviette.

Il se dressa d'un coup, partit à la recherche du garçon. Changea d'avis. Revint sur ses pas. Se planta devant elle. Et, la désignant du doigt, il ajouta :

– Ensuite, tu m'expliqueras le « et pas qu'une ! ».

Rose resta à table. Hébétée.

Elle ne comprenait pas ce qu'il se passait en elle. Quelqu'un montait dans la voiture qu'elle conduisait, la poussait, prenait le volant et jouait aux autos tamponneuses. Il y avait toujours des morts et elle contemplait le carnage, impuissante. Avait envie de protester, c'est pas moi, c'est pas moi.

C'est qui alors ?

Toujours pareil…, elle songea. Encombrée d'une violence si familière. Une éruption de colère qui ne lui appartenait pas. Babou disait en riant qu'il faudrait la rebaptiser Rose Etna Robinson.

Pourquoi, mais pourquoi ? J'étais heureuse ce soir dans ma vie inventée. Il m'aimait, je l'aimais. Nous habitions un loft à Manhattan. Nous avions deux enfants, trois belles chambres, quatre télévisions. Je me laissais avaler par un bonheur rassurant qui m'engloutissait dans ses sables mouvants. Je n'étais plus qu'un petit morceau de rien du tout dissous dans l'immensité de l'autre au dernier rang d'un cinéma.

Elle enroula ses bras autour de sa taille, se tassa.

Un homme et une femme attendaient de prendre place à la

table voisine. Le regard de la femme traînait par terre. L'homme portait un ventre très rond, un ballon de foot sous un tee-shirt moulant où était écrit « Je préfère une bonne bière qui me fait pisser à une bonne femme qui me fait chier ».

Le téléphone de Rose sonna. Un sms de Paula.

« Alors ? Tu prends ou tu laisses ? »

Rose tapa « Je prends ».

« Tant pis. *Next time.* »

Pourquoi elle a tapé ça ? Elle ne prend rien du tout.

Si.

Elle prend la fuite.

Au cours des jours qui suivirent, Rose n'eut pas de nouvelles de Leo. Elle n'osait pas l'appeler, il doit penser que je suis timbrée et il a bien raison. Je l'ai planté en plein restaurant. Sans un mot d'explication.

Elle guettait son nom sur son portable. L'allumait, l'éteignait, le rallumait, l'accusant de ne pas marcher.

Dans la cuisine, Babou parlait aux dix petits marins :

– Alors, c'est pour demain, le gros lot, mes chéris ?

Les dix petits marins ne répondaient pas.

Babou allumait une clope, *clic* le bruit du briquet, *hmmfff* la première inspiration, *pfffft* la première expiration. Elle ne savait pas fumer et s'étouffait à chaque bouffée. C'était sa manière de souligner que le moment était important.

– Vous ne dites rien ? C'est votre droit. Je sais que je finirai par gagner.

Rose s'asseyait sur le bord de la baignoire, regardait au-dehors les branches noires des arbres qui dansaient la salsa des maccha-bées. Elle se mordait la peau des ongles, ruminait j'ai bien fait de partir, j'aurais encore balancé des grenades.

Elle courut voir sa psy.

Suivit les doigts de gauche à droite, de droite à gauche.

La bite, solennelle, la contemplait.

Quand elle revint de sa séance, elle retourna dans la salle de bains. S'enferma.

Derrière la porte, Babou expliquait à la mère de Rose qu'elle avait besoin d'argent. Les impôts à payer, la taxe d'habitation, la mutuelle, l'eau, le gaz, l'électricité, les charges de l'immeuble, le teinturier, et puis... il fallait bien manger. Sa mère pestait, « j'en ai marre de vous entretenir toutes les deux ! Elle ne te donne plus d'argent, la petite ? », « Si, la moitié de son salaire. Mais elle est mal payée. Tu sais très bien qu'elle n'a pas les moyens de prendre un appartement »., « Elle n'avait qu'à choisir un autre métier ! », « Parce que tu t'es occupée de ses études, peut-être ? », « Oh ! ça va, la donneuse de leçons ! ».

Jamais Babou n'évoquait la psy de Rose, 80 euros chaque fois, et elle fronçait les sourcils si Rose ratait une séance. « Ne lâche pas, je t'en prie », et elle ajoutait à mi-voix « on ferait bien d'y aller aussi, ta mère et moi ». Les propos de Babou intriguaient Rose sans qu'elle osât poser de questions. Elle avait l'impression d'avancer en terrain glissant.

Babou s'occupait des comptes, du linge, du ménage, appelait le plombier, allait chez Darty acheter un fer à repasser. Elle avait travaillé toute sa vie aux côtés de son mari dans l'épicerie de Saint-Aubin, avait tenu la comptabilité, commandé les marchandises. Pourtant, à la mort de Papou, on l'avait jetée dehors. Sans pension ni compensation. Elle n'y avait pas droit, elle n'avait aucun droit, Papou ne l'avait jamais déclarée.

Quand Rose entrebâillait la porte pour vérifier que sa mère était partie, Babou, assise sur un tabouret, s'essuyait les yeux. Rose se recroquevillait entre le lavabo et la baignoire. C'était sa cachette où elle se racontait des histoires pour oublier.

Enfant, dans la salle de bains de ses parents rue Vivienne, elle avait installé une collection de pots en terre et cultivait des graines de pamplemousse et de citron. Elle s'enfermait, poussait le verrou, regardait les graines germer, se transformer en plumeaux bruns, puis verts puis vert et jaune. Bien à l'abri derrière la porte ornée d'une décalcomanie, un canard voguant sur un étang piqué d'herbes bleues. De l'autre côté, son père et sa mère vociféraient. Les noms des amants, des maîtresses volaient. Et toujours la même rengaine, « pas de blé, pas de blé ». Ils s'empoignaient. Se donnaient des coups de poing, des coups de pied. Rebondissaient contre le bois épais. « Salaud ! Salope ! » Le canard sursautait sur son étang aux herbes bleues.

Son père criait qu'il s'en allait, sa mère hurlait « mais dégage ! bon débarras ! ».

Rose mordait son pouce et chantait la chanson qui consolait

« ne m'oubliez pas, petit chemin de mousse, ne m'oubliez pas, chemin du petit bois, ne m'oubliez pas, chemin des ombres douces… ».

Elle se penchait sur les graines, examinait les bêtes blanches qui sautaient dans le terreau. Elle était la seule à les voir. « Elle, au moins, on n'aura pas à lui payer des lunettes ! » disait sa mère. Rose avait cherché leur nom dans un dictionnaire. Il s'agissait de collemboles, des insectes primitifs qui se déplacent en sautant à l'aide d'une micro-catapulte intégrée sous le ventre. Elle trouvait ça si drôle qu'elle s'endormait le soir en récitant sous les draps, « un collembole, deux collemboles, trois collemboles… ».

Elle observait son père, elle observait sa mère.

Ils se déhanchaient, s'approchaient, se frôlaient, se mangeaient la bouche, l'instant d'après ils s'assommaient de gros mots et tiraient des cartouches. Rites, rixes et rut. Comme les pucerons, les cantharides, les drosophiles ou les lucioles qu'elle récoltait à Saint-Aubin. Elle les glissait dans des gobelets percés de trous d'aération, les nourrissait avec des larves d'escargot ou des crottes de souris, et les examinait à l'aide d'une loupe. C'était toujours le même rituel amoureux en trois actes. Les insectes se pavanaient, le mâle ébouriffé, la femelle accablée. Puis ils se reproduisaient. Et enfin, s'entretuaient. La femelle toujours l'emportait, égorgeant, étouffant ou émasculant le mâle dès qu'il avait lâché sa précieuse cargaison.

Plus Rose se documentait sur les mœurs des insectes, mieux elle comprenait sa situation familiale.

Son père était parti répandre sa semence ailleurs ? Normal.
Sa mère l'avait tué après qu'il l'avait chevauchée ? Possible.

Babou, sa mère et elle vivaient dans le même appartement ?
Trois générations de femmes enfermées dans le même habitacle ?
Rien de plus banal.

Chez la *Rhopalosiphum prunifoliae*, femelle de la famille Puceron, c'est la même chanson.

Lasse de son époux volage, la puceronne se reproduit toute seule, par parthénogenèse, et n'engendre que des filles (sauf à l'automne où elle se laisse approcher par un puceron afin de régénérer son capital de diversité génétique et d'enfanter quelques mâles). Pour procréer plus vite et prendre de vitesse ses ennemis, la puceronne ne pond pas d'œufs mais accouche directement. Les nouveau-nées sont éjectées par le siège deux fois par jour et contiennent dans leur ventre un bébé en formation à la manière des poupées russes. Ainsi une seule puceronne signifie trois générations dans le même sac : grand-mère, mère et petite-fille.

Si d'aventure la puceronne enceinte (soit l'aïeule) est agressée, il est possible que les embryons qu'elle porte soient impactés. Même choc, même peur, même douleur.

Pire encore : on peut penser que chez nous, humains, le même phénomène existe, que la mémoire du stress et de la violence subie s'inscrit dans notre ADN de manière épigénétique pour passer d'une génération à une autre, en s'exprimant sous forme de troubles variés.

La *Rhopalosiphum prunifoliae* fit réfléchir Rose.

Si jamais Babou a été agressée, il y a de fortes probabilités pour que maman l'ait été aussi… Et moi, à mon tour ! Il faudra que je demande à Babou s'il lui est arrivé un grand malheur.

Rose ne demandait jamais, ça lui faisait trop peur.

Tout cela, Rose l'apprenait en lisant Jean-Henri Fabre, homme de science, naturaliste, entomologiste, écrivain merveilleux. C'était bien mieux que d'aller au cinéma de Saint-Aubin voir des niaiseries vantant les exploits de robots et de super-héros. Papou possédait les deux volumes des *Souvenirs entomologiques. Études sur l'instinct et les mœurs des insectes* qu'il avait hérités de son père et n'avait jamais ouverts. Rose les dévorait, allongée sur le ventre, un coude de chaque côté du livre, et allait de surprise en surprise.

Alors que ses petites camarades à l'école n'attendaient des garçons que moites émois, Rose apprenait que copulation n'était pas récréation et qu'à chaque étreinte, la menace, le danger, la brutalité faisaient partie de l'aventure. Elle en était troublée au point d'éprouver des picotements entre les jambes, elle se frottait de haut en bas et de bas en haut sur le tapis et ne tardait pas à se plier en deux dans un déferlement de plaisir. Plus tard, elle apprit que cette déferlante chez les humains s'appelait « orgasme » et les situait « au-dessus d'eux-mêmes », comme disait Diderot.

Ce qui la laissa perplexe.

Est-ce que l'orgasme, du grec *orgasmós* (signifiant « être plein de suc, de sève » et plus généralement « déborder d'ardeur et de désir »), faisait léviter ou était-ce un chemin vers ce Dieu tout-puissant qu'invoquait Babou pour un oui ou pour un non ?

Elle reprenait sa lecture pour en savoir plus. Jean-Henri Fabre citait de nombreux cas de ces coïts impétueux. Chez les cantharides, par exemple, c'était un récital de coups.

« Une cantharide femelle ronge paisiblement sa feuille de frêne. Un amoureux survient, s'approche par-derrière, brusquement lui monte sur le dos et l'enlace de ses deux paires de pattes postérieures. Alors, de son abdomen, qu'il allonge autant que possible, il fouette vivement celui de la femelle à droite et à gauche tour à tour. Ce sont des coups de battoir distribués avec une frénétique prestesse. De ses antennes et de ses pattes antérieures, toujours libres, il flagelle en furieux la nuque de la patiente. Tandis que les tapes pleuvent dru comme grêle, à l'arrière et à l'avant, la tête et le corselet de l'enamouré sont dans une trépidation oscillatoire désordonnée. On dirait l'animal pris d'une attaque d'épilepsie. Cependant la belle se fait petite, entrouvre un peu les élytres, cache la tête et replie en dessous l'abdomen comme pour se soustraire à l'orage érotique qui lui éclate sur le dos. [...] De ses pattes antérieures, à l'aide d'une échancrure spéciale placée à la jointure de la jambe et du tarse, il lui saisit l'une et l'autre antennes. Le tarse se replie et l'antenne est prise comme dans une pince. [...] Enfin la battue se laisse toucher par le charme des horions. Elle cède. L'accouplement a lieu et dure une vingtaine d'heures. »

Rose lisait, alléchée, troublée. Bientôt vengée.

Car si la cantharide supporte ce supplice, c'est par nécessité. Elle a besoin de cantharidine, une molécule de défense que le mâle lui transfère pendant l'accouplement. La cantharidine la protégera, elle et sa progéniture, des prédateurs. Aussi choisit-elle le mâle le plus riche en cantharidine.

Comment le sait-elle ?

Avant de s'accoupler, mâle et femelle entament une sorte de parade nuptiale pendant laquelle ils enroulent leurs antennes. Les antennes des femelles, armées de capteurs, se déploient et vont détecter la cantharidine du mâle. Si la quantité est suffisante, la femelle accepte l'accouplement, sinon elle vire le mâle et passe à un autre.

Rose refermait le livre et se promettait d'être aussi intraitable.

Le soir de Noël, Babou avait dressé une table avec des anges en laine tricotés, des guirlandes lumineuses, un foie gras frais, cuit par ses soins, un poulet fermier, une purée de marrons, une autre de carottes et de pommes de terre, une bouteille de champagne. Et une bûche de Noël décorée de nains guillerets avec des gros pifs, le bonnet de travers et le piolet sur l'épaule.

Rose portait un chemisier blanc sur un jean noir. Une paire de boucles d'oreilles en diamants qui lui venait de son arrière-grand-mère.

– Je te plais, Babou ?

– Tu es mon ange, ma beauté, ma princesse aux cils de palmier !

– Elle est toujours dans sa chambre ?

– Oui. Tout à l'heure, elle parlait au téléphone et ça avait l'air tendu !

Elles attendaient, les coudes sur la nappe blanche éclaboussée d'étoiles en gommettes dorées. Les cadeaux reposaient dans les assiettes.

– Mais qu'est-ce qu'elle fait ? s'énerva Rose. J'ai faim.

– Chais pas, dit Babou, les cils englués de rimmel bleu marine.

– Elle n'en finit pas de se préparer !

– Elle aime être la vedette. Partout où elle va.

Elles entendirent un bruissement sur le parquet et Valérie apparut. En longue robe noire bordée de strass, sautoir de perles blanches, cheveux noirs attachés, épaules dénudées. Les yeux verts, le menton fier, la bouche rouge. Une Majesté.

– Waouh… qu'est-ce que tu es jolie ! s'écria Rose.

– Merci, ma chérie. Toi aussi. Mais tu n'aurais pas dû mettre ce chemisier, il t'engonce. Tu as grossi, on dirait. Quelle belle table !

Elle lâcha son téléphone, ses cigarettes, son rouge à lèvres comme si elle jetait des dés sur la nappe.

– Tu aimes ? se rengorgea Babou. Je suis contente.

– C'est bien une bouteille de champagne que j'aperçois là ?

– Cham-pagne-ca-deaux ! scanda Babou en tapant dans ses mains.

– Oh ! J'ai laissé vos cadeaux dans ma chambre ! Tu vas les chercher, Rose ?

Rose se leva, poussa la porte de la chambre de sa mère. Pénétra dans le sanctuaire où il était interdit d'entrer. Propriété privée. Un grand lit avec une couverture en fourrure, une coiffeuse en marqueterie de bois de rose, une cheminée en marbre blanc, un profond fauteuil recouvert de tissu chamarré, de lourds rideaux blancs à passementerie vert foncé et deux mules en satin parme renversées sur le parquet.

Sur le miroir de la coiffeuse, des photos, des mots d'actrices, d'acteurs, de chanteuses, de chanteurs, dans toutes les langues, « À toi, ma chérie, sans qui je ne serais rien ! », « À Valérie, la fée de mon succès, la meilleure agente du moooonde ! », « À Valérie, la reine de Paris, tu es mon amour ! », « À toi, ma Valérie, grand Manitou qui es TOUT ! ». Des photos de Valérie Robinson sur un tournage, dans les bras d'un réalisateur, au Festival de Cannes, dans une jeep au Sahara, sous une cascade aux chutes du Niagara.

Rose s'approcha d'une photo. Sa mère y souriait, alanguie, cheveux dénoués, à peine maquillée. Elle murmura « maman ? maman ? ». Elle se reprit, se reprocha sa ridicule tendresse, aperçut sur le lit deux boîtes enveloppées de papier blanc estampillées du sceau de cire rouge Cartier. Sur la première était écrit au feutre noir « Rose », sur l'autre « Babou ».

Elle revint en serrant les boîtes contre elle.

– Cartier ! s'exclama Babou. Mais il ne fallait pas… C'est trop…

Rose pensa que son cadeau allait paraître bien insignifiant. Babou lui jeta un regard craintif. Rose haussa les épaules, pas grave, pas grave.

Elle fit sauter le bouchon de champagne, remplit trois flûtes. Elles portèrent un doigt mouillé derrière l'oreille, firent un vœu, trinquèrent, chantèrent joyeux Noël, tout le bonheur du monde. S'embrassèrent. On aurait dit qu'on tournait un film.

Babou demanda un moment de recueillement, « c'est le soir de Noël, la nuit où tout le monde prie, j'aimerais qu'on dise un

Notre Père, un Je vous salue Marie ». Elles joignirent les mains et fermèrent les yeux.

Rose se demanda où était Leo, ce qu'il faisait. Quelle heure est-il à New York ? Est-ce qu'il fête Noël, lui aussi ?

Elles ouvrirent leurs cadeaux.

Valérie la première. Elle découvrit la bouteille d'eau de toilette que Babou lui offrait. Elle en ôta le bouchon, le respira, déclara que c'était intéressant, merci, maman. Elle déplia le pull noir en V choisi par Rose. Lut l'étiquette :

– Du lambswool ? Pourquoi pas ? C'est doux aussi...

Elle envoya des baisers du bout des doigts.

– Merci, vous êtes des amours.

Et elle poussa ses cadeaux sur le côté.

Babou apporta le foie gras et les toasts briochés. Déplaça le téléphone de Valérie pour poser le plat. Une paire de sourcils se fronça. Une main s'abattit sur l'appareil.

– Attention !

– Excuse-moi, Valérie ! grinça Babou. Je pensais que le soir de Noël, tu pouvais t'en passer...

– Eh bien, non !

– C'est dommage.

– C'est comme ça. Et tu me changeras pas.

– Oh ! J'ai renoncé depuis longtemps.

– Tant mieux.

Elles mangèrent en silence. Parfois Rose disait c'est délicieux, n'est-ce pas, maman ?

– Un régal ! Ta grand-mère est une excellente cuisinière.

Valérie allumait une cigarette, tirait une bouffée.

– Tu commences quand la promotion du film dont tu parlais l'autre soir ? demanda Rose en découpant le poulet.

– Je ne sais pas encore.

– Il y a eu des projections ?

– Je vois le film demain. Avec le producteur. On va décider de la stratégie.

– Mais demain, c'est encore Noël ! On aurait pu...

– Rose... Tu sais très bien que je travaille tout le temps. On dirait que tu le découvres.

Une longue cendre grise tomba sur la nappe blanche. Le téléphone sonna. La voix d'un homme pressé, brutal, retentit. Valérie se mordillait les lèvres.

– En bas ? Dans dix minutes ? Oui, j'ai mis une robe longue. Non, je n'ai pas mangé. Oui, je t'attendais.

Elle s'énervait, t'exagères !, haussa une épaule, t'es idiot ! Raccrocha. Quel connard ! La cigarette lui brûlait les doigts. Elle l'écrasa dans son assiette. Se leva. Attrapa son téléphone.

– Je sais très bien ce que vous pensez ! Continuez sans moi. On a fait la fête, non ? Le foie gras était excellent et le poulet aussi. Allez ! Ciao, les filles !

Dans chaque boîte Cartier, il y avait une pochette en cuir de taurillon. L'une rose, « Pour toi, Rose », l'autre blanche, « Pour toi, maman ». Quand Rose retourna la boîte d'emballage, elle aperçut la mention écrite au feutre noir : « Cadeaux presse, Valérie Robinson, à porter à son bureau avant midi. »

Rose jeta la boîte à terre et lui donna un coup de pied.

– Je la déteste !

– Rose, ne dis pas ça !

– Tu sais ce que c'est ? Un cadeau de presse ! Elle l'a eu gratos. Elle a réussi à placer un produit Cartier dans un film et on la remercie. Même à Noël, elle triche ! Et elle nous plante en plein dîner !

– Ma petite chérie… Elle t'aime. Je suis sûre qu'elle t'aime.

– Arrête de dire ça ! Si elle m'aimait, elle aurait passé Noël avec moi, avec nous. Toute la soirée !

– Ce n'est pas si simple. Les gens ne sont pas noirs ou blancs. Gentils ou méchants. Aimables ou haïssables.

– Tu la défends toujours !

– Non, je ne la juge pas, c'est différent. Quand on juge, on n'est pas juste. Je n'aime pas te sentir en colère contre ta mère. Ce n'est pas de la colère, d'ailleurs, mais de l'amour blessé. Et puis…

Babou s'était arrêtée et semblait chercher son souffle.

– Et puis quoi ?

– Elle n'est pas la seule coupable.

– Pas la seule coupable ! s'exclama Rose. Ça veut dire quoi ?

– Ce que ça veut dire.

– Mais c'est trop facile !

Babou baissa les yeux devant l'indignation de Rose.

– Je veux dire qu'il y a souvent plusieurs coupables. On ne se donne pas la peine de les chercher, on coupe la tête de celui qui paraît le plus évident. On oublie les autres.

Rose laissa échapper un hoquet, les joues en feu. Elle releva le menton et murmura :

– C'est vrai que j'ai grossi ?

Babou continuait de parler, les yeux dans le vague. Son index, un peu fripé, roulait une gommette dorée.

– Elle t'a eue trop tôt. Vingt ans, c'est pas un âge pour devenir mère.

– Mais toi ? T'étais jeune aussi quand tu l'as eue. Et tu t'es occupée d'elle, tu l'as aimée.

– Moi, je mourais d'envie d'avoir un enfant.

– Et elle, non ? Fallait pas me faire, alors ! Elle m'a jamais aimée, jamais protégée, jamais ! Ose dire le contraire !

Babou se tut.

– Tu vois ? Tu dis rien ! Tu veux que je te raconte quand elle m'oubliait sur la banquette d'un restaurant où je m'étais endormie ? Parce qu'elle n'avait pas trouvé de baby-sitter et avait été obligée de m'emmener ? Hein ? Et la fois où…

– Oh non, ma chérie ! Pas ce soir. Ne recommence pas, je t'en supplie.

– Alors ne mens pas. Ça me rend folle. Et ça me fait mal, Babou !

Rose s'était levée et pointait sa grand-mère du doigt comme si elle la menaçait. Babou fixait la nappe, muette.

Rose attendit. Puis elle sortit et une porte claqua.

Les bougies coulaient sur la nappe, le foie gras fondait, le poulet baignait dans une sauce figée, luisante, et les nains au gros pif rigolaient sur la bûche.

– Pauvre Noël ! murmura Babou en grattant la nappe.

Un vol de corbeaux s'engouffra dans sa tête. Ils poussaient des cris perçants et croassaient « Trop de malheur ! Trop de malheur ! ».

Elle se leva et commença à débarrasser.

Le lendemain, c'était encore Noël. « Ça n'en finira jamais ! »
soupira Rose en se levant et en écartant les rideaux de sa chambre.
Derrière la fenêtre, le ciel était gris. Sur son portable, il n'y
avait pas de message de Leo. Elle eut envie de se recoucher mais
entendit Babou fourgonner dans la cuisine.

Sa mère avait envoyé un texto disant qu'elle partait à Deauville
prendre l'air.

– Le ciel, il est aussi gris là-bas qu'ici ! grogna Babou.

– Oui mais là-bas, elle est dans un bel hôtel, elle respire le
cuir Hermès, la moquette épaisse, le feu dans la cheminée et les
hommes pétés de tunes. Tout ce qu'elle aime.

Babou se déchaussa et remua les doigts de pied. La danse des
dix petits marins allait commencer. Rose n'avait pas envie de rire.

– Bon ! décida Babou en remettant ses pantoufles. On ne va
pas se laisser abattre ! Je vais te faire des paupiettes. Dorées à
l'huile d'olive avec des oignons et une purée maison. Va m'en
chercher deux belles chez monsieur Jean-Claude. Il est ouvert
jusqu'à midi aujourd'hui.

Monsieur Jean-Claude. Rose vacilla.

– Tu lui dis que tu veux les mêmes que la dernière fois. Elles
étaient excellentes.

Rose décida de faire un détour. Elle ne voulait pas arriver trop vite devant la vitrine de la Boucherie-Triperie-Volailles.

Elle rejoignit la rue Fénelon, les pavés gris, presque ronds, les escaliers en pierre et le lampadaire. L'immeuble de François Gillet aux volets blancs, orné de céramiques multicolores et d'un médaillon en l'honneur de Bernard Palissy. Des arbustes moussaient derrière un mur en bouquets étoilés. C'était sa rue préférée. Elle en connaissait chaque recoin, chaque teinte de porte ou de fenêtre. Un pigeon piquait du bec un vieux matelas défoncé, en sortait des flocons de mousse jaune, un autre faisait rouler une canette de Coca. Les passants pressés affichaient mine basse et yeux cernés.

Elle se rendait chez monsieur Jean-Claude.

Ses jambes se dérobaient. Un trait de sueur mouillait sa nuque. Elle haussa les épaules pour le bloquer. Attendre, attendre encore un peu. Faire durer le plaisir qui frissonnait dans son ventre.

Prendre la rue de Rocroy, grise, froide. Marcher un pied sur le trottoir, l'autre dans le caniveau. Traîner rue Pierre-Semard devant la façade bleu lagon de la papeterie Baudin, la boutique de « vins en gros, demi-gros et détail » aux pierres marron rouille. Une passerelle métallique surplombait la rue et, dessous, un SDF avait construit son abri. Il s'appelait Joseph. Il avait été pianiste, mais, souffrant d'une tendinite aiguë, il avait perdu son emploi sur les bateaux de croisière où il jouait. Il était revenu moisir à terre. Il passait ses journées à lire des partitions, à contempler le ciel.

Rose lui apportait des cakes que Babou faisait exprès pour lui « avec beaucoup de beurre, il a besoin de vitamine A, cet homme ». Et une thermos de café. Rose s'accroupissait, souriait. Elle attendait qu'il veuille bien lui parler. Il fredonnait, le regard vide, un prélude de Chopin. *Si-do, si-do, si-do, si-si* bémol, *la-si, la-si, la-si-la.* Rose avait appris à le jouer au piano.

Il n'était pas là.

Ses affaires étaient pliées sur le trottoir, rangées sous une bâche verte. Rose déposa, sur un carton, un morceau de bûche et deux nains gais lurons.

Elle prit place dans la queue chez le boucher. Les clients n'étaient pas nombreux en ce lendemain de réveillon. Monsieur Jean-Claude s'agitait derrière le comptoir. Sa femme, derrière la caisse. Il aiguisait ses couteaux, elle encaissait en tripotant les boutons de son cardigan.

Tout paraissait énorme, menaçant, chez monsieur Jean-Claude. Il était taillé à la hache. Des tronçons de chair jetés en vrac, les mains, les bras, le torse, la bouche, le nez, le cou... Des bosses, des angles, des éraflures. Des sourcils blonds clairsemés, un crâne lisse, une chair rose de petit cochon bien propre, des yeux marron, vifs, parfois mauvais.

Elle entendit une cliente demander des côtes de veau.

– Elle les veut comment, la dame ?

– Moyennes.

Il attrapa un morceau de viande, leva le bras armé d'un tranchoir et sépara les côtes d'un coup violent. Ses lèvres grasses se retroussaient, il soufflait comme un taureau gratte le sol avant d'attaquer. Ses doigts roses aux ongles courts s'enfonçaient dans la viande et la maintenaient plaquée. Rose trembla. Une vague glacée enserra ses genoux. Elle pressa les bras sur sa poitrine. Son sexe palpitait, affamé, impatient. Elle croisa les jambes, respira.

– Deux belles côtes de veau ! Vous m'en direz des nouvelles ! il brailla.

Les doigts de monsieur Jean-Claude écartelaient les côtelettes, attrapaient un pilon, écrasaient les morceaux en martelant « bien tendres, bien goûteux, des morceaux de choix ». La dame opinait en silence. Le pouce du boucher se crispa sur les côtes, les empoigna, les jeta sur la balance. « Une belle poêle, un peu d'huile ou de margarine, bien saisir de chaque côté, il n'y a plus qu'à vous délecter. Le couteau entrera dedans comme dans du beurre. »

Une terreur exquise tapissait le ventre de Rose en équilibre au-dessus du gouffre.

C'était au tour de Rose.

– Et pour mademoiselle Rose, ce sera ?

– Deux...

– Elle a les yeux cernés, Rose, ce matin. Elle a trop fait la fête ?

Il donna un coup de menton, se cambra, la jaugea. Le poing sur la hanche, l'air interrogateur.

– Euh non... J'ai..., balbutia Rose.

Il eut un sourire de vainqueur qui se tordit en grimace.

– T'excuse pas, Rose, c'est de ton âge !

Tout en parlant, il essuyait son long couteau sur son tablier maculé de sang. Ses yeux froids ne la quittaient pas. Ses narines dilatées lui dessinaient un nez large, plat, sans os ni cartilage.

– Deux paupiettes de veau, s'il vous plaît, dit Rose d'une voix étouffée.

– DEUX PAUPIETTES DE VEAU ! il tonna. DEUX !

Il se pencha sur son étal, laissa courir ses doigts, palpa les paupiettes exposées dans un plat, les pressa, les repoussa, en saisit deux.

– Trois cent quatre-vingts grammes pièce, c'est bon ?

– Oui...

– Bien ficelées. Bien ligotées. Tu vas te régaler.

Bien ficelée, bien ligotée.

Les mains dans le dos.

Pas le droit de croiser son regard, sinon... je te torchonne. Il lui tord les poignets, les plaque sur les omoplates. Dévide la ficelle. Enchaîne nœud sur nœud. La cordelette lui cisaille les seins. Il dégage un téton, puis l'autre. La ligote, la bâillonne. La suspend à un crochet. Lui ouvre les jambes. Palpe son sexe. Lui pince le bout des seins de ses doigts froids. Les écrase. Les frotte. Mordille un mamelon. Pas bouger, il ordonne en lui tirant les cheveux de ses mains grasses. Je veux pas t'entendre, t'as compris ? Sinon... La menace, toujours la menace. Elle laisse tomber la tête sur sa poitrine, emplie d'un délicieux et terrifiant frisson. C'est bien, il dit, c'est bien, je préfère quand tu es comme ça, j'aime pas te punir, tu sais. Je suis bien obligé parfois mais...

– Pour mademoiselle Rose, ça fera 14 euros, 23 centimes.

Déjà ? C'est fini ?

Rose ploya le cou, s'avança vers la caisse, tendit un billet.

– Faut sourire, ma p'tite Rose ! dit la bouchère. C'est Noël aujourd'hui.

– Oui, madame. Joyeux Noël !

– Tu es de plus en plus jolie. Ça te fait quel âge ?

– Vingt-neuf ans.

– C'est fou, ça ! On dirait une gamine ! J'ai pas raison, Jean-Claude ? Et t'as un amoureux ?

Rose rougit, rangea la monnaie.

– C'est pas une insulte, tu sais ! Allez ! Allez ! Tu souhaiteras de belles fêtes à ta grand-mère.

Rose acquiesça et s'apprêta à sortir.

– Hé ! Rose ! T'oublies le principal ! cria le boucher en montrant sa femme de son couteau.

Rose sursauta, se retourna.

Elle avait laissé les paupiettes à côté de la caisse.

Au cours de la semaine qui suivit, Rose resta rue Rochambeau. Le laboratoire était fermé. Ses collègues partis dans leur famille ou en vacances. Paris était désert, déguisé en arbre de Noël avec des guirlandes, des étoiles, des parterres de fleurs et de lumières. Sa chambre donnait sur un long balcon filant longeant l'appartement. Raymond, l'amant de sa mère, ne s'était pas moqué d'elle. Cent soixante mètres carrés au cinquième étage, plein sud. Cela signifiait un grand nombre de pipes. Rose tenta de calculer combien ça en faisait au mètre carré. Elle se demanda si sa mère avait dessiné des bâtonnets sur un cahier pour s'encourager comme les gens qui vont sortir de prison ou les enfants avant Noël. C'était une coriace. Elle ne rechignait pas à la tâche. Elle lui faisait penser à la reine des abeilles.

Quand celle-ci décide de s'accoupler, elle sort de la ruche, stationne à une vingtaine de mètres en altitude, lâche une traînée de phéromones, prévenant les mâles des environs qu'elle est prête à copuler.

Un premier bourdon se présente, se colle à la reine, coïte cinq secondes, balance son stock de spermatozoïdes et... la reine le pique de son aiguillon. Le mâle part à la renverse, abandonnant son endophallus dans les voies génitales de sa belle.

Un autre mâle lui succède. Il arrache le phallus du précédent, s'encastre, décharge et meurt selon le même scénario. La reine impassible continue de s'accoupler jusqu'à ce que sa boîte à sperme soit remplie de cinq à huit millions de spermatozoïdes. Alors elle regagne son palais, sa cargaison lui permettant de féconder la ruche entière pendant quatre à cinq ans.

Toutes les deux, sa mère et la reine des abeilles, s'activaient pour gagner de quoi se prélasser. La reine dans sa ruche, sa mère au 8, rue Rochambeau. Le mâle humain s'en tirait mieux que le bourdon : il ne perdait ni son zizi ni la vie.

Raymond était mort d'un arrêt cardiaque une nuit dans son lit aux côtés de sa femme légitime.

Rose alla voir sa psy. Lui raconta monsieur Jean-Claude et les paupiettes. Ses genoux pris dans la glace. La terreur exquise. Le plaisir qui l'irradiait.

– J'aime m'imaginer qu'il me ligote, me pince, me manipule. Je me sens bien, c'est doux et c'est fort. Quelque chose n'est pas normal chez moi.

Docteur M. sourit et fit bouger ses doigts. Rose sentit des picotements sous le plexus, une douleur diffuse dans la poitrine.

– Et là… vous pensez à quoi ?

– Ben… toujours pareil, répondit Rose.

– Mais encore ?

– Ça pique, ça brûle. C'est douloureux. J'ai envie de pleurer mais ça ne monte pas jusqu'aux yeux. C'est comme si j'avais sur le plexus une couche de béton qui bloque tout.

– Un jour, ça va craquer… Vous serez capable de pleurer. Ce jour-là vous serez délivrée.

Les doigts reprenaient leur parcours. La bite revenait.

Rose payait et repartait.

Kirsten l'appela pour l'inviter à la soirée du 31 décembre. Rose déclina.

– Je veux pas laisser ma grand-mère seule. Ma mère n'est pas rentrée.

– On fait un brunch le lendemain pour finir les restes. Tu viendras ?

Rose entendit de la tendresse dans la voix de Kirsten.
Elle accepta.

Babou et Rose passèrent le réveillon rue Rochambeau, les fenêtres grandes ouvertes sur le square Montholon. Les arbres maigres oscillaient, étonnés de la tiédeur de l'air. Des feuilles vertes hésitaient à éclore, tendres moignons accrochés aux branches noires. Les trois derniers jours de l'année avaient été caniculaires. Vingt-huit degrés un 31 décembre. On ne parlait que de ça. Changement climatique, réchauffement de la planète, mais qu'attendent les dirigeants pour prendre des mesures drastiques ?

Babou se traînait, pieds nus. Les dix petits marins au garde-à-vous. Elle avait encore perdu au Loto et les engueulait. Ce serait quand même plus simple si vous m'aidiez à trouver les bons numéros !

Elle ne croit tout de même pas que Papou s'est réincarné en doigts de pied ? se disait Rose en lisant un article dans *Science*.

Quelle température à New York ? Trente degrés ! Il va passer les fêtes en tongs et bermuda jaune ? Et si elle lui envoyait un texto ? Elle avait une excellente excuse : souhaiter une joyeuse année à la luciole alsacienne et à leur futur prix Nobel.

Non. C'était pas une bonne idée.

Babou avait acheté du champagne, du caviar, du saumon fumé, des blinis et annonçait une surprise pour le dessert.

– Mais où t'as trouvé l'argent ? dit Rose.

– J'ai fait des économies toute l'année. On va pas crier famine pendant qu'elle se goberge à Deauville, hein ?

Elle déchiqueta le grillage du bouchon de champagne avec les dents.

– Arrête ! hurla Rose en fermant les yeux.

– Ben… je suis fière de montrer que j'ai toutes mes dents !

Elles dînèrent en se portant des toasts. À toi, à moi, à nous ! Jouèrent au Monopoly, au rami et, juste avant minuit, allumèrent la télévision. Se prirent par la main, balancèrent les bras, chantèrent le décompte des dernières secondes de l'année.

– 9-8-7-6-5-4-3-2-1… 0 !

Se serrèrent, s'embrassèrent. Tu es ma grand-mère chérie, tu es ma princesse aux cils de palmier, je t'aime, je t'adore et youpla-lère, que l'année ne soit pas galère !

Le téléphone de Rose posé sur le canapé restait silencieux. Normal, se dit-elle. Il n'est que 18 heures chez lui.

Babou alla chercher le dessert et le rapporta en ondulant des hanches telle une danseuse de cabaret oriental.

– Tadaaam ! Un baba au rhum de chez Cyril Lignac.

Elle le posa sur la table et ajouta, très fière :

– Je l'ai volé.

– Comment ça, « volé » ?

– Une vendeuse l'avait posé sur le comptoir, bien enveloppé dans son carton, pendant qu'elle finissait de préparer une commande. La boutique était pleine à craquer. Un orchestre de mariachis s'est mis à jouer dans la rue, tout le monde s'est retourné et hop ! ni vu ni connu, j'ai fait glisser le baba dans mon cabas et je suis sortie.

– T'as volé un baba, Babou ? rigola Rose.

– Au prix où ils les vendent, leurs pâtisseries, faut bien les aider à faire la charité ! Dis donc, pourquoi tu regardes ton téléphone ? Tu crois qu'elle va nous appeler ?

– Euh...

– Tu m'énerves à toujours attendre d'elle quelque chose qui ne viendra pas. Tu te fais du mal.

Babou s'éventait de sa serviette en papier pliée en éventail. Elle fouettait l'air, rouge, congestionnée.

– T'es décourageante, tu sais !

– Arrête de m'engueuler, Babou. C'est le premier jour de l'année.

– C'est plus fort que moi ! Te voir mendier son amour comme ça !

Ne pas me laisser piétiner. Gagner du temps. La tenir à distance. Et courir, courir jusqu'au centre du cercle. M'y poser, réfléchir, décider de lui parler ou pas de Leo.

– Je ne mendie pas son amour, dit Rose d'une voix posée.

– Si. Tu le quittes pas des yeux, ce téléphone. Et ça me fait de la peine.

Courir, courir. Viser le centre. Sauter à pieds joints. Reprendre mon souffle et réfléchir si...

– Rassure-toi. Je ne pensais pas à elle.

Babou fit une drôle de grimace. Son œil exigeait une explication. Elle laissa tomber son éventail improvisé, se rapprocha de Rose.

– Tu pensais à qui alors ? Dis-moi ! À un garçon ?

– Non.

– Une fille ?

– N'insiste pas !

Babou se rejeta en arrière, croisa les mains sur son ventre, fit une moue de laissée-pour-compte.

– Il m'arrive plus rien à moi. Je suis devenue transparente. Appelle-moi « Cellophane ». J'aimerais bien avoir un amoureux. Un gentil.

– BABOU ! Arrête ! C'est dégoûtant.

T'es vieille, t'es fripée, t'as plus l'âge d'avoir un amoureux. M'impose pas cette image, s'il te plaît. Je suis ta petite-fille, pas ta copine.

– Ro-oo-ose ! ordonna Babou, impérieuse.

Sa voix modulait les mêmes notes que lorsqu'elle la grondait, enfant. Rose se réfugiait alors sous le comptoir de l'épicerie et suivait les pas des pantoufles grises qui la cherchaient.

– Ça ne marche plus, Babou.

– ROOOOOSE !

– Plus du tout, du tout.

Ça y est ! J'y suis. Dans le cercle. En plein dans le mille ! Je reprends mon souffle. Je tiens Babou à distance, je réfléchis et décide que… je ne dirai rien. Je garde mon secret.

Babou se mit à supplier d'une voix de petite fille :

– Tu sais que je peux tout entendre. Je suis une tombe.

Rose secoua la tête, adressa un sourire à sa grand-mère et chantonna :

– Lalala, on se le mange ce baba, Babou ?

J'ai réussi. Je suis maîtresse du jeu. D'accord, avec Babou c'est facile. Très facile. Mais quand même... quand même... C'est grisant. Je meurs d'envie de recommencer.

Au petit matin, Rose fut réveillée par un *bip*.

Un sms. De Leo.

L'écran de son téléphone clignotait « *Happy New Year ! Happy New Year !* ». Deux fois ! Leur langage secret ! Elle le regardait, les yeux écarquillés, et c'était comme si toutes les cloches de toutes les églises de Paris carillonnaient. *Happy New Year ! Happy New Year !* Double vœu ! Signature secrète ! Il pense à moi. Il pense à moi.

Il est quelle heure là-bas ?

Six heures du matin en France, minuit à New York. Il a pensé à moi à minuit pile. Je suis la personne la plus importante de sa vie ! Je suis grande, je suis belle, je suis mince, je suis intrépide, je vais sauter par la fenêtre et voler jusqu'à la lune, que dis-je, la lune ? ce pauvre territoire rempli de fusées et d'enclumes ? Mars ! Jupiter ! Saturne !

Son cœur battait tel un canon de Napoléon, *boum-boum-*

boum. Elle disparut sous les draps, rabattit la grosse couette rouge, répéta il-pense-à-moi-il-pense-à-moi, ferma les yeux, se souvint dans le désordre de la mèche de cheveux, de la tête qui penche en avant, de la fossette, des mains dans les poches, nonchalant, nonchalant. Et puis… d'un dépôt blanc dans un microtube Eppendorf, de pinces brucelles devenues vert fluo, on ne savait pas pourquoi, d'une hypothèse de Kirsten sur le sperme de grillon qui avait fini en chanson, le sexe du grillon diguedon-diguedon a le nez dans le guidon. Il-pense-à-moi-il-pense-à-moi. Elle convoqua le pantalon jaune, ne le trouva plus si jaune et l'érigea en attitude. C'est une affirmation de soi, une vraie indifférence à ce que les autres pensent. C'est un homme libre. Quelle idiote j'ai été ! Elle riait, roulait dans son lit, si heureuse ! Si agitée ! Si avide de se jeter contre lui, de lui manger les yeux, la bouche, le nez, de rouler contre sa peau, de le humer, de le lécher, oh là là ! si avide ! Et Paula Alsberg qui le trouvait sexy ! Et la fille blonde et grasse aux cils brûlés qui dandinait de la poitrine ! Et les filles du labo qui se pâmaient ! Leo coulait dans son sang, il-a-pensé-à-moi-il-a-pensé-à-moi. Elle étendit un bras, un autre, étira un pied, étira l'autre. Soupira d'aise.

Qu'allait-elle bien répondre ?

Surtout pas tout de suite.

Ne pas lui donner l'impression que je garde mon téléphone sous mon oreiller au cas où il appellerait. Attendre demain matin. Voire demain après-midi. Prendre un quart de Lexomil pour endurer l'attente ?

Bien réfléchir à ce que je vais écrire.

Mais surtout… jouer la distance. Désinvolte, drôle. Naturelle. Si difficile !

Finir par une question, un point d'interrogation. Il sera obligé de me répondre. On entamera une conversation.

Elle glissait dans le sommeil, sa respiration se faisait profonde, elle reprenait le fil de son rêve, Tom, Bianca, Alice aux pays des merveilles, Dean et Deluca, Tyrone et sa dent qui branle, le loft sur Thompson Street. Un sapin de Noël, des enfants en pyjama, Leo sur un escabeau qui accroche la dernière étoile, les chants de Noël, Babou qui dit ses prières. Tant d'amour, tant de félicité ! Elle s'empiffrait, presque écœurée.

Tomber en amour, c'est tomber en flaque.

Le lendemain matin, Babou avait laissé un mot sur la table de la cuisine disant qu'elle partait jouer au Loto. « Prie pour que je gagne », elle avait griffonné en bas de la feuille. Rose repoussa les tartines et le café préparés par sa grand-mère, attrapa une enveloppe qui traînait sur la table, la retourna et gribouilla :

« *Happy New Year to you !* La luciole alsacienne se joint à moi… »

Non. Pas de points de suspension. Surtout pas. Ça laisse entendre que j'attends, que je suis déjà *in love*, prête à subir le désir du mâle. Pouah ! Garder ma dignité.

« *Happy New Year ! So happy to hear from you !* »

Non. Non. Non. Je ne suis pas *so happy* d'avoir de ses

nouvelles. Je suis une grande personne qui maîtrise ses émotions. Une fille indépendante qui gagne sa vie et n'a pas besoin d'un garçon pour haleter. Après tout, qu'est-ce qu'un garçon ? Qu'a-t-il de plus qu'une fille ? À part ce truc de neuf centimètres environ qui lui pend entre les jambes (longueur moyenne d'un pénis au repos selon le *Journal of Urology*). Je reste sobre. J'évite les points de suspension et d'exclamation.

Neutre. Distante. Mais pas trop. Si on met trop de distance, on perd l'objet de vue. Je suis bien obligée de commencer par *Happy* quelque chose. Même si c'est stupide de penser que toute l'année sera *HAPPY*. « Belle, belle année ! »

Pas mal. Je ne prends aucun risque. Je joue la même note que lui.

Il y avait de la buée sur la fenêtre de la cuisine. La température avait dégringolé. Rose jeta un œil au thermomètre accroché au mur à côté des chatons du calendrier de la Poste. C'était un vieil exemplaire. Les postiers ne passaient plus pour les étrennes. Babou coloriait les chatons pour qu'ils aient toujours l'air jeune et frais. Trois degrés à 10 heures du matin ! Les moignons verts des arbres étaient couverts de givre. La météo se déglingue vraiment. La pollution bat son plein. Bientôt les poissons seront remplis de billes de plastique. On les portera sous le bras comme des baguettes.

Lui parler des poissons-baguettes et de la météo ? Non.

Lui envoyer une photo de Paris ? C'est sans risque. Oui mais… il me reste à trouver la question qui l'obligera à me répondre.

« Tu vas bien ? »

Alors là… N'importe quoi !

Une question professionnelle de préférence. Sauf qu'il ne s'est rien passé depuis qu'il est parti. Le labo est fermé et il le sait.

J'y arriverai jamais. Je vais prendre un quart de Lexomil.

Où ai-je rangé le tube, la dernière fois ? Je n'avais pas tout avalé. Maman m'avait retrouvée sur mon lit, inanimée, et m'avait emmenée à l'hôpital…

Il s'appelait Paul.

Au début, on ne sait pas que ça peut s'arrêter. On marche à cloche-pied, on s'engouffre dans une porte cochère, on se suspend, on se surprend, on a tout le temps. Ça avait duré trois ans. Ne pas y penser en ce 1er janvier, ne mettre que du beau, du neuf dans ma tête. Aller faire la fête chez Kirsten. Comment vais-je m'habiller ? Je me lave les cheveux ? On sera nombreux ?

« Bonne, bonne année. »

Faiblard.

On dirait les vœux d'une éléphante ménopausée.

Deux tartines et trois cafés plus tard, le dos de l'enveloppe était noirci de mots qui se tortillaient tels des vers de terre sous amphétamines : « Année », « Paris », « señor », « New York », « luciole », « matador », « Belle, douce, heureuse », « Lupaletto », « mojito »,

« prix Nobel », « hihihi », « Taverne alsacienne », « choucroute », « mammouth », « tour Eiffel ».

Si seulement elle avait une « meilleure amie » ! À deux, on est toujours plus fortes. On rit. L'homme devient tout petit. On se moque de lui. On lui coupe une oreille, on lui griffe le dos, on lui tire les poils du nez, on l'estropie pour se venger de la place qu'il prend dans nos vies, des problèmes qu'il nous pose.

Rose n'avait pas d'amies. Elle n'était ni sur Facebook ni sur Instagram ni sur Twitter. Sur rien du tout. Elle n'avait rien à dire à tout le monde. Elle préférait se parler à elle-même.

De toute façon, elle n'avait jamais été douée pour se faire des amies.

Elle n'avait pas la bonne coupe de jean, de cheveux, ni les bonnes baskets, ni le bon sweat. Encore moins le sens de la répartie. Elle était plus souvent rouge coquelicot que sur le point de sortir un couteau. En revanche, elle était imbattable en amies imaginaires. Elle en avait eu deux, d'une remarquable assiduité, mais depuis son entrée au CNRS, elle les avait négligées. Inutile d'avoir des regrets : Thelma et Louise n'auraient pas été d'un grand secours pour la rédaction des sms. Elles dataient un peu. Rose avait vu le film avec sa mère quand elle avait huit ans. Le dimanche soir était la soirée « cinéma ». Toutes les deux au fond du canapé, un plateau de sandwichs au pâté et aux cornichons sur les genoux, les cheveux encore mouillés par la douche. Les deux films que sa mère lui passait en boucle étaient *Autant en emporte le vent* et *Thelma et Louise*. Si Rose trouvait Scarlett un peu « rude », elle avait tout de suite aimé Thelma et Louise et les avait embauchées comme meilleures amies. Elle ne savait pas laquelle était sa préférée. Sa mère trouvait Thelma stupide et penchait pour Louise qui menait les hommes par le bout du nez ou les tuait. « Tu as le choix, expliquait-elle à Rose, mais avec les hommes, n'oublie jamais, c'est la guerre. Je sais de quoi je parle. J'en suis à cinquante-six amants. Pas mal, non ? Et ma carrière n'est pas finie. »

Régulièrement, Valérie rafraîchissait ses statistiques. L'année précédente, elle avait atteint les cent trois amants et avait ouvert le champagne. Elles avaient trinqué à ce chiffre, à l'agence florissante, à l'appartement sur le square Montholon. Cent trois amants… J'y arriverai jamais, se disait Rose. Trop tard pour combler mon retard, pensait Babou, qui, le lendemain, commença à jouer au Loto.

La tête pleine de ce souvenir, Rose se leva pour remplir sa tasse de café. Elle ressassait, cent trois amants tout de même ! Presque aussi bien que d'avoir le prix Nobel !, quand une formulation lui tomba en boîte aux lettres dans la tête : « Belle et heureuse année ! J'ai acheté une robe pour la réception du Nobel. Et toi ? Tu loues ou achètes ton habit ? »

Elle attrapa son téléphone et tapa.

Et maintenant, je vais attendre. Verbe horrible du troisième groupe.

Mesurer la place que j'occupe dans sa vie à la vitesse de sa réponse. Et à son contenu.

Soit deux inconnues.

On est le 1er janvier, 14 h 01, ça ne fait que commencer.

Sur la porte de l'appartement de Kirsten et de Niels, il y avait deux photos encadrées de scotch. L'une sur laquelle Kirsten portait une robe blanche à manches bouffantes et décolleté rond, et Niels un costume gris avec gilet perle et cravate rouge. L'autre montrait Kirsten en costume gris, gilet perle et cravate rouge, et Niels en robe blanche décolletée à manches bouffantes. Sur les deux, ils souriaient, bras dessus, bras dessous. Un peu plus bas, était punaisée une troisième photo où ils s'affichaient de dos, entièrement nus. Rose entendit des voix, des rires, des bruits de vaisselle, une musique brésilienne. Elle prit une profonde inspiration, lissa ses cheveux et sonna.

Kirsten la serra dans ses bras en chuchotant « Bonne année, Rose ! Que ta luciole t'apporte bonheur et prospérité ».

Rose enfouit son nez dans le cou de Kirsten et murmura « Bonne année ». Elle aimait respirer le savon au muguet que la mère de Kirsten envoyait de Copenhague. Molécule principale : l'alpha-terpinéol, qui donne sa senteur au muguet. Un savon qui racontait les bras tendres d'une maman, des serviettes chaudes, un chocolat fumant, un pyjama en flanelle, un feu dans la cheminée, un père qui lit le journal dans un fauteuil profond et ouvre grands les bras. Elle s'abandonnait au bonheur en respirant ce

savon. Elle eut envie de parler à Kirsten du sms de Leo. Mais
décida d'attendre que tout le monde soit parti.

Le buffet était copieux. Rose contemplait les plats de saumon,
de crevettes, les crêpes épaisses, les saladiers de pommes de terre,
les tartines de pain de seigle recouvertes de viande fumée,
d'anguille, d'œufs de poisson, d'œufs durs, de betteraves et
d'oignons, une pièce montée faite de sablés qui grimpaient en
pyramide jusqu'à un chou à la crème piqué de sucre. Elle avait
envie d'ouvrir son sac et de rapporter des échantillons de chaque
plat à Babou. Elle n'avait pas dû gagner au Loto sinon elle l'aurait
appelée. Elle leva la tête, croisa le regard de Kirsten. S'obligea à
remplir une assiette, alla s'asseoir près d'une table basse et observa
les gens autour d'elle.

– Ça va, Rose ?

Alejandro s'était laissé tomber à côté d'elle.

Il avait fui le Venezuela deux ans auparavant et travaillait dans
un labo contigu à celui de Rose. Il étudiait le sperme de grillon
avec Kirsten. Ses idoles s'appelaient David Breslauer et Dan
Widmaier, deux étudiants de Berkeley qui avaient réussi à fabriquer du fil d'araignée synthétique et avaient fondé une start-up,
Bolt Threads, qui gagnait des millions de dollars. Alejandro chantait leurs noms en trompette. Et il n'était pas le seul. Beaucoup
de chercheurs s'imaginaient le même destin. Isoler une molécule,
la cultiver avec des levures, la produire en quantité industrielle et
rouler en Lamborghini, une Rolex au poignet, une belle fille
siliconée sur le siège d'à côté. Chacun fondait sa start-up et visait
les dollars et la célébrité. Les Français avaient fini par se lancer
dans la compétition. Cela menait parfois à des méconduites

graves, comme par exemple les fraudes scientifiques de l'équipe de Jacques Benveniste de l'Inserm, qui avait remis en question les fondements mêmes de la physique et de la chimie en démontrant faussement l'existence d'une mémoire de l'eau. Les conséquences de ces fraudes françaises étaient toutefois bien moindres que d'autres qui avaient ébranlé la biomédecine mondiale, comme celle d'Andrew Wakefield qui avait voulu faire croire à un lien entre vaccination et autisme, ou les greffes mortelles de trachées artificielles du chirurgien italien Paolo Macchiarini. Mais ces « petites » affaires françaises donnaient une mauvaise image de la recherche biomédicale nationale et posaient la question de ce qu'est une preuve en science. Cela avait abouti à la mise en place d'un comité d'éthique du CNRS (Comets) pour maîtriser la fraude et imposer une charte d'intégrité scientifique chez les chercheurs. Et dans les futures start-up. Tout le monde ne pensait qu'à ça : gagner beaucoup, beaucoup d'argent. Tout le monde sauf moi, pensa Rose avec une satisfaction un peu vaniteuse.

Elle se reprit aussitôt.

– Ils parlent de quoi, Karim et José ? Ils ont l'air super excités, dit-elle en montrant deux de leurs collègues qui s'apostrophaient de manière de plus en plus saccadée.

– Toujours le même problème : la présentation incorrecte voire illicite de résultats pour coiffer le concurrent sur le poteau et empocher les honneurs et l'argent.

Rose soupira.

– On n'est pas là pour se remplir les poches mais pour aider la médecine et les gens qui souffrent.

– C'est ce que toi, tu penses, Rose...

– Pas toi ?

– Moi, je voudrais les deux. Aider les gens et me remplir les poches.

– Si seulement...

– T'as demandé à Leo ce qu'il en pensait ?

Le fait qu'il évoquât Leo et leur travail commun la réchauffa d'un doux bonheur conjugal. Ainsi quand Alejandro parlait de l'un, il pensait à l'autre. Leo et Rose. Rose et Leo. Ce doit être ça, un couple, elle se dit, deux prénoms qui marchent main dans la main.

– On n'a pas eu le temps d'en parler. Il partait pour New York.

– Je suis pas sûr qu'il soit aussi désintéressé que toi !

Toujours cette façon de persifler parce qu'elle avait refusé de l'embrasser un soir qu'ils étaient seuls au labo. Son haleine avait des relents de lavabo bouché, elle l'avait repoussé. Depuis, il n'arrêtait pas de lui lancer des piques. Il avait dû sentir qu'elle s'était rapprochée de Leo. Les amants éconduits ont des antennes qui les renseignent. Ce qu'ignorait Alejandro, c'était que Leo lui avait adressé son premier texto de bonne année. À moi, à moi seule, Rose Robinson. Sa femme. La mère de ses enfants.

Elle se pencha et, presque tendre, versant vers le rival jaloux un peu de son bel amour, elle murmura :

– Je prendrais bien un verre d'aquavit. Tu en veux un aussi ?

Vingt heures venaient de sonner au clocher de l'église voisine. Huit coups sourds qui bourdonnaient dans les oreilles. Les bouteilles vides et les assiettes sales s'entassaient sur la table de la cuisine. Niels faisait la vaisselle, tablier blanc, gants en caoutchouc roses, serre-tête mauve pour retenir ses cheveux. Les gens dansaient dans le salon de plus en plus lentement comme si la mécanique qui les faisait se trémousser n'était plus remontée. Des couples se formaient. Ils se parlaient front contre front, riaient, s'embrassaient. Louise McKay dansait en s'enroulant dans les rideaux tel un derviche dingo.

– On se sent bien chez vous, dit Rose à Kirsten.

– Tu peux dormir ici, si tu veux.

– Tu es gentille mais...

– Il y a Babou.

– Oui. Qu'est-ce qu'elle a Louise, ce soir ? Elle est ivre ?

– Ivre de joie, plutôt.

– Elle a une raison ?

– Une raison vieille comme le monde qui plombe toutes les filles ! rit Kirsten.

– Elle est amoureuse ?

– Oui. Ou pour être tout à fait exacte : elle croit qu'elle a reçu une déclaration d'amour et célèbre ça à sa façon.

– Elle va aller rendre Jules à la SPA alors...

Jules était le chien de Louise. Un cavalier king charles mâtiné de caniche nain qu'elle transportait dans son sac à main. Elle l'emmenait partout, même au cinéma. Elle lui mettait un châle sur la tête et Jules ne bronchait pas. Il entendait des cris, des râles, des coups de feu et roupillait. Louise l'avait adopté, lasse de ne pas avoir d'amoureux. « Le chien est fidèle, tendre, aimant, toujours présent. Il vous aime sans condition. Avec kilos, cellulite, boutons. Il vous écoute, vous console. Tu connais un homme qui fait tout ça ? Moi, pas. »

– Je dois préciser qu'elle est amoureuse depuis ce matin 6 heures. Si j'étais elle, je me calmerais.

– Oui, dit Rose. Souvent homme varie... À minuit, il peut avoir changé d'avis.

Elle laissa tomber sa tête sur l'épaule de Kirsten. Elle allait lui parler de Leo, de leur langage secret. Elle regarda autour d'elle pour être sûre qu'aucun importun n'approchait, qu'elle ne serait pas dérangée, quand un détail l'arrêta :

– Mais pourquoi ce matin, à 6 heures ? Il s'est passé un truc spécial ?

Kirsten poussa un soupir.

– Ce matin à 6 heures, nous avons tous reçu un sms de Leo nous souhaitant une *Happy New Year* et Louise l'a pris pour elle toute seule.

Rose se raidit. Son cœur grimpa au cinquante-troisième étage. Retomba au rez-de-chaussée. Roula jusqu'à la poubelle du local à vélos contre laquelle il explosa. Elle vit mille étoiles, eut du mal à déglutir, mordit le bord de son verre d'aquavit.

– On n'ose rien lui dire, poursuivait Kirsten, mais elle va bien finir par l'apprendre. Et ça va être terrible !

Rose posa son verre, elle n'arrivait plus à le tenir. Les forces lui manquaient.

– Pourtant, elle aurait dû s'en douter. Un sms qui souhaite une bonne année d'une façon aussi anonyme ne peut pas être une déclaration d'amour. Sinon on ajoute une petite touche perso, non ?

– Ben... oui..., balbutia Rose.

– Je ne sais pas ce qu'a ce mec. Toutes les filles en sont folles.

– Moi, je le déteste !

– Vous aviez pourtant l'air de bien vous entendre.

– Je le déteste, je te dis ! cria Rose.

– Mais tu as une raison ?

Kirsten observait Rose, une lueur de tendresse amusée dans l'œil.

– Ne me dis pas que...

– Quoi ? aboya Rose.

– Toi aussi, tu as cru que c'était que pour toi, le sms ?

– Ben oui...

– Parce que toi aussi, tu...

– C'est nul de faire ça ! Je veux plus jamais le voir. S'il revient au labo, je lui arrache les yeux !

– Mince ! T'es vraiment amoureuse alors !

– Arrête ! C'est pas drôle !

Rose sauta sur ses pieds, chercha son manteau, l'extirpa de sous une pile de vêtements, l'enfila en se trompant de manche et se précipita sur le palier sans dire au revoir à personne.

Devant le 8, rue Rochambeau, une grosse berline aux vitres fumées stationnait. Une femme en sortait. Ou plutôt elle avait jeté une jambe sur le trottoir et tentait de dégager le reste de son corps de l'habitacle. Quelque chose la retenait. Rose ne savait pas quoi, mais plus elle se rapprochait, plus elle comprenait que la jambe sur le trottoir appartenait à sa mère et que cette dernière était en train de se battre contre un individu à l'intérieur de la voiture.

– Mais tu me fais chier ! Lâche-moi ! Lâche mon sac !

La jambe se tendait sur le trottoir, un coude sortait, une courroie apparaissait, puis le sac tout entier, puis un autre plus petit, une autre jambe, un bras, un dos, des cheveux et enfin sa mère tout entière qui se mettait debout, rajustait son sac à main, son sac de voyage, tirait sur son manteau et claquait la portière d'un coup de pied.

L'homme devait protester car sa mère hurla « mais elle a rien, ta caisse, pauvre con ! ». Oui, c'était bien sa mère qui parlait à son amant. Elle fléchissait sur ses jambes, brandissait le bras droit, ajustait un tir imaginaire avec son index et son majeur et *bang bang !* mimait le geste de celle qui tue.

La voiture démarra en brûlant du caoutchouc. Sa mère traîna son sac sur le trottoir, tapa le code et pénétra dans l'immeuble.

Rose fit demi-tour et alla rejoindre Joseph.

Il mangeait une pomme sous sa tente. Il s'était rasé, sentait une eau de toilette au vétiver, portait une chemise blanche toute blanche, une veste noire.

Elle le trouva digne et beau.

Elle s'assit. Fredonna *si-do, si-do, si-do, si-si* bémol, *la-si, la-si, la-si-la.* Il leva la tête vers les toits gris de Paris, les fixa sans cligner.

Attendait-il un avion, une montgolfière ?

Un piano qui tomberait du ciel ?

Elle se leva et partit.

Il était plus de 22 heures quand elle tourna la clé dans la serrure. Elle poussa la porte d'entrée du genou, suspendit sa parka dans l'entrée. Aucun bruit. Sa mère et sa grand-mère devaient dormir. Elle alla jusqu'à la chambre de Babou, entrebâilla la porte. Babou lisait la Bible dans son lit, l'air naïf et digne.

– Abraham, ma princesse, je suis avec Abraham !

Un filet de lumière filtrait sous la porte de la chambre de sa mère. Une chanson de Billie Holiday passait en sourdine.

Rose alla se servir un verre d'eau dans la cuisine.

Alluma la lumière. Poussa un cri.

Valérie était assise dans le noir, les coudes sur la table. Son manteau était tombé à terre. Elle mâchait une branche de céleri devant un verre de vin rouge. De larges lunettes noires lui barraient le visage.

– Tu fais exprès de rester dans le noir ? demanda Rose.

Sa mère leva son verre.

– Et de garder tes lunettes ? Tu peux les enlever, non ?

– À ta santé, ma fille ! T'as une drôle de tête. Remarque, moi, c'est pas mieux…

Elle se renversa et se massa le cou.

– Je t'ai vue quand le type t'a raccompagnée.

– Il me gonfle. Je supporte pas les mecs amoureux. Ils sont collants, lourds. Dé-pen-dants. Des tue-l'amour !

– C'est pour ça que tu lui tirais dessus ? Tu avais une très bonne position. Tu pourrais jouer dans un western. Un colt et une guêpière !

– Le décolleté tient encore. Le reste, suis pas sûre. C'est en train de dégringoler. Dernier rabais avant liquidation du stock.

– C'est avec lui que tu es partie à Deauville ?

– Oui. Une énième tentative de réconciliation.

– Apparemment ça n'a pas marché…

– Je te l'ai dit : quand un mec est amoureux, il devient dé-pen-dant et j'ai envie de le massacrer. Je l'ai massacré. Il n'a pas apprécié.

Elle remonta ses lunettes noires. Alluma une cigarette. Elle ne fumait plus que de longues cigarettes fines, ce qui lui permettait d'affirmer qu'elle avait arrêté de fumer. Tira une bouffée, l'envoya au plafond.

– C'est un peu toujours la même histoire, non ? dit Rose.

– Oui, c'est lassant. Passe-moi une autre branche de céleri.

Rose ouvrit le frigidaire. Babou avait préparé de belles branches vertes sur un plat. Sa mère écrasa sa cigarette. Elle était belle, la nuque longue, les cheveux noirs relevés en un chignon négligé, les lèvres rouges, les bras nus, dorés.

Mais pourquoi ces lunettes noires ?

– Et comme par un fait exprès, ils tombent tous amoureux de toi et deviennent dé-pen-dants ! dit Rose avec un sourire béat.

– Forcément… Puisque je les tiens à distance, ils n'ont qu'une envie : m'attraper. Et moi, je deviens savonnette, je leur glisse entre les pattes. Ça les rend fous. Il est devenu fou.

« Il t'a frappée ? » La question nouait la gorge de Rose. Quand elle était petite, il arrivait que sa mère prenne le petit déjeuner avec des lunettes noires sur le nez. Elle expliquait qu'elle testait des modèles pour les sports d'hiver.

– Tu as faim ? Tu veux que je te fasse une omelette ? dit Rose. Je te rappelle que je suis la reine des omelettes. Personne ne les réussit comme moi : baveuses, moelleuses, goûteuses.

– Non. Je suis au régime. Je me demande bien pour qui, pour quoi ! J'ai les tripes qui traînent par terre de colère.

Elle leva son verre.

– *Story of my life* ! Je passe ma vie à fuir les hommes collants. Ça ne rend pas sexy de tomber amoureux ! Évite ce piège.

Rose se demanda si son père avait été collant. Si sa mère avait aimé son père. Rue Vivienne, la nuit, elle entendait des gémissements dans leur chambre. Ce n'étaient pas des pleurs, mais ça lui faisait peur.

– J'espère qu'il a compris que je ne voulais plus le voir, disait sa mère en remuant son verre. Mais les mecs amoureux, ça s'accroche. Il va sûrement revenir.

– Ben dis donc, c'est pas gai.

– Qui t'a dit que c'était gai, l'amour ? C'est lugubre, tu veux dire !

Sa mère la dévisagea, rigola, lui pinça la joue.

– T'es encore un petit sucre, toi ! Tiens, ressers-moi du vin.

– Tu es sûre que tu ne veux pas manger quelque chose ?

Valérie secoua la tête.

– Du céleri et rien d'autre. Je ne veux pas grossir. Manquerait plus que ça. Vieille et grosse. Double peine. On trinque ?

Leurs verres s'entrechoquèrent. Un peu de vin versa du verre de sa mère. Rose se leva, arracha une feuille de Sopalin, nettoya.

– À la nouvelle année ! dit-elle en se rasseyant.

– Tu veux quoi pour la nouvelle année ?

Rose réfléchit.

– Un amoureux ?

Rose se figea. Le sms du matin lui revint en tête. Son nez la piqua, elle se força à sourire. Ne pas y penser. Le sms allait tourner dans sa tête toute la nuit et le jour d'après et encore toutes les nuits et tous les jours, mais pour l'instant, elle voulait un moment de bonheur, un bonheur boiteux mais cher à ses yeux, celui de partager une branche de céleri et une bouteille de vin avec sa mère.

– Je veux que ma luciole alsacienne fasse un malheur.

– C'est qui, celle-là ?

– Mais tu sais…Je t'en ai déjà parlé… La luciole sur laquelle je travaille au labo. J'ai de grandes espérances. Je pourrais monter une start-up, la commercialiser et…

– Fais attention, Rose. Quand j'avais ton âge, je rêvais beaucoup et j'ai déchanté. La vie m'a collée contre le mur, j'ai vite compris.

– T'as pas été que malheureuse !

Valérie Robinson fit la moue, dodelina de la tête. Elle semblait peser le pour et le contre.

– Trop de salauds ! Ton père, le premier. Mais je me suis consolée et je me suis vengée. Je suis seule, c'est tout. On est tous seuls. Chacun dans sa petite boîte. Le bonheur n'existe pas. C'est une carotte pour nous convaincre de rester sur terre. Sinon tout le monde se tirerait.

– Y a des exceptions…

– Rien du tout. Le méchant loup t'attend toujours au coin du bois. Faudrait que je range ta tête, un jour !

Valérie posa la main sur les cheveux de sa fille, fit courir ses doigts, dérangea des mèches, aplatit un épi. Rose inclina la tête et se laissa décoiffer avec un plaisir trouble d'enfant pardonnée.

– Tu es jolie quand même ! Je t'ai plutôt réussie, ajouta Valérie, presque étonnée, presque tendre.

Je voudrais toujours avoir cette maman-là.

Rose frotta sa joue contre son épaule dans un mouvement animal qui quêtait la caresse. Elle remua sur sa chaise. Elle voulait parler encore.

– Et s'il revient et te supplie de le reprendre ?

De son index, Valérie fit le geste d'éjecter l'homme telle une crotte de nez collée sur son pouce.

– Tu le vires ? Comment tu vas lui dire ça ?

Rose avait la voix d'une petite fille, *raconte-moi des histoires, maman, raconte-moi comment tu décapites les hommes, les monstres et les dragons.*

– Je le vire, point barre. J'ai pas besoin de lui pour vivre. J'ai mon agence, elle m'appartient, je l'ai construite avec mes dents. Tout ce que j'ai, je l'ai arraché avec mes dents.

C'est fou tout ce que ma mère fait avec sa bouche !
Je ne connais personne comme elle.
Ou si… la guêpe sociale. Elle construit son nid en récupérant des fibres de bois ou des végétaux fibreux qu'elle mélange à sa

salive. Elle les mâche, les triture, les recrache. Il en résulte une pâte qui constitue en séchant un rouleau de carton grisâtre qu'elle dépose en minces couches concentriques pour former des parois et des alvéoles dans lesquelles elle pond ses œufs. Une sacrée bonne femme.

Faut pas la titiller !

– Ne dépends jamais d'un homme, Rose, jamais !

– J'ai bien compris, tu sais. Depuis le temps que tu me le répètes.

– On se débrouille très bien toutes seules. On n'a pas besoin d'un mec.

Valérie regarda le fond de son verre, souleva la bouteille, se resservit. Et ajouta, pensive :

– Si. On a besoin d'un mec dans son lit. Et lui...

Elle passa la main dans ses cheveux. Le chignon débraillé s'écroula. Son visage changea. Elle eut sa tête de pyjama.

– Il est doué.

Sa bouche se renversa en une moue amère.

– Mais bon... Y en a d'autres. Quoique, pas tellement... Les mecs, en ce moment, c'est une denrée rare. T'as un mec, toi ?

Pas tomber dans le piège ! Ne pas répondre. Rejoindre le centre du cercle. Vite, vite. Danger. Combien de fois je me suis confiée, tremblante, mal assurée, choisissant le mot juste pour m'exprimer, et j'ai fini éjectée comme une crotte de nez !

– Je travaille beaucoup, tu sais. Et, quand je m'arrête, la fatigue me tombe dessus.

– Oui mais… t'as un amoureux ou pas ?

– Je pense que je suis sur une piste… qui pourrait guérir le cancer du sein et du poumon. Tu te rends compte, maman, si ça marche… ?

L'œil de sa mère battait dans le vide. Agité par un tressautement de paupière qui indiquait qu'elle faisait un effort pour s'intéresser, mais n'était pas sûre d'y arriver.

– Ressers-moi un coup de pinard.

Rose remplit leurs verres, attrapa une branche de céleri, la croqua. Elle replia une jambe sous ses fesses, s'appuya sur les coudes, se pencha vers sa mère. Elle allait tout lui expliquer et Valérie allait comprendre. Elle serait fière de sa fille. Elle prendrait des nouvelles de temps en temps, et ta petite luciole, comment va-t-elle ? Tu progresses ?

– J'ai trouvé… enfin, avec mon collègue…

– Il est mignon ?

– Arrête ! C'est sérieux, m'man ! C'est important pour moi.

– Ok. Je me tais.

– On a trouvé ce que tout chercheur traque, une molécule inédite…

– Une quoi ?

– Une molécule… Je t'expliquerai.

Rose fit un geste de moulinet pour remettre à plus tard et reprit :

– Une molécule qui servirait à la cosmétique et à la médecine. Le labo est fermé pour Noël, mais je vais vite avoir des nouvelles et je crois que je ne serai pas déçue. Et alors… bingo ! Le gros lot ! Je serai riche ! Tu imagines, tout ce que je vais pouvoir t'offrir ? Il suffira que tu demandes et hop ! tu l'auras.

Pourquoi je dis ça ? Pour lui faire plaisir ? Je me fiche de gagner beaucoup d'argent, je veux soigner le monde. Être utile.

– Mais c'est pas pour tout de suite ? dit sa mère en jouant avec le bouchon de la bouteille.
– Non. Mais si ça mar...
– T'as vu ces bouchons qui se vissent ? Plus besoin de tire-bouchon.
– Ah... J'avais pas remarqué...
– C'est ça que tu aurais dû inventer. Ça doit rapporter gros.
– Mais c'est pas mon domai...
– Il paraît qu'ils s'en servent même pour les grands crus. C'est dingue. L'autre soir, avec le connard, on nous a servi un très bon vin dans un très bon restaurant et y avait un bouchon comme celui-là.
Valérie finit son verre. Alluma une cigarette. Tira une bouffée.
– Allez ! La dernière ! Après je vais me coucher. Suis fatiguée. Demain, j'ai école. C'était sympa de boire un verre avec toi, ma chérie. Tu vois, on a commencé l'année ensemble. J'ai pas tout raté.
Valérie se leva, s'étira, alla se poster près de la fenêtre. Les lumières de Paris brillaient à ses pieds et l'éclairaient d'une lueur dorée. Rose ramassa le manteau de sa mère, l'épousseta, le posa sur le dossier d'une chaise. Débarrassa les assiettes et les verres.

Le lave-vaisselle était plein. Elle réussit à tout ranger. Prit une capsule, la mit dans la machine, déclencha le programme lavage rapide. Faire n'importe quoi avec ses mains pour ne pas s'avouer qu'elle s'était encore fait rouler. Battue à plate couture par un bouchon qui se visse. Chercha une éponge. Frotta autour de l'évier. Frotta la table. Frotta un rond carmin laissé par la bouteille.

– Et pas d'allers-retours dans le frigo ! dit sa mère, le dos tourné. T'as trois kilos à perdre. N'oublie pas.

Elle avait ouvert la fenêtre et regardait les toits de Paris en tirant une dernière bouffée.

– Suis pas si grosse que ça..., marmonna Rose en essorant l'éponge.

– Tu dis quoi ? demanda Valérie, appuyée au balcon.

– Rien.

– Allez, cette fois-ci, j'y vais !

Elle jeta son mégot par la fenêtre.

– Maman ! cria Rose. C'est dégueulasse ! Un mégot met quinze ans à se dégrader et pollue cinq cents litres d'eau douce ou de mer.

– Tu m'emmerdes, Rose. Je fais ce que je veux.

Elle referma les battants de la fenêtre.

– Tu sais ce qui pollue plus qu'un mégot ?

Elle attrapa son manteau, le jeta sur ses épaules. Et comme Rose ne répondait pas, elle lâcha :

– Un gosse. Alors si j'ai un bon conseil à te donner, n'en fais pas !

Elle se dirigeait vers sa chambre d'un pas lent, compassé,

comme si elle montait les escaliers du Festival de Cannes sous les flashes des photographes.

– Pourquoi tu portes des lunettes noires en pleine nuit? hurla Rose. Il t'a tabassée? T'as honte? Tu la ramènes mais t'as pas les couilles de dire la vérité. C'est pas toi qui massacres les mecs, c'est les mecs qui te massacrent.

Valérie se retourna et lui fit un doigt d'honneur.

– Bonne année, ma chérie! Dors bien. T'en as besoin.

– T'es nulle! T'as pas de cœur. J'ai honte d'avoir une mère comme toi.

Sa voix dérailla, se cassa. Elle se frappa le front contre la table, c'était sa faute, elle s'était encore laissé prendre à la feinte attention de sa mère, engluée dans son miel fielleux, je sais pourtant qu'il ne faut pas y aller, je le sais, et chaque fois je fonce, tête baissée, et je finis comme la crotte de nez. Elle cogna, cogna son front jusqu'à ce que lui parvînt un bruit étouffé. Elle se tut. Écouta le silence. Le bruit venait de l'entrée. Elle releva la tête et aperçut, décharnée dans sa longue chemise de nuit, son chandail rose chiffonné autour du cou, Babou qui étreignait sa Bible et laissait couler des larmes sur sa poitrine.

Babou toute pleurante, toute tremblante, tout apeurée. Ses jambes maigrelettes, deux allumettes plantées dans les pantoufles grises. Babou qui hoquetait «pardon! c'est de ma faute. Si j'avais eu le courage… J'ai rien dit, je savais pas comment… pardonne-moi!».

Oh non, Babou... ma douceur, mon adorée! Tu n'y peux rien, c'est entre elle et moi. Ne pleure pas, Babou, mon amour, Babou, mon enfance.

Babou, Saint-Aubin, ma petite chambre au-dessus de l'épicerie, les coussins sur lesquels tu brodais des roses rouges, des roses blanches, des roses jaunes, qui portaient mon nom en lettres tortillées, qui me réclamaient, tu vas revenir bientôt, hein, ma princesse aux cils de palmier? Les baisers, le soir, quand tu me bordais, les baisers sur le front, le nez, le menton tonton tontaine, tu inventais des rimes qui ricochaient, à la claire fontaine m'en allant promener, tu brassais le nougat noir dans la bassine, tu mettais de côté des éclats de noisettes caramélisées, pour toi, ma Rose, rien que pour toi, mais ne te brûle pas, que dirait ta maman si je lui rendais une petite fille à la langue carbonisée? Et moi, je haussais les épaules, ça lui serait bien égal! Mais non, mais non, faut pas dire ça! Ô les vacances chez Babou! Les confitures le matin, le bon beurre salé, le pain bien épais que tu coupais en l'appuyant contre ton tablier. Ça laissait des traces de farine que tu tapotais, qui s'élevaient en filaments poudrés. Les bûches que tu mettais le matin dans la cuisinière pour que ta princesse n'ait pas froid, ton tablier gris, tout gris. Faut pas faire mauvaise impression sur le client en brodant des fleurettes, il croirait que je suis coquette, que je veux flirter. Les parties de cartes où tu trichais, c'est pas drôle si on triche pas, tu disais, Papou jetait son jeu et quittait la table, furieux, tu pouffais derrière tes cartes et je pouffais aussi. On restait toutes les deux à écouter la grande horloge qui sonnait les demies des heures. Tu ne t'étais pas mariée par amour, tu avais dit oui à Papou parce que ses parents tenaient l'épicerie. Il ne voulait qu'un enfant. Deux, ça coûterait trop cher. Trois, n'en parlons pas. Tu avais dit oui. Et puis, pas de vacances, c'est pour les riches, ça. Oui, oui. Et ne gaspille pas le bois quand tu le jettes dans le poêle ! Tu disais toujours oui. Les ours en peluche sur mon lit, la dinde de Noël, le béret de Papou que tu reprisais, la sonnette au-dessus de la porte de l'épicerie qui tintait le soir, l'épicerie ne fermait jamais avant 22 heures, madame Delamare avait oublié la moutarde ou les cornichons, madame Delamare avait la tête farcie de coton, les bocaux de bonbons sur le comptoir, les oursons en chocolat, les caramels au lait, les rouleaux de réglisse, les Malabar, les camemberts qui coulaient, le saucisson qui transpirait, le jambon qu'on découpait en feuilles de missel, le fromage qui reposait sous une cloche en gaze, la messe de 10 heures le dimanche, l'enfant de chœur qui balançait l'encens d'un coup sec du poignet, les salutations sur les marches de l'église quand l'office était terminé, « je vous présente Rose, la fille de Valérie, elle habite à Paris », « elle est bien jolie, cette petite ! », et les baisers chiches, les mentons qui piquaient, les vêtements qui sentaient le rance, le transpiré, le déjeuner du dimanche, le poulet rôti acheté à la ferme. Ce jour-là, l'épicerie était fermée, il fallait attendre le lundi pour retrouver les pommes rouges, les pommes vertes, les pommes jaunes, les sacs de noix, les sacs de riz, les bocaux de bâtons de vanille, la balance, le tiroir-caisse qui s'ouvrait *dring-dring*, les pièces de monnaie que je mettais en pile, les parties de cache-cache avec le fils Delamare, sa langue hésitante sur mes lèvres, sa main qui se glissait sous ma jupe, entrait dans ma culotte, tâtonnait, caressait, frottait, et le plaisir qui me tranchait en deux. Écartelée. Plus de membres, plus d'oreilles, plus de nez, plus d'yeux, rien qu'une bouillie de chairs à vif, un incendie de plaisir. J'ondulais, je me tordais et je poussais un cri de bête qu'on égorge. Il s'écartait, terrifié. Détalait. Disparaissait plusieurs jours. Je le guettais derrière le store de l'épicerie. Je voulais jouer encore. Et mon doigt refaisait le trajet, cherchait le petit bouton sur lequel appuyer, le malaxait jusqu'à ce qu'il durcisse, durcisse et que j'éclate de plaisir. J'étais toute rouge. Tu demandais, inquiète, tu as de la fièvre, ma princesse adorée ? J'avais neuf ans. Mes doigts sentaient le poisson pourri. Je me promettais de ne plus y toucher. Mais le soir, je recommençais. Et bientôt je guidais les doigts du fils Delamare vers le petit bouton magique, je lui apprenais à s'en servir. Il me regardait tomber en transe, les dents serrées, intrépide de plaisir. Si concentrée, si avide que je l'insultais s'il lâchait le petit bouton avant que j'aie atteint mon but. Je le griffais, je lui tirais les cheveux. Il se débattait, se dégageait, je le rattrapais et le remettais à la tâche. Imbécile ! Arrête pas. C'est pas fini. T'as pas le droit ! C'est trop bon. Et après, je me pendais à son cou et lui demandais de me marier. Il n'était pas question que ses foudres aillent frapper une autre fille que moi.

Quand septembre arrivait, tu m'achetais mes cahiers, mes fournitures scolaires, tu recouvrais mes livres, tu collais les étiquettes, tu écrivais mon nom en belles lettres, tu repassais les pages avec un fer tiède. Maman venait me chercher, elle embrassait son amie d'enfance, madame Delamare, elles papotaient tout l'après-midi en se versant des confidences dans l'oreille, en riant aux éclats… et puis vite, vite, maman se reprenait et ordonnait « on se dépêche, on a de la route, j'ai pas que ça à faire ! ». Une tape sur la nuque, une tape dans le dos et hop ! en voiture ! Je collais le nez sur la plage arrière et t'envoyais des baisers. Tu agitais ta petite main blanche, de plus en plus petite, de plus en plus floue. Je tendais le bras vers toi, vers le nougat noir, les parties de rami, les doigts du fils Delamare dans ma culotte, les baisers du soir quand tu me bordais tonton tontaine. C'était fini, la belle vie.

Je rentrais à Paris.

Et tu pleures maintenant, toute droite dans l'entrée ? Les mains crispées sur la vie d'Abraham et de Sarah. C'est ma faute, Babou. Je t'ai réveillée avec mes cris de forcenée. Je te demande pardon.

Je te prends dans mes bras, je te réchauffe et, pour te faire rire, ma bouche dans tes cheveux, je murmure « qu'est-ce qu'ils vont dire les dix petits marins si tu commences à pleurer le deuxième jour de l'année ? Hein ? ».

Tu ne souris pas.

Tu répètes, « c'est ma faute, c'est ma faute, tout ça ».

Le lendemain matin, la porte de la chambre de Valérie était fermée. Le petit poisson en tissu se balançait à la poignée, en interdisant l'accès. « N'entrez pas ou je vous tue », disait l'inscription sur les écailles jaunes et vertes. Dans le couloir flottaient des effluves de mandarine, de lavande, de bergamote, de jasmin, signant Jicky de Guerlain.

Valérie était partie travailler et cela ne faisait pas longtemps.

Un rayon de lumière éraflait la moquette du couloir et de la cuisine parvenaient des bruits de casseroles et la voix d'Yves Calvi sur RTL.

Babou, face à l'évier, pelait des kiwis, des mangues, des pommes, des bananes. Elle préparait une salade de fruits. Elle avait passé un marché avec Mehdi, le vendeur de primeurs de la rue de Rocroy. Il lui donnait les fruits trop mûrs, elle s'occupait de son courrier administratif, des lettres à sa famille en Algérie. Babou possédait une orthographe impeccable.

Babou versa le café, poussa le sucrier, les tartines beurrées, la confiture de fraises faite maison vers Rose.

– Tu vas travailler, ce matin ?

– Oui. Faut que je me grouille.

Rose jeta un regard rapide sur sa grand-mère qui s'affairait, les mains dégoulinantes de fruits, de pépins, de pulpe. Les cheveux brossés, attachés, le petit col brodé sur le cardigan vert bouteille, en tablier gris comme si elle travaillait encore à l'épicerie. Un reste de rimmel bleu tatouait ses cernes. Babou ne savait ni se maquiller ni se démaquiller. Elle se frottait le visage avec un gant et du savon. Le rimmel ne partait jamais tout à fait, elle en gardait des traces au coin des yeux, sur les pommettes. Ça la désolait. Elle voulait être pimpante en toute occasion. En cas d'accident, de crise cardiaque, d'évanouissement, quiconque la trouverait gisant à terre devinerait à sa mise que c'était une dame bien. Pas une vieille avariée. Elle ne lésinait ni sur les douches ni sur le savon.

– Tu entends ce boucan dans l'escalier ? elle dit en se frottant le nez du revers de la main. Ce sont les filles. Je sais pourquoi, mais je te le dirai pas. Elles veulent te l'annoncer elles-mêmes.

– Dis-moi, Babou, dis-moi. Je ferai l'étonnée.

– Non. J'ai promis. Mais c'est pas commun, je te le dis.

– Dis-moi.

– Un secret est un secret ou alors faut employer un autre mot.

Rose haussa les épaules.

– C'est pour quand déjà, le bébé ? J'ai oublié.

– Fin février.

– Et tu seras la grand-mère ?

– J'y compte bien. Elles n'ont pas de famille, elles travaillent toutes les deux, elles vont avoir besoin de moi. J'aurai un petit bébé à m'occuper. Sauf si l'autre m'en empêche...

– C'est qui, l'autre ?

– Ça fait partie du secret.

Babou laissa tomber une poignée de raisins secs dans la salade de fruits, un filet de sucre rose, un bâton de vanille. Tourna, tourna, recouvrit d'une assiette, plaça dans le frigo.

– Une bonne chose de faite ! elle conclut en s'essuyant les mains sur les hanches.

Elle regarda le ciel, déclara que ça allait être un bon jour. Pas trop humide, pas trop froid, ses doigts n'étaient pas déformés. Elle pourrait aider les filles à ranger. Oui mais... fallait qu'elle reste à la maison, le type du gaz devait passer. Un bébé dans un couple de filles ! C'est pas à Saint-Aubin qu'elle aurait vu ça ! C'est plus drôle de vivre à Paris. Et ne plus avoir Papou sur le dos, quelle libération ! Il l'empêchait de vivre, faut dire la vérité. Il pesait lourd sur elle. Il prenait toute la place.

– Je parle, je parle, mais faut pas que j'oublie d'aller chercher des oignons, moi !

Rose ne comprenait rien au discours de sa grand-mère. Elle

finit de boire son café, débarrassa, rinça son bol, déposa un baiser sur le front de Babou qui continuait de parler toute seule.

– Bonne journée, Babou ! À ce soir !

Elle allait entrer dans l'ascenseur quand elle comprit. Babou divaguait pour ne pas évoquer la scène de la nuit. Elle revint dans la cuisine, planta un second baiser dans les cheveux de Babou qui soupira et se tut.

Moi aussi, je vais raconter n'importe quoi pour oublier le sms. Oublier Leo Zackaria. Si on doit continuer à travailler ensemble, on le fera de loin. Lui à New York, moi à Paris. Et, dans un mois et demi, quand je penserai à lui, j'aurai des renvois de chou cuit. Me placer, sereine, au centre du cercle. Garder ma dignité. Installer une distance. Faire ma loi. Aller voir ma psy, lui demander du renfort. Parce que je le rate souvent en ce moment, le centre du cercle.

Faudrait pas que ça devienne une habitude.

Ronald Lupaletto avait demandé à Rose de le rejoindre dans son bureau dès qu'elle aurait fini sa manipulation. Rose avait hoché la tête et continué à travailler. Il attendrait. Elle voulait tester une nouvelle idée.

Elle ouvrit la porte de l'enceinte climatisée où elle gardait ses lucioles. Un gros frigo de deux mètres de haut entreposé dans une salle climatisée, isolée par un sas d'entrée. Pour ne pas contaminer ses élevages, elle portait une blouse blanche en coton, un masque et des gants violets en nitrile. Elle recueillit une luciole, la plaça sous une loupe binoculaire Leica et préleva à l'aide de microciseaux et de pinces brucelles les bactéries contenues dans le tube digestif, les muscles, le corps gras et l'hémolymphe. Elle plaça les échantillons dans des microtubes Eppendorf, les observa sous une hotte à flux laminaire et tenta de multiplier les bactéries qu'ils contenaient en en prélevant une tête d'épingle et en la plaçant dans différents milieux de culture. Tout ce qu'elle faisait était noté dans son cahier d'expériences, appelé « cahier de manips ». C'est à ce carnet qu'on se référait quand on voulait légitimer la paternité d'une découverte ou d'une invention. Il était interdit de le raturer, de laisser des blancs, et les documents collés à l'intérieur devaient être signés à cheval sur la feuille du cahier et le document, pour certifier qu'il n'y avait eu aucune falsification. Chaque page était validée par une autre personne du labo. On ne plaisantait pas avec les procédures. Ce cahier, pendant le congé de Noël, Ronald Lupaletto avait dû le lire.

Et il avait flairé une bonne piste.

Vautré dans un fauteuil à oreilles derrière son bureau, il feuilletait des liasses de papiers et pinçait ses lèvres entre son pouce et son index, se dessinant une bouche de canard coincé entre deux portes.

À l'entrée de Rose, il releva la tête, fronça les sourcils et lui fit signe de s'asseoir face à lui.

– Ma petite Rose…, dit-il en frappant ses doigts écartés les uns contre les autres.

Me placer tout de suite au milieu du cercle. Me faire respecter.

Je ne suis pas sa petite Rose. Je suis Rose Robinson, vingt-neuf ans. 1,70 mètre, 60 kilos, pas grosse du tout. Soixante-trois kilos ? Peut-être. Ça dépend des jours. Après six années à la fac et un premier stage de master au Muséum d'histoire naturelle de Paris, j'ai obtenu une bourse de trois ans pour mon doctorat de biologie sous la direction de Ronald Lupaletto. Son laboratoire étudie les molécules de défense des insectes et tente de comprendre comment elles sont produites et à quoi elles servent. Et moi, Rose Robinson, je viens de trouver une molécule excellente pour sa carrière, sa réputation, le financement de son laboratoire.

Voilà pourquoi il doit s'adresser à moi avec déférence.

Voilà pourquoi je ne suis pas sa « petite Rose ».

– J'ai pris connaissance des résultats de vos travaux et… Comment vous dire…

Il malaxait ses lèvres, les écrasait, les déformait. Il ressemblait de plus en plus à un canard estropié.

– Vous avez fait une découverte très… Et je voudrais sans faire de grandes phrases vous dire que… Parce que vraiment… vraiment…

Comme il cherchait ses mots et hésitait à lui dire tout le bien qu'il pensait de son travail, Rose le coupa :

– Oui, je sais. Leo aussi. Nous avons dîné ensemble avant qu'il reparte pour New York et…

– La route va être longue, ma petite Rose. Vous n'en ignorez pas les embûches. Si on choisit l'industrie cosmétique, le profit sera immédiat.

Je sais que je suis obligée de t'embarquer dans l'aventure, Lupaletto, mais je sais aussi que je ne veux pas faire de cosmétiques. Je veux du sérieux, de l'utile, sauver des vies, compris ?

– Je préférerais la recherche médicale.

– Alors, ma petite Rose, ce sera long. Dix, douze ans environ. Et ça demandera beaucoup d'argent ! Soixante-quinze pour cent des médicaments qui sont sur le marché proviennent de chercheurs qui ont trouvé la molécule mais n'ont pas eu assez d'argent pour l'exploiter. Ce sont les labos qui s'en sont chargés.

Comme si je le savais pas ! Il me prend vraiment pour une bille. Bille et fille, dans sa tête, ça rime. Ne pas m'énerver. Rester au milieu du cercle. Sereine. Puissante.

– Il va falloir créer une start-up. Être à la fois chercheur et entrepreneur, c'est très difficile. Je serai là, ma petite Rose, je serai là.

Tu seras juste un nom dans l'entreprise avec un pourcentage. Et c'est parce que je suis obligée. Ne te goure pas. Je veux bien te laisser parler, t'écouter, mais arrête avec « ma petite Rose ». Je vais finir par hurler.

– Le premier argent qu'on lève… On tape la famille, les copains, les fous qui croient en l'aventure. Après, ça se complique. Les gens qui investissent le font pour s'enrichir. Ce sera je veux que ça me rapporte et que ça rapporte gros. Vous m'écoutez, ma petite Rose ?

– Oui. Je suis au courant.

– Vous savez aussi qu'il y a plusieurs essais en milieu hospitalier, une phase 1, 2, 3… Il vous faudra de plus en plus d'argent. Vous serez obligée de trouver des *business angels* et des millions d'euros. C'est là que ça se complique…

Ça va, ça va. Je te laisse parler parce que si je te cloue le bec, tu es capable de nous sacquer, ma luciole et moi.

– Chaque malade sur lequel sera testée votre molécule, chaque essai clinique coûtera 50 000 euros par mois pour commencer. Au bout de dix ans, il faudra injecter 120 000 euros mensuels pour fabriquer le « médicament candidat ». C'est pas une aventure pour fillette !

« Fillette » ? Il m'insulte ? Il cherche à me faire peur ? à me décourager ? Je suis une bonne chercheuse. J'ai trouvé ce que je cherchais. J'ai eu une intuition et je l'ai vérifiée. Je veux aller jusqu'au bout de l'aventure.

– Vous sentez-vous prête, ma petite Rose ?

Surtout ne rien dire, rester souriante, ne pas faire comme la termite *Nasutitermes* et lui cracher un jet de venin en pleine gueule.

– Oui, je suis prête…

Il s'était levé, les bras ouverts, avait fait le tour du bureau et marchait vers Rose.

– Bravo. Vous m'épatez. Je n'en attendais pas moins de vous.

Il la serra contre lui. Elle se raidit, froide comme une épée.

– J'aimerais mieux que vous enleviez vos bras. Je ne suis pas très à l'aise.

Il la relâcha. Tira sur les manches de sa veste. Eut un petit sourire rusé. Une lueur maligne dans les yeux. Se tapota le nez.

– Je me demande si vous vous attendez à ce que je vais vous dire…

Il avait posé le bout de ses fesses sur le rebord du bureau et souriait.

– C'est une devinette ? dit Rose.

– Presque…

– Et j'ai une chance de trouver ?

– C'est gros, très gros ! C'est à la mesure de l'affection que je vous porte. Depuis votre premier stage ici, je vous ai observée. J'ai tout de suite senti le potentiel qu'il y avait en vous. Il ne me restait plus qu'à vérifier que je ne m'étais pas trompé.

Il eut un petit rire satisfait comme si tout le mérite lui revenait.

– Et vous ne m'avez pas déçue !

Rose hocha la tête, impatiente de connaître la réponse à la devinette.

– Je crois que vous allez être contente, ma petite Rose.

Le bord des fesses toujours arrimé au bureau, le tissu du pantalon un peu lustré qui brillait, il souriait, sûr de son effet.

– Ça a l'air d'être une bonne nouvelle…, dit Rose, à moitié rassurée.

On ne sait jamais avec ces types. Ils règnent en tout-puissants et, s'ils se montrent magnanimes, il y a toujours un prix à payer. Il peut aussi bien m'annoncer qu'il m'envoie à Novossibirsk étudier la déambulation du scarabée périarthritique que doubler mon salaire ou refiler mon dossier à un autre chercheur plus expérimenté, « pour mon bien », évidemment.

Reste au milieu du cercle, Rose, laisse-le venir, ne montre aucune émotion. L'émotion ramollit, rend vulnérable. Pour le moment, tu es royale, continue.

– Vous avez, en effet, fait une belle découverte, ma petite Rose, mais ce n'est pas suffisant, il va vous falloir la valider *in vitro* et *in vivo* dans les conditions de l'industrie pharmaceutique…

Qu'est-ce qu'il me prépare comme coup bas, celui-là ?

– Allez ! Je ne vous fais pas attendre plus longtemps : vous partez pour New York.

– New York ?

– À l'université de Cornell. Le laboratoire dont dépend Leo Zackaria est le meilleur au monde pour l'analyse et l'identification des molécules naturelles. Ils ont une branche à New York. À la NYU, sur Washington Square. Vous y retrouverez Leo. Je lui ai parlé, il vous attend. Vous habiterez sur le campus et percevrez votre salaire comme en France. Vous êtes libre ? Vous pouvez partir sans problème ?

Dans la tête de Rose, les mots sautillaient. New York. Vivre. Molécules. Washington Square. Campus. NYU. Leo au courant. Leo l'attend. Elle ferma les yeux, se concentra, siffla la fin de la récré, un, deux, trois, remit tout en ordre. Elle partait vivre à New York. Travailler à New York. Sur le campus de la New York University. Avec le même salaire. Et Leo l'attendait.

Son cœur bondit, cria alléluia ! Comment vous remercier, très cher Ronald ? Voulez-vous que je vous fasse un café, que je courre vous acheter un croissant aux amandes, que je vous taille une petite pipe sous la table ? Elle pencha la tête, sourit, fit le chaton, la chatonne et le bébé panda. Se ratatina pour montrer qu'elle était une mignonne petite Rose. Qu'il avait raison de lui faire confiance. Qu'elle allait faire de son mieux pour lui faire plaisir. Une phrase de sa mère la percuta, « les hommes, faut les flatter, leur passer de la pommade, leur faire croire qu'ils sont les plus grands, les meilleurs, et tu obtiens tout ce que tu veux d'eux ».

Elle eut honte et se redressa.

Pourquoi je m'aplatis comme ça ? Reprends-toi, ma petite chérie. Coupe les vieux circuits, saute au milieu du cercle. Impose le respect. C'est à lui d'aller chercher ton café, de verser le sucre en poudre et de tourner la cuillère. C'est lui qui a besoin de toi. Tu as trouvé un truc formidable. Toute seule. Alors garde la tête haute.

Elle inspira, bomba le torse, redevint une guerrière.

Songea à la luciole américaine, cousine de la sienne, la *Photuris versicolor*.

Cette dernière n'a pas de molécule de défense, aussi a-t-elle inventé un subterfuge pour s'en procurer. Elle se met sur le dos, écarte les pattes, exhibe son ventre, se trémousse, envoie des flashes de lumière appartenant à une autre espèce, la *Photinus ignitus*, qui possède cette précieuse molécule. Le mâle *Photinus*, trompé par les signaux, persuadé de s'accoupler avec une copine, se jette sur elle. *Kiss kiss bang bang*, le mâle éjacule, la luciole américaine le saisit par la tête et le mange tout cru, se payant un bon repas et une molécule qui la protégera des prédateurs. Les chercheurs américains l'ont baptisée « la femme fatale ».

Il était hors de question qu'elle, Rose Robinson, fasse moins bien que la luciole américaine et se vautre aux pieds de Lupaletto. Leo et Ronald n'avaient plus qu'à se tenir à carreau.

– Je pars quand vous voulez, elle dit en le regardant dans les yeux.

Babou était assise par terre dans sa chambre et se peignait les ongles. Ou, plus exactement, elle déposait un point de vernis rouge au bout de chaque orteil bleu marine. Elle tirait la langue, soufflait, le bras tendu, le pinceau gonflé d'une épaisse goutte rouge.

– Ne me déconcentre surtout pas ! elle grogna.

– Babou ! Faut que je t'annonce un truc incroyable.

– Attends. J'ai presque fini.

– Mais Babou !

– Attends, je te dis !

Rose s'assit sur l'édredon à fleurs du lit. Babou l'avait rapporté de Saint-Aubin. Enfant, Rose comptait les collerettes des marguerites, les clochettes des muguets, les cols penchés des boutons-d'or, les grappes des freesias. Ça l'aidait à réfléchir. Leo n'avait pas répondu à son texto. Ou il ne l'avait pas reçu ? *Let's face it, Rose !* Tu n'es pas une priorité dans sa vie. Vaut mieux se dire ça.

Et l'oublier.

– Ça y est, dit Babou en se redressant.

Elle se massa les jambes et se tourna vers Rose.

– T'es prête ? dit Rose en frappant dans ses mains, excitée.

– Je t'écoute. Je suis à tes pieds. Tes yeux pétillent. Ça doit être une bonne nouvelle.

– Je pars pour New York. Je vais travailler là-bas.

– Pour toujours ? dit Babou d'une petite voix qui monta, monta et se cassa dans les aigus.

– Mais non ! Trois mois, six mois…

– Tu jures ?

– Babou, si c'était pour toujours, je t'emmènerais.

– Promis ?

Les doigts de Babou serraient le bouchon du flacon de vernis, ses phalanges blanchissaient.

– Promis. C'est quoi, ce point rouge sur tes doigts de pied ?

– Un pompon de marin. Pour faire comme un béret. Ça se voit pas ?

Rose regarda les orteils de Babou et vit un béret.

Un béret, deux bérets, trois bérets, la tête lui tourna. Quatre bérets, cinq bérets, six bérets, elle eut un haut-le-cœur, un jet de bile monta de ses tripes. Sept bérets, huit bérets… son ventre gonfla comme si elle avait avalé un airbag. Des rigoles de sueur coulaient sur ses tempes. Elle se noyait, elle étouffait.

– Qu'est-ce que tu as, ma princesse ? T'es pâle comme un linceul.

– Tu as fait ça pour quoi ? demanda Rose en montrant les pompons rouges.

– Pour rien du tout. Pour rire. Pourquoi tu te mets dans cet état-là ?

– Babou, c'est horrible, je te jure. Je vais mourir. Je suis un sac à vomi.

Babou tendit les bras pour l'enlacer.

– Me touche pas, me touche pas ! Je t'en supplie ! Je pourrais pas…

Rose se débattait pour échapper à son étreinte.

– Mais, ma princesse…
– Arrête ! C'est pas drôle ! Pas drôle du tout !

Elle s'enferma dans sa chambre. Essaya de vomir dans une cuvette qu'elle gardait sous son lit quand elle faisait des cultures sauvages pour le labo, un vieux récipient écaillé au fond verdâtre. Elle fixait les taches sombres et glauques, tentait de se vider. Deux doigts dans la bouche, la langue crachée en avant, elle raclait, raclait… rien ne venait. Les taches au fond de la cuvette tremblotaient sous ses crachats gélatineux et s'animaient. Des méduses aux yeux glacés grimpaient sur les bords. Rose, barbouillée de morve, d'un filet jaunâtre, gluant, demeurait inerte, penchée en avant, remplie d'un dégoût qui lui brûlait la gorge.

Elle finit par se laisser tomber sur le parquet, les cheveux collés, les yeux rougis, et s'endormit, recroquevillée sous la couette qu'elle avait tirée hors du lit.

Dans la nuit, une phrase la réveilla. Une phrase qui répétait « arrête de faire des histoires ! Toutes les petites filles… arrête de faire des histoires ! Toutes les petites filles… Arrête de faire des histoires ! toutes… ».

La phrase s'arrêta net. Comme si on l'avait coupée au montage. Ou comme si sa tête ne voulait pas savoir la suite.

Elle se dressa, les pieds glacés, les joues brûlantes, et cria :

– Toutes les petites filles font quoi ?

Le lendemain matin, elle avait un sale goût dans la bouche, la tête en morceaux. Elle regarda l'heure, étonnée. Elle avait dormi aussi longtemps ? Elle serait en retard au labo. Il ne fallait pas qu'elle soit en retard. Elle posa un pied à terre.

Babou l'attendait dans la cuisine.

Elle passa la main dans les cheveux de Rose. Posa sa joue sur son front pour voir si elle avait de la fièvre. Lui approcha un bol de thé brûlant. Lui massa les épaules, le dos, pendant que Rose soufflait sur le thé pour le refroidir.

Elle finit par déglutir et, la bouche pâteuse, elle dit :

– Sais pas ce qui est arrivé, Babou.

– C'est pas grave, ma princesse. Tu peux tout me faire, je sais que tu m'aimes. C'est toi qui vas mal, pas moi.

Rose se retourna, enserra sa grand-mère par les hanches et enfouit sa tête dans le tablier gris.

Docteur M. voulut bien recevoir Rose à 19 h 15.

Elle l'écouta. Fit bouger ses doigts. Poussa la boîte de Kleenex vers Rose quand elle crut qu'elle allait pleurer. Mais ce n'était que quelques larmes, bien maigres.

– C'est un progrès. Vous n'avez jamais pleuré…

Elle lui dit qu'elle était sur le bon chemin, qu'elle avait trouvé une piste.

– « Il faut recréer le passé pour s'en débarrasser », disait Balzac. Une fois que vous aurez revécu les scènes qui vous ont traumatisée, vous les rangerez dans une boîte et elles ne vous tourmenteront plus. Votre disque dur sera nettoyé, vous repartirez de zéro. Avec le pompon du marin et la phrase ritournelle, vous avez soulevé un coin du voile.

– Je vais guérir ?

– Vous avez fait le premier pas.

– Et je fais quoi maintenant ?

– Rien. Les choses vont remonter toutes seules. Accueillez-les. J'ai des patients à New York. On se parlera par Skype si vous voulez…

Rose fit un chèque de 80 euros et s'en alla. Dans le métro, elle se dit que, cette fois, elle n'avait pas vu de bite.

Elle se dit aussi que docteur M. avait raison, elle ne pleurait jamais. Elle n'avait pas le souvenir d'avoir versé des larmes.

Ou alors je pleure sans larmes. Je pleure à l'intérieur. J'ai pas pleuré quand Papou est mort, c'était pas mon problème. J'ai pas pleuré quand papa est parti, c'était pas mon problème. Je ne pleurais pas quand j'arrachais les pattes des fourmis pour vérifier jusqu'à combien de pattes elles continuaient à marcher. Je prenais une pince à épiler et je tirais d'un coup sec. La fourmi tressautait. Souffrait-elle ? Je n'arrivais pas à le savoir, je notais ce sujet dans ma tête pour l'étudier plus tard. Les fourmis marchaient jusqu'à trois pattes. Elles changeaient leur schéma de progression au fur et à mesure qu'elles perdaient des pattes. Avançaient plus ou moins de travers.

Je ne sais pas pleurer.

Un bruit de clés dans la serrure. Une voix haut perchée qui lance hou-hou, des talons qui frappent le parquet. Valérie était rentrée.

– Vous êtes là ?

– Dans la chambre de Babou !

Valérie avait ôté son manteau et les contemplait derrière ses lunettes noires, les bras chargés de dossiers, de cahiers, de feuilles griffonnées, de scénarios à grosse reliure spirale.

– Qu'est-ce que vous complotez, toutes les deux ?

– Je pars pour New York. Pour le travail. Tu sais, la petite luciole dont je t'ai parlé…

– Oui. Et alors ?

– J'avais raison. Elle se révèle super intéressante et je…

– Tu pars quand ?

– Sais pas. Dans une semaine, je dirais…

– C'est formidable, non ? dit Babou. T'es pas fière de ta fille ?

– Très ! N'oublie pas d'aller dire au revoir à la concierge. Et présente-lui tes vœux. T'oublies toujours et elle se vexe.

– Oh ! maman ! J'ai pas besoin de…

– Si. Elle m'est très utile. Ça va te prendre une demi-heure. Elle t'offrira une tasse de thé, une madeleine, tu lui feras un ou deux compliments et j'aurai la paix pour un an.

– J'irai pas.

– Tu iras. Un point, c'est tout. Je suis ta mère, tu m'obéis.

Tu es peut-être ma mère, mais tu n'es pas une mère. Et je ne suis pas ta monnaie d'échange.

Ou plutôt, je ne le suis plus.

Sois gentille, souris, dis bonjour, tiens-toi bien, fais-moi honneur, tu me fais honte, arrête de manger tes doigts, tiens-toi droite, qu'est-ce que les gens vont penser ? Ils diront que je t'ai mal élevée !

Le dimanche après-midi, on partait rendre visite à des gens « importants », des gens « avec un gros job ». C'était des amis d'amis d'amis. Ou des cousins de cousins de cousins. Tu ne me disais jamais rien d'eux. On changeait trois fois de bus et de métro, on errait à la recherche du bon numéro, toi, les mâchoires serrées, moi, les pieds en plomb. Ces dimanches-là, tu franchissais le seuil d'appartements cossus et devenais, l'espace d'un paillasson enjambé, gentille, servile, douce. Ton visage s'arrondissait, ta voix perdait ses arêtes, tes ongles rentraient leurs griffes. Tu me serrais contre toi. Je mimais un sourire étroit, les gens demandaient « elle est timide ? ».

Tu répondais « elle est fatiguée, elle travaille beaucoup à l'école ».

Je prenais l'air las, je baissais les yeux. Je jouais mon rôle de brave fille première de la classe. J'étais ta chose, fais de moi ce que tu voudras, maman chérie. J'avais l'impression qu'on faisait la quête.

Tu voulais tellement leur plaire. Les attendrir. Tu soupirais, tu laissais échapper des phrases-rébus remplies de trous, « ah ! si vous saviez… des hommes comme ça, vaudrait mieux ne jamais en rencontrer… qu'il reste là où il est…et moi si seule, avec la petite… ».

J'essayais de mettre des informations dans les trous. De les remplir avec des prénoms, des noms de pays, des horaires de train, d'avion, des océans, des lettres, un avis de recherche, un cambriolage, une voiture qui brûle, des sirènes de pompiers, un couloir d'hôpital, des trucs que j'entendais à la radio, à la télé, afin de résoudre le mystère.

« Qu'est-ce qu'il a fait, papa ? je demandais quand on repartait le soir.

– C'est un salaud.

– Oui, mais qu'est-ce qu'il a fait ? »

Je voulais des mots avec des images. Les trous ne disaient rien. Est-ce que je devais la croire ? Je n'avais pas beaucoup de souvenirs de mon père, mais je ne me souvenais pas que c'était un salaud.

« Il a tué quelqu'un ? Il est en prison ? Il est où d'abord ? »

S'il était en prison, je pourrais aller le voir.

Il avait un grand nez, des cheveux pleins d'épis, des grandes dents qui riaient. Il dansait dans le salon, un coussin dans les bras. Il dansait en anglais, en allemand, en espagnol. Il fumait des gitanes. Il lisait *L'Équipe*. C'était maigre comme indices pour partir sur sa piste.

« Ça te regarde pas. T'es trop petite…

– Tu me diras quand ?

– Quand les poules auront des dents ! »

On zigzaguait dans les rues à la recherche du bus ou du métro.

Ces gens-là ne te donnaient pas grand-chose, à peine un thé avec des petits pains au lait qu'on buvait le dos droit, les genoux serrés, mais ils se donnaient à voir. Leur bel appartement, leur belle maison, leurs beaux enfants qui travaillaient si bien à l'école, leurs belles vacances, leurs belles voitures, leurs beaux manteaux, leurs beaux gigots du dimanche. Ils ne t'invitaient jamais à leurs dîners, à leurs cocktails, aux week-ends dans leur maison de campagne. Ils ne te présentaient pas à des hommes « bien » qui t'auraient épousée et auraient payé le loyer. Tu étais trop jolie. Trop intelligente. Les femmes se méfiaient, les hommes te reluquaient. Des crétins pontifiants qui parlaient en étirant leurs phrases, leurs bras et leur verre de whisky, des crétines au postérieur carré, enchantées de t'en imposer, à toi qui les avais autrefois narguées. Elles ressemblaient aux *Diaspididae*, des cochenilles décrites dans un vieux traité de zoologie du professeur Pierre-Paul Grassé trouvé aussi dans la bibliothèque de Papou à Saint-Aubin où l'auteur montrait à l'aide de dessins effrayants comment certaines cochenilles finissaient par n'être plus que des sacs avec des stylets pour se nourrir, un anus et un vagin. Plus d'ailes, plus de pattes, plus d'antennes ni d'yeux. De simples sacs à procréer. Le mâle, lui, conservait ses ailes, ses pattes, ses antennes et ses yeux pour détecter les sacs femelles et les remplir. Si la femelle était informe, le mâle, lui, se montrait fringant, muni d'un pénis énorme qui mesurait environ le quart de sa taille, l'équivalent de quarante-cinq centimètres chez l'homme. Il passait en virevoltant de femelle en femelle, de sac en sac, introduisant son long sexe sous le tablier de la *Diaspididae*.

Les femmes du dimanche ressemblaient à cette cochenille.

Ces visites étaient le pic de ta vie sociale, de notre vie sociale. Et si, par le plus grand des hasards, un monsieur « bien » s'adressait à toi, tu t'empêchais de respirer pour ne pas lui couper la parole. Tu devenais l'humble réceptacle de ses analyses sur l'inflation, la hausse des taux d'intérêt, la chute du dollar, la délinquance en ville et dans les campagnes ou la crise de la tortilla au Mexique.

Le plus souvent, à peine l'homme reparti, alors que tu voyageais sur un petit nuage, celui-là, il est pour moi, il est si distingué ! que tu touchais le collier de perles qu'il allait t'offrir, révisais ton anglais, ton espagnol, le cours du dollar et celui de la tortilla, on te laissait entendre qu'il était « pris » ou, en étouffant un rire dans un petit pain au lait, qu'il ne ferait pas de mal à une mouche, encore moins à une femme ! Le rouge te montait au front, prise en flagrant délit de t'être vendue pour deux dollars ou trois pesos.

Et moi, je restais là, mal à l'aise, avec le sentiment d'avoir été complice de quelque chose qui me dépassait, objet non identifié de honte.

On repartait tristes, si tristes d'être retombées de si haut.

Ces dimanches piteux, c'était moi qui faisais l'adulte au retour. Je lisais le numéro de l'autobus, le nom de la station, repérais le quai de la correspondance, veillais à ce que ton sac soit bien fermé.

Et quand, assises côte à côte dans le métro, je te demandais pourquoi il ne ferait pas de mal à une mouche, cet homme charmant, tu ne répondais pas. Tout était éteint dans ton visage. Tu serrais les mâchoires et ça faisait deux petites boules sous ta peau. Je connaissais ces deux petites boules. C'était quand tu t'empêchais de pleurer. J'avais envie de te prendre les mains, de les caresser, de les embrasser. Envie de te dire ne t'en fais pas, maman chérie, on va se débrouiller. Tu es la plus belle, la plus intelligente, la plus courageuse, tu es une hirondelle qui fait toujours le printemps. On n'a pas besoin de se prosterner devant ces sinistres niais qui trempent des pains au lait dans leur thé anglais. Je tendais la main vers toi, tu l'ignorais en disant « tu as fait tes devoirs pour demain ? ».

Un jour, on a arrêté les visites du dimanche.

Raymond tenait un garage porte de Châtillon.

Raymond avait une moustache peinte au cirage noir, un gros bedon, des costumes bleu marine taille douze ans, des chaussures marron bicolores à bouts pointus et des relations. Il louait ou vendait des voitures pour des tournages de cinéma. Raymond avait plein de copains, des acteurs, des techniciens, des cascadeurs, des agents, des producteurs. Tout le monde aimait Raymond.

Sauf toi.

Raymond ne connaissait pas le cours de la tortilla.

Tu te dépêchais de laver les draps quand il avait dormi à la maison. Tu les arrachais du lit, tu les roulais en boule furieuse sous ton bras et te ruais sur la machine à laver où tu versais la moitié du paquet de lessive et enclenchais le programme « linge très sale ». Après quoi, tu allumais une cigarette et tu regardais le linge tourner, deux petites boules dures sous tes mâchoires.

Fallait pas te déranger.

Raymond avait de l'argent. Une femme et trois enfants. Il t'a fait entrer dans une grande agence artistique. Tu y as appris ton métier, tu en es partie et tu as ouvert ta propre boîte, « L'Atelier ». Des artistes t'ont suivie. Des petits noms, des inconnus. On ne donnait pas cher de ton avenir quand un célèbre acteur décida de te rejoindre. Ce fut un événement. On en parla dans les journaux. « Une belle prise de guerre », disait la presse. On chercha un moment « ce qu'il y avait derrière ». On vous prêta une liaison. On ne trouva rien. Tout rentra dans l'ordre. Tu fis des photos avec moi. La légende disait, « Elle est belle, brillante, célèbre, mais son plus beau rôle est celui de maman ». J'avais douze ans. Je me tenais en retrait, la mine sombre. Sur toutes les photos, je fais la gueule. L'acteur célèbre, « il fait mon chiffre d'affaires chaque mois », venait souvent à la maison. Il avait *sa* bouteille, *son* fauteuil, tu envoyais valser tes chaussures et t'agenouillais à ses pieds dans une génuflexion souple et soumise.

Tu es devenue le meilleur agent de Paris.

J'avais raison, maman, tu es belle, tu es brillante, tu es courageuse.

Tu fais toujours le printemps.

Mais je n'irai pas voir la concierge.

Rose ne répondit pas. Valérie en conclut que Rose obéirait. La concierge continuerait à nettoyer sa cave, à lui filer une place de parking gratis, à réceptionner ses paquets, à lui tirer les cartes devant un bon café.

Valérie sortit de la chambre en lançant une prédiction :

– Fais gaffe, Rose ! À New York, la nourriture est super riche. Va falloir t'affamer sinon…

Les filles, Khadija et Nini, avaient ajouté une pièce aux trois chambres qu'elles occupaient sous les toits au 8, rue Rochambeau. C'était une bonne idée de gagner de l'espace avec le bébé qui allait naître. Elles en avaient discuté et Rose avait suggéré d'en faire une cuisine.

– Mais… c'est pas une cuisine ! dit Rose en découvrant la pièce.

– Non. C'est une chambre.

– Mais pourquoi une chambre en plus ?

– Une pièce pour le bébé, une pour nous, une pour le salon-cuisine et la quatrième… pour Adama.

– Adama ?

Khadija répéta :

– Ben oui, Adama. Adama, le grand-père.

– Le grand-père de qui ?

– Du bébé. Il a emménagé ce matin. Il a fallu monter son armoire. Il ne voulait pas y renoncer. C'est la première chose qu'il a achetée en arrivant du Sénégal.

– Vous l'avez connu comment ?

– Il travaillait à la CAF avec Nini. Il était chargé des fournitures, il changeait les ampoules, réparait les machines à café, les imprimantes, calmait les gens quand l'atmosphère devenait électrique… Il a été expulsé de son appartement. Avec sa petite retraite, il n'arrivait plus à payer le loyer. Il vit seul. Il a une très belle âme.

Khadija était experte en âmes. Elle pouvait évaluer leur degré d'élévation ou de turpitude. Elle certifiait que Valérie avait une belle âme mais qu'elle avait été cabossée par la vie. Il y avait encore de l'espoir, une petite lumière brûlait toujours à l'intérieur.

– Tu comprends, ce bébé ne va être entouré que de femmes. Ce n'est pas bon. Et si, en plus, c'est un garçon !

– Vous ne connaissez toujours pas le sexe ?

– On veut pas savoir.

– Babou a rencontré Adama ?

– Ce matin. Ç'a été un coup de foudre.

Khadija sourit en caressant son ventre.

– Il est allé se promener dans le quartier. Il a inspecté le square, les arbres. Il y en a de très vieux, il est rassuré. Ça te dérange si je m'allonge ? Je suis fatiguée. Alors raconte-moi. Tu vas bien ? Tu fais des progrès avec ta petite luciole ? Tu travailles toujours autant ?

Sous la passerelle, Joseph portait toujours sa veste noire impeccable, sa chemise blanche, des chaussures en cuir bien cirées. Ses cheveux plaqués en arrière par une couche de gel luisaient au soleil. Ses ongles étaient propres. Il renversa la tête, ses yeux devinrent deux fentes qui tenaient Rose à distance. Il entrouvrit la bouche, laissant éclater des dents très blanches sur des gencives très noires, puis tourna la tête vers son échafaudage de détresse.

Une poupée blonde aux longs cheveux serpentins, les joues et les lèvres roses, les yeux bleus, les cils épais, trônait sur les sacs-poubelle et les partitions de musique. Haute de quatre-vingt-dix centimètres, vêtue d'une longue jupe en gaze blanche, d'un chemisier en soie crème avec des manches gigot, ses mains étaient enveloppées dans du papier bulles.

Elle souriait droit devant elle, écarquillant de grands yeux vides.

Rose déposa la bouteille de champagne qu'elle avait achetée chez Mehdi, « c'est pour qui, petite Rose ? T'as un fiancé ? Tu l'as oublié, celui qui t'a fait tant souffrir ? Allez ! Dis-moi. Tu veux pas ? Tant pis ! je te fais quand même cadeau de deux coupes en plastique, vous boirez à ma santé ».

Rose sortit les coupes des poches de sa parka.

Les posa devant le couple. Et s'en alla.

Ça y est ! Je suis arrivée à New York…

Ça y est ! Je suis arrivée à New York, Babou chérie. Le temps de prendre mes marques et je t'écris comme promis. Sur du VRAI papier avec un VRAI stylo afin que tu lises et relises ma lettre à t'en râper les yeux.

D'abord je t'aime, je t'aime et je t'aime. Tu es ma Babou d'amour, ma Babou adorée, et ça ne changera jamais.

Ensuite…

J'habite un studio au 3, Washington Square (tout en bas de la ville, regarde sur la carte que j'ai posée sur ta table de nuit, tablette du bas à gauche). Sur Bleecker Street. Dans une immense barre, longue et moche. Rouge, grise, parfois beige, parfois marron. L'architecte a dû manquer de peinture, de parpaings ou de briques et il a pris tout ce qui lui tombait sous la main pour terminer son ouvrage. Je suis au quatorzième étage. Je vis dans le ciel, parle aux nuages, aux orages, et Babou, oh ! Babou ! la vie est grande et belle.

Quand mon avion s'est posé sur la piste de JFK Airport, j'avais le nez collé au hublot et hâte de poser le pied sur le tarmac. J'ai fait deux kilomètres de queue avant de passer la douane. J'ai répondu aux questions d'un douanier renfrogné qui avait une figure de melon écrasé. Il a pris mes empreintes, m'a photographiée. Avec une mine patibulaire (tu te souviens, Babou, quand tu disais "pas tibulaire, mais presque"? Tu te souviens comme je riais?).

Quand je suis allée prendre mon bus pour Manhattan, j'ai cru que deux mains m'étranglaient. C'était le froid. Moins 17 degrés sur l'écran de mon téléphone, moins 32 de ressenti. Devant moi, un gamin a lancé son gobelet de Coca en l'air et il est retombé en granité. Il a tendu la main, incrédule, et il a léché les billes de glace sur ses moufles.

Mon studio est grand, bien aménagé. Cafetière, petites cuillères, grille-pain, serviettes de bain, fer à repasser, aspirateur, sèche-cheveux, tout est en bon état. L'immeuble est réservé aux étudiants. Il y en a de tous les âges. Dans le hall d'entrée, devant une sculpture de bambous, se trouve le bureau du *doorman* (équivalent du concierge en France). Il s'occupe de l'intendance de l'immeuble, débrouille les problèmes d'électricité, de plombier, de télé mal réglée, de courrier. Celui du matin s'appelle Richie, celui de l'après-midi, Sam, et celui de la nuit, Freddy.

Il me semble que j'ai toujours habité ici.

Dans mon quartier, il y a plein de boutiques de fripes. On y trouve des pulls à cinq dollars, des vestes à dix. Les vendeuses ont les cheveux bleus, orange, verts, jaune citron, des piercings dans le nez, les lèvres, les oreilles, et sont tatouées jusqu'aux narines. Elles encaissent, les yeux au plafond en mâchant un chewing-gum. Je me suis acheté un pantalon vert pomme, un châle rose, un manteau beige (très bien coupé) en fausse fourrure, le tout pour 20 dollars. J'ai fière allure. J'ai compris un truc : avoir du style, c'est être bien dans sa peau, se balader les mains dans les poches dans le genre j'en-ai-rien-à-cirer-de-ce-que-vous-pensez-moi-je-me-trouve-canon ou en anglais *I don't give a damn*. À New York, j'ai du style. À Paris, non. À Paris, les gens me jugent et me ratatinent. À New York, ils ne me regardent pas !

Ici je gère plein de choses que je ne gérais pas à Paris.

Le matin, je me lève à 7 heures et demie, j'allume la télé pour écouter les informations et les bulletins météo (pour savoir comment m'habiller). Il y a des publicités toutes les sept minutes. Elles hurlent comme si j'étais sourde et gourde. Le dimanche matin, on a droit aux prédicateurs qui gueulent le nom de Jésus en faisant la quête. Ils rançonnent des salles plus grandes que le Stade de France. Je vois d'autres choses terribles à l'écran : une petite fille de huit ans qui apprend à se servir d'une arme à feu. Chaque jour, 19 enfants sont tués ou blessés, 1 300 chaque année. Les adultes, c'est pire : 11 650 morts l'année dernière et 273 fusillades de masse.

Je démarre une cafetière, ouvre les muffins à la fourchette, les enfonce dans le grille-pain, sors le bacon, les œufs, la confiture, le beurre, pour qu'il ramollisse pendant que je prends ma douche. L'eau est douce et glisse sur la peau. On dirait une crème de beauté.

Vers 8 heures et demie, j'enfile ma parka, mes deux paires de gants, mes deux bonnets, enroule mon écharpe jusqu'au nez, claque la porte, appelle l'ascenseur, dis bonjour à ma voisine plantée sur son paillasson. Elle doit avoir une cinquantaine d'années, je me demande ce qu'elle fait dans une résidence pour étudiants. Elle affirme être mariée à Jésus, porte une longue robe grise, ceinte d'un rosaire, ses pieds sont nus dans des sandales et elle met des majuscules partout : "J'attends mon Époux. Je croyais que c'était Lui qui arrivait. Il voyage beaucoup. Il porte la Bonne Parole de Notre Seigneur."

Elle me récite un verset des Évangiles, toujours le même, "Seigneur, vers qui irions-nous ? Tu as les paroles de la Vie Éternelle", et cite saint Jean chapitre 6, verset 68. Ou un truc comme ça. Suis pas sûre de comprendre et j'ai pas vraiment envie de discuter. Je lui réponds, "oui, bien sûr, bonne journée". Elle doit suivre des cours au centre catholique de la NYU sur Thompson Street. Ou plutôt elle enseigne. Je ne sais pas. Mais il y a plein d'étudiants qui viennent frapper à sa porte, le soir. Dans la journée, je ne sais pas, je ne suis pas là.

Le labo est tout près, au 100, Washington Square East. Cinq minutes à pied. Je longe d'abord une sorte de miniterrain vague qui se prétend historique parce qu'on y a planté les herbes, les buissons, les arbres et les arbustes qui faisaient partie du paysage quand les Hollandais ont conquis la ville en 1624. Sauf qu'aujourd'hui c'est le rendez-vous des ronces. Je traverse Washington Square. Regarde les écureuils collés aux troncs des arbres, les habitués qui jouent aux échecs sans lever la tête, les pigeons en quête de miettes. J'ai l'impression d'être chez moi et réagis en propriétaire. Quand un individu jette un papier ou casse une branche, je me retiens de l'insulter. Tout m'est familier. Même mon nom est devenu américain. Rooose Robinessonne.

Leo, tu sais, mon collègue, m'a accueillie à bras ouverts. Il m'a tapé dans le dos en répétant qu'il était content de me retrouver. Il affirme que la luciole alsacienne va nous rapporter gros, il en a parlé à des labos et a pris des contacts. Il est certain que les fonds vont affluer, que les bénéfices seront énormes. On ne s'est pas encore mis d'accord sur ce qu'on voulait faire. Il vise les cosmétiques, moi, la médecine et la recherche. Il va falloir trancher, on va sûrement se bagarrer, mais pour le moment, je ne dis rien. Je suis trop contente d'être ici, j'ai pas envie de me gâcher l'humeur.

Le labo où je travaille est surtout connu pour ses travaux sur la mouche *Drosophila melanogaster*. Les neurobiologistes s'intéressent aux mécanismes qui définissent les rythmes circadiens de la drosophile et de ses neurones. Ou, en termes vulgaires, l'étude des cycles du sommeil chez la mouche, très proche de ceux de l'homme si tu l'ignorais, Babou chérie.

On étudie cette mouche depuis près de cent ans. Elle a permis à la génétique en tant que science de se développer. On connaît tout d'elle, on sait la reproduire, l'endormir pour trier les larves, séparer les sexes sous une loupe, faire tous les types de croisements. Il existe une énorme bibliothèque de mutants disponibles que chaque labo peut acheter pour étudier tel ou tel gène responsable de telle ou telle fonction. Le génome entier de la drosophile a été entièrement séquencé ; il est disponible sur internet. Ils en sont à décortiquer les gènes qui permettent à la drosophile de maintenir son horloge interne qui, comme celle de l'homme, dure pas loin de vingt-quatre heures.

Pour moi, Babou, cette mouche est bien moins sexy que *Lamprohiza splendidula*, ma luciole alsacienne, avec ses belles émissions de lumière. D'autres chercheurs étudient d'autres insectes : des papillons, des coccinelles, des sauterelles. On travaille au coude à coude au milieu des bonbonnes de gaz carbonique (pour endormir les insectes), des flacons, des produits chimiques, des ballons, des éprouvettes, des loupes binoculaires, des agitateurs. Il règne un désordre studieux, assez stimulant. Enfin, moi, je m'y sens bien. Chacun travaille dans son coin. Le directeur du labo s'appelle Redcliff. Il a des petits yeux marron, un nez en capsule de Coca, il est chauve, charmant, toujours prêt à rendre service. Il marche les mains en avant, toutes molles, posées sur l'air comme deux crochets, et il sourit les dents en éventail. On dirait un écureuil ! J'ai envie de lui gratter la tête et de lui lancer des cacahuètes.

J'ai fait la connaissance d'un étudiant français. Il doit avoir mon âge. Il travaille ici depuis trois ans. Grand, mince, beau, flegmatique. Il a la démarche d'un bambou qui plie et ne rompt pas. Tu te dis ah ! ah ! Rose est en train de tomber amoureuse. Non, Babou ! Pas du tout. Mais je dois reconnaître qu'il a beaucoup de charme. Il vient d'Amiens et s'appelle Hector. Il étudie les rythmes du sommeil de la mouche. On se parle peu. Il est très concentré sur son travail. Ou alors je ne l'intéresse pas. Je vais l'espionner et t'en dirai plus. Quand je suis arrivée, le premier matin, il mangeait un sandwich jambon-beurre. Français un jour, Français toujours !

Il y a un autre garçon que j'aime pas trop. Sergueï. Il vient d'arriver. Il a obtenu une bourse de travail pour trois ans. Il est kazakh façon cosaque affamé. Il travaille sur un papillon tropical du genre *Heliconius*. Tu sais ce qu'il fait, cet *Heliconius*? Il passe en vol tel un bombardier au-dessus d'une femelle et lâche sur les antennes de la belle un cocktail de phéromones aphrodisiaques, excrétées par les poils de sa toison abdominale. La femelle enivrée s'évanouit, tombe au sol, déplie ses ailes et ouvre son sexe de façon explicite, signifiant qu'elle accepte la copulation. L'*Helico-*

nius n'a plus qu'à piquer du nez et à l'embrocher. Quand il a terminé sa petite affaire, il la saupoudre d'une phéromone anti-aphrodisiaque afin que la femelle devienne insensible aux autres mâles. Ainsi il la garde sous le coude au cas où il aurait envie d'y revenir. Cependant, si un autre mâle rôde et qu'il lui vient l'idée de s'accoupler avec la femelle déjà fécondée, il devra décharger 25 % de sperme supplémentaire pour entrer en compétition avec le sperme du mâle l'ayant précédé. Un vrai duel d'egos sur le corps de la femelle inanimée.

Ça lui va bien à Sergueï, ce sujet de recherche. Quand il passe près de moi, j'ai une boule au ventre, une sorte d'alerte danger ! Il mate les filles, les yeux luisants, les mains en avant, raconte de grosses blagues bien dégoûtantes et se claque les cuisses. L'autre jour, il parlait, une main dans son pantalon, et se tripotait. Il se vantait d'"être du cul comme un bourdon". Il devrait faire gaffe parce que ici on ne plaisante pas avec les débordements sexuels. On ne plaisante avec rien du tout, pour être exact. Faut faire très attention à ce qu'on dit.

Je me suis fait une copine. On l'appelle Big Denise, d'abord parce qu'il y a une autre Denise, et ensuite… disons qu'elle est plantureuse. (Si tu traites quelqu'un de gros, il peut te traîner devant les tribunaux.) Big Denise, paraît-il, cela sonne "affectueux", alors on a le droit de l'appeler comme ça. Et puis elle le prend bien. Elle travaille sur une reine termite d'Afrique du Sud, la *Macrotermes*.

Big Denise est très drôle, toujours en colère. Et très expansive. Il lui arrive des aventures pas possibles avec les garçons. Le matin, on se retrouve dans un café avant d'aller au labo. Elle me raconte ses histoires de cœur (elle tombe amoureuse toutes les trois secondes !). On jacasse. On rit. Parfois, on parle sérieusement.

Voilà, Babou chérie, les premières nouvelles américaines. Tu m'as demandé de t'écrire de vraies lettres et tu vois, je tiens ma promesse. Maintenant il va falloir que je trouve une poste. Cela va être difficile, il n'y a plus beaucoup de *post offices* par ici. J'en ai pas encore vu. Et pourtant, je marche.

Je te tiendrai informée au fur et à mesure. Comme ça tu sauras tout, tout, tout... »

Rose hésita, faillit biffer ces derniers mots. Les laissa.

Signa « Rose qui t'aime à la folie ».

Ajouta en P-S : « Prends bien soin de Joseph en mon absence. J'ai remarqué que les cakes qu'il préfère sont ceux au citron vert. »

Rose ne disait pas tout à Babou.

Surtout au sujet de Leo.

Il l'avait accueillie avec effusion, passant et repassant la main dans sa mèche, accentuant sa fossette, lui adressant un sourire *urbi et orbi* façon pape sur son balcon le dimanche de Pâques. Il assurait être impatient de reprendre leurs travaux. Rose était une si bonne collègue, une fille si agréable, si intelligente, si perspicace. *Amen.* Il empilait les mots laudateurs, mais c'était comme s'il construisait un mur en briques pour se protéger.

Peut-être avait-il une amoureuse ?

Peut-être se rappelait-il l'épisode de la Taverne alsacienne ?

Peut-être qu'elle, Rose, ne lui plaisait pas du tout ?

Ou peut-être tout simplement ignorait-il qu'ils étaient mariés, habitaient Thompson Street et avaient deux enfants ? Comment aurait-il pu le savoir ? Elle ne lui en avait jamais parlé.

– Et moi qui voulais faire bonne impression ! J'ai tout gâché en lui faisant cette scène au restaurant, elle avait dit à docteur M. sur Skype. J'arrête pas d'y penser.

Docteur M. la regardait, muette, étonnée.

– Bonne impression, vous comprenez ? dit Rose.

– Non.

– Si ! Je voulais qu'il me trouve originale, intelligente, spéciale.

– Pourquoi ?

– Ben… pour faire bonne impression.

– Mais vous n'êtes pas une imprimante !

Rose avait raccroché et viré 80 euros sur-le-champ.

Cette fois-ci encore, elle n'avait pas vu de bite.

Je ne suis pas une imprimante, je n'ai pas à faire « bonne impression ». Je me tiens droite au milieu de mon cercle. Je réfléchis, je ne me laisse pas influencer ni manipuler, je fais ce qui est BON pour moi.

Pourquoi ?

Parce que je ne suis pas une imprimante.

Leo parlait souvent de l'avenir de la petite luciole :

– Moi, je jouerais l'esthétique à fond. On tient peut-être la recette miracle de la crème antirides ou antivieillissement. On la vend à une marque, L'Oréal, Sanofi, Pfizer ou une autre, et on gagne plein de blé. Ça ira plus vite que de se lancer dans un protocole médical où il faut investir un fric fou et recommencer trois fois chaque expérience avant qu'elle soit validée. Et ça prend des années et des années !

Rose se taisait. En ne répondant pas, elle le remettait à sa place de collaborateur. Elle ne voulait pas discuter. Il serait toujours temps d'aborder le problème. Et à la fin, elle serait la seule à décider.

Parce qu'elle était aux manettes.

C'est elle qui avait découvert la molécule qu'elle avait baptisée « Lucioline ». Elle qui l'avait testée, elle qui, après de nombreuses manipulations, avait constaté que, même diluée mille fois, sa molécule avait une action sur des cellules cancéreuses sans détruire les cellules saines. Ce n'avait été qu'après ces découvertes qu'elle avait reçu un mail de Leo Zackaria, jeune chercheur associé au laboratoire de Cornell. Son université et le laboratoire de Ronald Lupaletto étant jumelés, il suivait le travail de Rose et ses publications. Il avait décidé de venir en France pour l'aider à purifier la Lucioline et étudier l'étendue de ses pouvoirs. Il avait poussé Rose et Ronald Lupaletto à rédiger un brevet avec l'aide des juristes du Muséum et de l'université de Cornell. Le brevet avait été déposé juste avant que Rose ne soutienne sa thèse à huis clos afin de préserver le secret. Il incluait les applications médicales et cosmétiques. Personne ne pouvait utiliser la Lucioline sans l'autorisation de Rose. Et de Lupaletto. Ils étaient partenaires à cinquante pour cent.

Le laboratoire où travaillait Leo, le New York University College of Arts and Science, avait été créé en 1831. Il s'appelait maintenant le Silver Center et se trouvait au 100, Washington Square East. C'est là qu'avaient commencé toutes les recherches concernant l'écologie chimique des insectes, discipline développée dans les années 1960 par Thomas Eisner, l'entomologiste, et Jerrold Meinwald, le chimiste, qu'on avait rebaptisés *Tom and Jerry*.

Sur les murs des couloirs étaient accrochés les portraits de tous les plus éminents professeurs de l'université. Et il y en avait un paquet ! Samuel Colt y avait mis au point le revolver, Samuel Morse, le télégraphe, John William Draper en 1840 avait pris la première photographie sur le sol américain et il y en avait encore beaucoup d'autres aussi inattendus qu'Edgar Allan Poe, Herman Melville, Walt Whitman qui y avaient habité ou enseigné. Rose et Leo allaient devoir être à la hauteur ! Leur projet était double : soumettre leurs travaux aux chimistes spécialistes de la RMN (résonance magnétique nucléaire), seul instrument capable de contrôler l'évolution de la molécule nouvelle, et prouver que la Lucioline était une découverte originale qui pouvait, à très faible concentration, tuer les cellules cancéreuses. À très faible concentration, c'était ça l'important, car les chimiothérapies sont souvent difficiles à supporter en raison de la toxicité des anticancéreux utilisés. Pour le moment, Rose était parvenue à une dilution à 1 000, elle visait les 10 000, voire, dans ses espoirs les plus fous, les 100 000. Elle se prenait alors à rêver que sa découverte non seulement guérirait les malades, mais supprimerait leurs souffrances. UTILE. UTILE. Elle allait être utile. Chaque matin, elle arrivait au laboratoire en jubilant.

Et le soir ?

Elle jubilait toujours. Elle s'arrêtait au supermarché, le Fresh Market Place, achetait une soupe, un plateau de sushis ou des aubergines à la *parmigiana*, rentrait chez elle, enfilait un vieux survêtement qui lui servait de pyjama, s'étendait sur son lit et regardait un film en suçant l'algue noire des sushis et en buvant un smoothie à la fraise.

Elle se demandait comment Leo passait ses soirées.

Et puis elle s'interdisait de se le demander.

Leo est une blouse blanche. Leo n'a pas de zizi. Je me fous de Leo. Je me fous du zizi de Leo. Leo est une blouse blanche. Leo n'a pas de zizi. Je me fous de Leo. Je me fous du zizi de Leo.

Elle y pensait tout le temps.

Elle tapa sur Google « comment oublier un garçon ». Mary de l'Ohio recommandait de prier Dieu, tandis que Suzy du New Jersey conseillait une chaîne de télé, TCM, qui ne passait que des vieux films, des chefs-d'œuvre d'antan avec de belles histoires, de beaux acteurs, de beaux sentiments, « ça emporte la tête à tous les coups ».

Elle regarda TCM un soir. Ça marcha. Elle regarda tous les soirs.

Elle entrait dans les films et prenait la place de l'actrice principale. C'était un jeu. Elle eut bientôt une collection d'amants imaginaires avec lesquels elle vivait des nuits enivrantes. Ils s'aimaient, ils s'adoraient, ils se juraient fidélité, ils affrontaient des rivaux, des rivales, des corbeaux, des crotales, ils étaient séparés, désespérés, fiévreux, mais se retrouvaient toujours et vivaient heureux.

Une nuit, elle vit *La Nuit du chasseur*. Le héros était brutal, violent. Méchant, si méchant. Cruel, si cruel. Mais beau, si beau... Incarné par Robert Mitchum. *Love* et *Hate* tatoués sur les phalanges. Elle trembla. Ouvrit les jambes. Repoussa les sushis. Se caressa. Haleta. Se cassa en deux. Hurla de plaisir.

L'amour marchait beaucoup mieux quand l'amant était trépassé.

Jusqu'au matin où elle eut envie de traverser Washington Square main dans la main avec Robert.

Elle changea de chaîne.

Le soir, Rose et Leo rangeaient leurs affaires, ôtaient leurs gants violets, leurs blouses blanches, se disaient à demain et partaient, chacun de son côté.

Et puis un soir...

Il se passa quelque chose d'inattendu.

Une facétie que Rose accomplit sans y penser, avec le flegme de la débutante qui n'a jamais pris une leçon de golf et envoie sa première balle droit dans le trou.

Ce soir-là donc, Rose gisait sur son lit, le ventre gonflé de sushis, en train de regarder sur HBO *Les Quatre Filles du docteur March*. Elle léchait le couvercle du smoothie. Beth, cette chère Beth, avait attrapé la scarlatine en soignant des enfants malades. La famille réunie autour de son lit attendait la visite du médecin. Beth allait-elle mourir ? Les mines étaient sombres, les mouchoirs trempés de larmes. C'est alors qu'arriva un premier sms de Leo.

Il voulait savoir si la dernière production de molécules avait été rangée et la porte du frigo bien refermée. Il avait un doute. Rose répondit, sans lâcher l'écran des yeux – le médecin venait d'ouvrir sa sacoche en cuir et sortait son stéthoscope –, « Suis au ciné ». Elle ne pouvait pas avouer qu'elle gisait sur son lit dans un vieux survêtement pourri, suspendue aux râles de Beth March, au lieu de se préoccuper du sort de *Lamprohiza splendidula*. Et, par une sorte de malice imprévisible, elle ajouta « avec un copain ».

La réponse fut instantanée :

« Un Français ? »

Alors Rose lâcha la pauvre Beth agonisante et tapa en jubilant : « *Yes.* »

Une fois encore la réponse fut rapide :

« Doit pas être passionnant, ton film, si tu regardes ton tél. »

Suivie par « Et ton copain, non plus ».

Elle n'avait plus répondu. Avait embrassé son téléphone. Jeté un oreiller au plafond et un autre et un autre encore. Pédalé de joie sur sa couche. Leo Zackaria avait pris la mouche ! Beth pouvait mourir, elle s'en moquait. Il restait encore trois filles à monsieur et madame March. Largement de quoi vivre heureux. Leo avait pris la mouche ! Elle savait très bien ce qu'il était en train d'imaginer : elle au cinéma dans les bras d'un Français, ces gros dégoûtants qui coupent la tête de leur roi, portent un béret, une baguette sous le bras, ne se lavent jamais, n'ont pas de pétrole, mangent du fromage qui pue, font la grève tous les jours, ont cinq semaines de congés payés et embrassent... avec la langue ! Répugnant !

Le lendemain, au labo, Leo demanda à Rose quel film elle avait vu.

Elle bégaya qu'elle avait oublié le titre.

– T'as oublié ou t'étais occupée à autre chose ? il dit en riant jaune.

Sa bouche se déformait en un rictus douloureux. Sa mèche barrait son nez. Il ressemblait à une rainette aux yeux rouges et la scrutait, avide d'être rassuré.

Elle se dit qu'il souffrait.

Elle se dit qu'elle le faisait souffrir.

Elle se sentit très importante. Très belle.

Et très mince.

Regarde-le : il suffoque, il convulse. Il va devenir dé-pen-dant. Son pantalon est jaune et ses chaussures, marron.

Elle décida de ne pas répondre.

– Savais pas que tu aimais aller au cinéma, il dit de plus en plus jaune.

Elle enroula une mèche autour de son index comme si elle était embarrassée, qu'elle se rappelait le baiser du Français au cinéma. Et dans sa tête chantait une chanson, dé-pen-dant-t'es-dépen-dant-t'es-fichu-mon-garçon !

Leo s'était tourné vers le coin où travaillait Hector et le dévisageait. Le Français, des AirPods dans les oreilles, examinait des larves au microscope. De ses longs doigts fins, il émiettait un sandwich, pain de mie, jambon-beurre.

Ce même jour, leurs blouses raccrochées, Rose et Leo quittèrent le laboratoire.

Leo proposa à Rose de la raccompagner.

Il commença par lui parler de leurs travaux, expliqua qu'il avait hâte de produire leur molécule en quantité suffisante pour la tester sur différents types de cancers et de peaux, puis il lui prit le bras, accorda son pas au sien, demanda s'il y avait un film, une pièce de théâtre, une exposition qu'elle aimerait voir. Il se ferait un plaisir d'acheter des billets ; ça leur ferait du bien de parler d'autre chose, il faut s'aérer la tête, c'est en prenant son bain qu'Archimède avait trouvé les lois de sa fameuse poussée, non ?

Elle répondit oui, pourquoi pas, si tu veux. L'observa de biais. C'était une idée ou son cou avait grossi ? Elle eut envie de secouer son bras pour se déprendre de lui. De foncer jusqu'à son studio, d'enfiler son vieux survêtement pourri, de se laisser tomber sur son lit et d'allumer la télé. Elle avait découvert un thé rouge, « Fleurs de cerisier au soleil couchant ». Elle le dégusterait avec les sushis qui restaient et regarderait un film.

– Bon, alors je vais me renseigner sur les expos et les films à voir et je prendrai des places pour nous, il dit en resserrant le col de sa doudoune.

L'emploi du *nous* fit sursauter Rose.

Nous ? Lui et moi ? Rose et Leo ? Leo et Rose ? Depuis quand me met-il dans le même sac que lui ? Je suis *moi*, il est *lui*, nous ne sommes pas *nous*. Garde tes distances, mec. Tu sais ce qu'il arrive aux types qui m'approchent de trop près avec leurs gros souliers ?

Il faisait nuit. Le ciel était noir, bas. Ils étaient arrivés au pied de l'immeuble de Rose. Une fille portant un grand panneau en contreplaqué luttait contre le vent pour ne pas s'envoler. Elle tournait, tournait, changeait d'angle de progression à chaque pas. Rose eut l'impression qu'elle valsait.

Derrière l'entrée tout en vitres se tenait Freddy, les yeux baissés vers la petite télé sous le comptoir qu'il regardait les soirs de match de base-ball. Un lampadaire éclairait un sweat-shirt qui séchait au balcon du premier étage. Il claquait contre la rambarde et faisait un bruit de tôle ondulée. Rose et Leo piétinaient dans la neige sale, les yeux plissés afin de se protéger du vent glacé qui lançait des aiguilles. Rose enfonça le nez dans son écharpe et respira la laine mouillée, au secours ! bientôt j'aurai un collier de glace autour du cou. Les cheveux de Leo se dressaient en éventail givré imitant la mésange huppée. Rose s'écarta, les mains braquées dans ses poches tenant deux pistolets, prête à dégainer.

C'est alors qu'arriva *le* truc...

Leo tendit le bras vers Rose.

Rose crut qu'il voulait l'étreindre, pensa à l'esquiver, calcula comment s'y prendre sans le vexer – c'était un collègue de travail, il ne fallait pas l'humilier –, mais, au dernier moment, il ramena son bras vers lui, passa la main dans ses cheveux et dit :

– Bonne soirée, Rose ! Il fait très froid, reste chez toi, repose-toi. Tu as beaucoup bossé aujourd'hui. Je vais voir si je trouve un film ou une expo et je t'emmènerai. Salut !

Et il lui tourna le dos.

L'étreinte imaginaire finissait en queue de poisson.

Rose resta sur place, ployée en avant comme si elle avait reçu un coup de poing dans l'estomac.

Elle n'arrivait plus à respirer.

Sans en être certaine, il lui avait semblé entendre dans la voix de Leo une intonation autoritaire, légèrement menaçante. Il disposait d'elle. Il ordonnait, récompensait, « tu as bien travaillé, je suis content, repose-toi. Si tu es sage, je t'emmènerai au cinéma. Sinon… ».

Elle regardait la silhouette qui s'éloignait sous l'éclat blanc des réverbères de Washington Square. Son corps criait à l'homme de revenir, de la prendre contre lui, de glisser sa main glacée sur son sein tiède, d'en pincer le bout entre ses doigts et…

Le doorman lui faisait signe de rentrer à l'intérieur. Ses lèvres disaient *it's freezing outside, you're nuts** !

Rose rentra.

Cette nuit-là, elle fit un rêve.

Elle se trouvait avec Leo et monsieur Jean-Claude dans l'arrière-boutique du boucher, saucissonnée telle une paupiette, suspendue à un crochet. Leo parlait avec monsieur Jean-Claude tout en la

---

* On se gèle dehors ! Vous êtes folle !

détaillant. Il examinait le blanc de ses yeux, l'émail de ses dents, lui tirait les cheveux, inspectait ses oreilles, palpait ses fesses, demandait quel était son prix au kilo, faisait une grimace, trop cher, trop cher. Enfonçait un doigt dans son ventre. « Regardez ! C'est mou, c'est gras, c'est filandreux ! » Monsieur Jean-Claude protestait, c'est de la bonne viande quand même ! Et il lui cinglait les seins à l'aide d'une petite baguette pour montrer que le sang circulait, que la zébrure marquait bien, que la chair était belle, tendre et rosée.

Elle plaqua ses bras, ses reins, ses cuisses sur le matelas, se raidit, se tordit et râla de plaisir.

Le lendemain, en ouvrant son muffin avec sa fourchette, en le glissant dans le grille-pain, en sortant les œufs, le bacon, la marmelade d'orange et le beurre du frigo, Rose se figea et ferma les yeux.

Elle revivait son rêve.

Elle pensa aller se masturber sous la douche, regarda sa montre, elle n'avait pas le temps, elle avait rendez-vous avec Big Denise.

Pourquoi je ne parle pas de ça à docteur M. ?

Ou si, de temps en temps.

L'air détaché, je lui dis qu'au lit, j'aime qu'on me donne des ordres, qu'on me menace, qu'on me manipule. Pas qu'on me tape, hein ! je précise avec la mine sévère de l'huissier qui fait un constat. Et je prends un air savant comme si j'avais bien tout compris, qu'il était inutile d'insister, que cette période de comportement stupide était terminée.

Et je ne poursuis jamais.

Parce que j'ai honte. Je me sens coupable de ces fantasmes qui ne vont pas avec les valeurs que je défends, l'image que je veux donner d'une femme forte, libre, qui se fait respecter.

Comment s'affirmer féministe et rêver qu'on vous attache, qu'on vous menace, qu'on vous tire les cheveux, qu'on vous pince les seins ?

Horreur ! Malheur ! Je deviens illégitime, traître. Je préfère me taire.

Mais le soir, pour m'endormir, je repars dans mes rêveries érotico-ligotée-menacée-manipulée-maso.

Il est certain que mes semblables, mes sœurs, ne se livrent en aucun cas à de telles extravagances. Et si, par malheur, elles l'apprenaient, les conséquences seraient épouvantables.

Je ne suis pas « normale ». Mais pourquoi ?

Alors surgissait la seconde vague de culpabilité : se pourrait-il qu'à cause de « ça » je n'aie pas accès au sentiment d'amour vrai ? Juste le droit de le mimer. De me prétendre amoureuse. Se pourrait-il que les gens m'indiffèrent ? Que la vie autour de moi soit lisse, sans goût, sans odeur, sans couleur ?

Oui, je me dis, cela se pourrait bien.

Je ne sens rien. Je ne ressens rien. Tout m'est égal, je fais semblant. Je sais très bien faire semblant.

Dans la rue, ce matin-là, Rose croisa des bonshommes de neige au nez carotte qui marchaient tels des pingouins et se réchauffaient au gobelet de café brûlant qu'ils tenaient entre leurs mains. Certains portaient des lunettes de ski. D'autres des protège-oreilles en fourrure roses, bleus, verts. Des chiens chaussés de bottes en caoutchouc trottinaient dans des mantelets fourrés. Une mère se penchait vers son enfant et lui recommandait de ne pas respirer trop fort : ses poumons pourraient geler, ils l'ont dit ce matin à la télé. L'enfant l'écoutait, cramoisi, et retenait son souffle.

Rose se demanda s'ils rêvaient la nuit qu'ils étaient suspendus à un croc de boucher.

Enfant, pour s'endormir, elle s'inventait des histoires douces. Elle gambadait dans la luzerne. Son papa était beau, fort, courageux, il tirait à la carabine. Sa maman, douce, mince, jolie. Elle faisait la cuisine. Ils s'appelaient Mr et Mrs Ingalls. Un jour, elle épouserait monsieur Ingalls.

En attendant, elle était sa fille.

Big Denise l'attendait à l'Irving Farm. Un café à l'angle de Thompson Street et de la 3ᵉ Rue qui faisait vingt pour cent de réduction aux étudiants de NYU. Chaque matin, entre 8 et 10 heures, des individus mal réveillés poussaient la porte, commandaient un muffin, un café, plongeaient dans leur écran, lisaient, corrigeaient, lançaient une main pour attraper la tasse ou le gâteau qu'on leur tendait, marmonnaient merci, poursuivant un dialogue intérieur et mystérieux. Le serveur, habitué, circulait entre les tables, les yeux rivés à l'écran de télé sur le mur où repassait un match de base-ball ou de foot de la veille.

Big Denise s'était installée à une table du fond. Elle avait commandé un cappuccino, un donut au chocolat noir, un autre aux myrtilles et un crumble aux abricots.

– Dis donc, tu vas pas mourir de faim ! dit Rose en la rejoignant.

Regarder manger Big Denise était le plus sûr moyen de se mettre au régime : on était écœuré par la quantité de nourriture qu'elle avalait.

– C'est plus fort que moi. Ce doit être la mauvaise influence de ma termite africaine.

Macrotermes natalensis. Une reine termite, obèse, qui vit en Afrique du Sud. Soixante-dix fois plus grosse que son roi. Tous les deux enfermés dans la loge royale de 15 centimètres carrés, dans l'obscurité totale, sans en sortir pendant quarante ans. Son rôle à lui : copuler. Sa mission à elle : pondre toutes les trois secondes. Rose se demandait comment faisait le roi pour s'immiscer entre deux pontes. Pour une fois, être éjaculateur précoce se révélait utile. La reine et le roi sont servis, nourris, blanchis par des « ouvriers », bridés au stade larvaire, qui meurent au bout d'un mois. Ces derniers prédigèrent, via un champignon qu'ils cultivent, un délicieux breuvage qu'ils régurgitent au roi et à la reine. Cet aliment semble être responsable de la longévité royale. Big Denise cherchait à en connaître la composition pour en reproduire la formule et décrocher le gros lot.

« Si tu me vois rajeunir à vue d'œil, c'est que j'aurai élucidé le mystère… », elle disait en riant.

Big Denise avait un beau visage couleur d'ébène, des yeux

noirs avec un éclair doré, des cheveux raides mi-longs, coupés au carré à la hauteur du menton, un nez fin, une bouche ourlée qu'elle peignait en rouge sanglant. Son visage était si rayonnant que Rose oubliait qu'elle traînait un corps lourd, sûrement un peu trop lourd.

Ce matin-là, Big Denise était très énervée. Un type dans le métro lui avait dit «pousse-toi, la grosse» en montrant le bout de banquette où il comptait s'asseoir. Elle l'avait toisé du haut de son soutien-gorge taille 110, bonnet G. Le type avait réussi à se glisser, à poser une demi-fesse, puis une fesse, et comme elle résistait, il l'avait traitée de sale négresse.

– Et personne n'a bronché ! Personne ! On ne m'a jamais traitée de sale négresse ! C'est arrivé à ma mère quelquefois, à ma grand-mère tout le temps, mais à moi, JAMAIS ! Ça, c'est depuis qu'on a élu cet enculé. Le racisme ne court pas aujourd'hui, il galope. Tu sais que dans les hôpitaux, on ne donne pas de médicaments antidouleur aux Noirs parce qu'on estime qu'ils sont plus endurants que les Blancs ? Un vieux souvenir de l'esclavage et des chaînes, non ?

Elle trempait son donut dans son café avec la vigueur de l'énervé qui actionne un piston.

– Et grosse en plus ! Dis-moi, franchement, suis pas si grosse que ça ?

– Noooon…, dit Rose d'une petite voix. Je vais prendre un

cappuccino, elle ajouta en direction du garçon qui attendait que Big Denise ait fini sa tirade pour prendre la commande.

– Et puis c'est quoi, cette loi qui oblige les femmes à être minces ? C'est écrit où ? C'est un devoir civique ?

Elle mordait dans son beignet, le posait, se tapotait les lèvres et reprenait :

– C'est sûr que la vie est plus facile quand on est mince…

– Pas forcément, dit Rose en repensant à son rêve.

– Tu dis ça pour me faire plaisir. Moi, j'arrive pas à garder un mec. Ils me sautent ou plutôt, je rectifie, je leur fais une pipe, et après, c'est « *bye, see you* » et ils se cassent. Tu connais la dernière ?

– Non, dit Rose en regardant sa montre.

J'aimerais bien arriver au labo avant Leo. Allumer mon ordinateur, lire mes mails, étudier les derniers articles parus, écrire le protocole de la journée. Lancer les incubateurs, préparer les milieux pour les prochaines cultures. Ça me donnerait une contenance.

Faire semblant, c'est éviter les problèmes, les repousser à plus tard. On peut faire semblant tout le temps si on veut. On risque juste de passer à côté de sa vie.

– Je t'ai parlé de Jessie ? Tu sais, mon plan cul…

– Me rappelle plus.

– Quand je veux le voir, je lui envoie un message, « ce soir ? oui ou non ? ». Il valide le oui ou le non. On couche ensemble, je rectifie, je lui fais une pipe, on se fait la bise et on se casse.

– C'est pas très valorisant !

– C'est des mecs que je trouve sur Tinder, je peux pas être trop difficile. Même si je demande jeune, riche et beau, j'obtiens rarement satisfaction. On peut même dire jamais.

– Bon alors… raconte Jessie.

– En ce moment, il m'agace, je rectifie, il m'a toujours agacée. Je comprends pas les hommes de manière générale mais lui, c'est un cas. Hier, on s'est vus, il m'a fait une scène parce qu'il ne voulait pas que je boive dans son verre. Il refuse de partager les liquides. Il veut garder ses «fluides» pour lui tout seul. «Chéri, je lui ai dit, je t'ai sucé il y a cinq minutes, ça posait pas de problème, il me semble…»

Rose pouffa dans son cappuccino.

– Attends! C'est pas tout. Il prend une douche avant et après. En sortant de la douche, il enfile un peignoir, s'allonge sur le lit, allume son sèche-cheveux – il le trimbale partout dans son sac à dos – et se sèche les couilles, les jambes écartées. Si je gueule, il répond qu'il a pas à se gêner, je suis «rien qu'une pote». On est un peu plus qu'une pote quand on suce, non?

– Excuse-moi… je me suis jamais posé la question.

– C'est ça, fais ta maligne!

– Je fais pas ma maligne, je te dis que je ne sais pas!

Big Denise soupira et ouvrit grand la bouche pour avaler son crumble.

– Je vais finir comme les puceronnes. Je me passerai des mecs et je me reproduirai toute seule. Elles ont tout compris, elles. Tu y crois, toi, à la belle histoire d'amour?

– Euh… comme toutes les filles. On dit que non, mais au fond, on rêve d'un mari, d'enfants, d'une belle maison…

– Rose… Pourquoi je tombe toujours sur des déglingués ?
Pourquoi j'ai pas une vie normale ?

– C'est quoi une « vie normale » ?

– Sais pas… Comme la tienne.

Est-ce que Big Denise rêve qu'elle est suspendue à un crochet
de boucher et palpée par deux mecs ?

Rose rougit, se racla la gorge et reprit :

– Quand j'étais petite, je rêvais au grand amour. J'étais sûre
qu'il existait. Aujourd'hui… je ne sais plus rien.

J'arrive pas à me comprendre. Parfois j'en peux plus de moi,
je me fatigue. J'ai l'impression que je répète sans cesse la même
histoire, que je suis prise dans une roue qui tourne, tourne…

– Ben…, poursuivit Big Denise, une vie normale, c'est rencontrer quelqu'un avec qui tu as envie de rire, de manger du pop-
corn devant un film, de faire des bébés, de gagner à la loterie, de
rire encore et de se câliner toujours.

– Une vie tranquille, bien à l'abri…, dit Rose en volant un
gros bout de muffin aux myrtilles dans l'assiette de Big Denise.

C'était plus fort qu'elle : quand elle éprouvait une émotion, il
fallait qu'elle s'empiffre.

– À l'abri de quoi ?

– À l'abri du malheur.

– Bien sûr ! s'exclama Big Denise. Personne ne souhaite le
malheur.

– Personne.

– Et pourtant… t'as l'air de dire qu'il fait partie d'une vie normale.

– J'ai dit ça ?

– Non. Mais je l'ai entendu dans ta voix.

Elles parlaient toujours des mêmes sujets, les filles, les garçons, les filles, les garçons, mais s'arrêtaient toujours avant que ça ne devienne désespéré. Au bord de ce moment-là, l'une ou l'autre regardait sa montre et décrétait qu'il était temps d'aller travailler. Comme si l'une ou l'autre avait peur de la question qui n'allait pas manquer d'arriver.

Ce matin-là, la question était : est-ce que le malheur fait partie du bonheur d'une vie normale ?

Alors que Rose allait pénétrer dans le building de l'université, au 100, Washington Square East, son portable sonna. Elle s'arrêta en bas des marches verglacées et prit l'appel. Un groupe de SDF avait installé un camp sur le trottoir. Ils y vivaient depuis deux semaines, malgré le froid. Dormaient, fumaient des pétards, mangeaient des soupes réchauffées sur un camping-gaz, tenaient des mini-assemblées pour décider des plans d'invasion de Wall Street, ignorant les passants qui les ignoraient aussi.

Ce matin-là, ils avaient décidé de se moquer de Rose. Ils la contemplaient, ricanaient « Oh ! le beau téléphone ! Oh ! le beau châle ! Oh ! le beau manteau de fourrure ! ». Rose s'écarta, leur tourna le dos, se pencha sur son téléphone et parla à voix basse.

C'était sa mère. Elle devait marcher dans une rue de Paris car Rose entendait ses hauts talons résonner sur le bitume.

Valérie ne dit ni « bonjour », ni « comment ça va ? », ni « je te dérange pas, j'espère ».

– Je t'appelle pour te demander un service. Je viens à New York dans trois semaines. Raisons professionnelles. Je serai avec William.

– William ?

– Enfin, Rose ! William ! MA STAR !

– Ah… Excuse-moi. Il s'était pas retiré des écrans ?

– Si. Mais il revient. Dans un film que je vais produire avec des Américains. Ça va être un événement. Il est toujours très populaire en France et en Amérique même s'il ne tourne plus. Il est devenu une légende. J'ai réservé au Mercer, dans ton quartier. Il paraît que l'hôtel est très bien. Karl y descendait. J'aimerais que tu ailles vérifier l'intérieur des suites. Je veux pas me planter. William serait capable de piquer une crise et de rentrer en France. Et j'ai besoin de lui. Il est ma carte maîtresse, je joue gros.

William ! William, bien sûr ! Celui qui avait *son* fauteuil, *son* whisky et droit à une génuflexion maternelle quand il venait rue Rochambeau. Il s'appelait William comment déjà ? Rose buta sur le nom de famille.

– Je compte sur toi. Demande à voir les suites 611 et 612. Elles doivent être parfaites, tu as compris ? Lumière, calme, espace, salle de bains impeccable… Sinon ça va ?

– Tout baigne.

– Tu n'es pas tombée amoureuse d'un type qui va te ravager ?

– Non. Pourquoi ?

– C'est ta spécialité.

– T'es gonflée !

– Pas gonflée, lucide. C'est la différence entre toi et moi, ma chérie. Qui t'a retrouvée, bourrée de Lexomil, sur ton lit ? Qui t'a emmenée aux urgences ?

– C'est pas très délicat de me le rappeler, marmonna Rose.

– Te vexe pas ! Je suis ta mère. Je veille sur toi, je m'inquiète.

– C'est tout ce que tu avais à me dire ?

– Oui.

– Alors salut !

Rose avait longtemps cru que, lorsqu'on s'aimait très fort, l'autre ne lâcherait jamais la main qu'il tenait. Il était parti. La bague était tombée dans la neige. Elle avait voulu mourir. D'autres hommes étaient venus. Parfois c'était bien, parfois moins bien. Ce n'était pas elle qui conduisait et les autos tamponneuses tamponnaient.

Assise sur sa chaise noire à roulettes, face à son microscope, Rose vérifiait dans le miroir de son poudrier que la bouchée de muffin aux myrtilles n'avait pas coloré ses dents en bleu. Le nez collé à la glace, elle trouvait à ses narines des airs de fenêtres ouvertes. Laisse tomber, Rose. Travaille. Y a rien de mieux pour chasser les idées fixes. Bon alors… C'est décidé, la semaine prochaine, je lance une culture bactérienne pour produire de la Lucioline et tester son activité sur mes nouvelles souches de cellules cancéreuses. Qu'est-ce qu'il me faut déjà ? Concentre-toi, Rose, concentre-toi. Il n'arrive pas, c'est pas la fin du monde. Reviens à ton boulot. Il faut que je prépare les milieux de culture. Je vais m'en faire six litres pour avoir assez de Lucioline pour mes tests. Attention ! Ne pas oublier de prévoir les poudres pour les milieux dans des Erlenmeyers et lancer la préculture à partir de mon stock de bactéries symbiotiques de *Lamprohiza*. Non mais... le truc, c'est qu'il ne sait pas. Je ne lui ai jamais rien dit, jamais envoyé le moindre signal, bien au contraire ! Faut que je le mette sur la piste, sinon il ne va jamais bouger. Les hommes, faut les encourager. Sont pas des fins limiers. Je crois que j'ai tous les produits en réserve, voyons, oui, c'est bon, super ! Je vais appeler Chris pour qu'il me dise s'il pourra autoclaver mes milieux mardi matin, comme ça, mardi soir, je lance la culture dans mon agitateur chauffant. Je récupérerai mes bactéries par centrifugation mercredi matin et je commencerai l'extraction de la Lucioline ; ça me prendra un bon bout de temps, mais... j'ai rien d'autre à faire, de toute façon. Souviens-toi : tu es venue à New York pour bosser, pas pour rouler dans les bras d'un mec. Jeudi matin, après mes chromatographies, j'aurai ma molécule purifiée et je ferai les essais. Je vais réserver le labo P2 sur le planning et je vérifierai si la culture que j'ai lancée mercredi en étuve à partir de mon stock en azote liquide est ok pour le test dans mes micro-plaques. Je me ferai les dilutions de Lucioline habituelles, oh pis non ! je vais tenter de diluer dix fois plus, ce qui me fera un échantillon au 1/10 000e. Chiche ? *Yes !* Si ça marche, je serai la reine du labo, il sera bien obligé de me regarder et de s'incliner. Redescends sur terre, ma vieille, tu n'y es pas encore. Et n'oublie pas le séminaire jeudi matin dans l'amphi 28 et la réunion du labo vendredi à 14 heures en salle R276. Ça me laisse lundi et vendredi matin pour préparer mon budget, remplir mon cahier, faire de la biblio et continuer à écrire mon article. Bref, j'ai du pain sur la planche. Wouaouh ! Si ça marche, si ça marche... Il pourrait me prévenir quand il vient pas ! C'est pas correct. On est partenaires, non ? Arrête, Rose, arrête, reviens à ta Lucioline. Tu dis que tu veux oublier ce mec et t'arrêtes pas d'y penser !

Dans un éclat de rire, Jennifer vint poser son sac sur le bureau voisin. Elle terminait une conversation au téléphone avec un dénommé Ramos et parlait un espagnol de débutante première année, premier trimestre.

– *Hi ! sweetie...*, elle lança à Rose.

Jennifer appelait tout le monde *sweetie*. Grande, blonde, la mâchoire carrée, les yeux bleus, elle ressemblait à une pièce de 25 cents posée sur la tranche. On avait envie de la glisser dans une machine à café. Plate devant, plate derrière. Son crâne aussi était plat. Une épaisse couche de fond de teint cachait ses boutons et son parfum bon marché empestait. Elle souriait comme si elle ouvrait un rideau et le refermait aussitôt. Elle pouvait ainsi sourire plusieurs fois de suite sans laisser apparaître la moindre émotion. Elle portait de longues boucles d'oreilles qui lui giflaient le menton et répétait sans arrêt *I loooove it, I absolutely loooove it*. Elle travaillait sur la communication des épeires, ou araignées, de leur petit nom vulgaire, et plus précisément sur le fil qui relie le centre de la toile à l'araignée. Ce fil, en effet, fait office à la fois de passerelle et de téléphone, avertissant l'araignée d'une nouvelle prise et lui permettant de se rendre à toute vitesse sur place. Même nez à nez avec elle, l'araignée ne voit pas sa proie, mais elle en perçoit les mouvements et Jennifer travaillait sur une réplique du fil d'araignée pour les aveugles.

Elle était aussi imbattable sur la représentation des espèces dans les fables d'Ésope et régalait Rose de récits piquants. Ainsi, ce n'était pas la Cigale qui criait famine chez la Fourmi, sa voisine, mais l'inverse. Chaque hiver, la Fourmi dévalisait la Cigale. Et la racketteuse n'était pas pressée de rembourser, au contraire ! Elle exploitait la Cigale sans vergogne. Cette dernière, généreuse et débonnaire, se laissait faire, trop heureuse de pomper la délicieuse sève des arbres sur lesquels elle se collait telle une ventouse. Chaque jour, Jennifer ajoutait un chapitre à sa saga. Rose apprit que, non seulement la Fourmi profitait de la Cigale, mais qu'elle la persécutait. Elle lui tirait les ailes, lui mordillait les pattes, lui labourait le dos, lui chatouillait les antennes jusqu'à ce que la Cigale, exaspérée, quitte sa source de sève délicieuse et aille chercher ailleurs de quoi se sustenter. Non sans avoir arrosé la Fourmi rapace d'un jet d'urine pour lui marquer son profond mépris. Jennifer adorait raconter l'histoire vraie des insectes.

Jennifer avait une autre caractéristique, elle donnait sur le ton de l'ironie des cours de « séchologie ». Elle apprenait à ses collègues et étudiants comment disposer les flacons et les burettes sur la paillasse afin qu'ils sèchent plus vite et sans traces. Elle découpait un épais morceau de Sopalin sur lequel elle posait les objets, à l'envers ou en léger déséquilibre, afin de laisser passer l'air sur le côté. Elle trouvait son procédé fort simple et ne comprenait pas qu'on l'ignore.

– *Hi, sweetie! Everything's ok?* elle demanda après avoir raccroché.

– Tout va bien, dit Rose. Et toi ?

– Qu'est-ce que tu fais samedi soir ?

– Aucune idée.

– On est un petit groupe à aller au Smoke. C'est une boîte de jazz tout en haut de la ville sur Broadway et 115. *I absolutely looove it !* Si tu veux venir…

Jennifer n'attendit pas la réponse de Rose, elle tendit le cou, mit ses mains en porte-voix, cria à Big Denise :

– Tu viens faire la fête avec nous samedi au Smoke ou tu restes avec ton amoureux transi ?

Big Denise avait un amoureux transi ? Rose vira à 180 degrés sur sa chaise à roulettes. Big Denise fronça les sourcils, lui intimant l'ordre de se taire.

– Il se peut que je vienne. Jessie n'est pas sûr de rentrer à temps de Detroit. Il m'a promis de tout faire pour être là mais…

Jessie ! Celui qui se sèche les couilles au sèche-cheveux et veut bien qu'elle boive son sperme mais pas son Coca ?

– Ok. Je te note. Hector ! hurla Jennifer en faisant voler ses boucles d'oreilles. Tu viens avec nous au Smoke samedi ?

Hector leva la tête de son microscope.

– Pourquoi pas ?

– Ok. Je réserve pour toi aussi.

– Il n'a pas de copine, Hector ? demanda Rose à voix basse.

– Pas que je sache. Alors samedi, je tente ma chance. J'attaque. Il est mignon, non ?

– Pas mal.

– Moi, je le trouve appétissant. Et puis, ce doit être un gros cochon…

Jennifer glissa deux doigts dans ses narines miniatures, les retroussa, émit un grognement.

– T'en sais quelque chose, toi, t'es française.

– Les Français sont pas tous des cochons !

– Comparés aux mâles de New York… si. Ici, les hommes, tu leur fais peur rien qu'en leur demandant l'heure !

Rose se pencha vers Jennifer.

– Il ne vient pas Leo, ce matin ?

– Il est parti à Ithaca, la maison mère. À cinq heures de route au nord de New York. Ça paraissait urgent.

– Ah… Et il revient quand ?

– Sais pas. Demande à Redcliff.

– Vous parlez de quoi, les filles ? dit Big Denise qui revenait de la machine à café, un muffin et un gobelet à la main.

– Leo est parti à Ithaca. Rose voulait savoir où il était…, dit Jennifer en se levant pour aller à la bibliothèque.

Big Denise vint s'asseoir à côté de Rose et la poussa du coude.

– Tu l'attends vraiment alors…

– Qui ? dit Rose, toute rouge.

– Fais pas l'innocente. T'avais l'œil qui sautait ce matin chaque fois que quelqu'un entrait…

– Arrête, Denise ! Tu ferais mieux de te consacrer à l'adorable Jessie qui se caille les couilles à Detroit.

Big Denise ne broncha pas et enchaîna :

– T'es rouge tomate façon Ketchup ! C'est louche.

– Denise, arrête !

– Je crois que j'ai mis le doigt sur une grosse molécule de désir de Rose pour Leo.

Rose contre-attaqua :

– Tu as parlé à Jennifer du sèche-cheveux ou tu préfères que je le fasse ?

Big Denise encaissa. Un partout, pensa Rose.

– N'empêche que je suis vexée, dit Big Denise. Moi, je te raconte tout et en détail, et toi, que dalle.

– J'ai rien à raconter.

– Oh, la menteuse !

– Je te jure !

– Mais tu l'aimes bien, Leo.

– Je l'aime et je le déteste. J'y comprends rien.

– Raconte !

– Pas maintenant.

– Ok, dit Denise en se levant. Tu perds rien pour attendre.

Jennifer revenait avec un dossier. Elle fit signe à Denise de lui laisser la place. Celle-ci se leva, tira sur son tee-shirt, remit ses seins en place et, fixant Rose, demanda :

– T'as signé la pétition pour la sauvegarde des insectes ?

– Suis pas au courant.

– T'as intérêt à signer ! Ils sont en train de disparaître et sans eux on n'a plus de boulot. Elle est sur le bureau de Diana.

– Ok, j'y vais.

– Et signe pour Leo !

– Très drôle !

Sur le bureau de Diana, au milieu des *yellow pads,* des dossiers, des photos de ses parents, de son frère, de ses neveux, se trouvait la pétition. Dix pages aux coins racornis, noircies de signatures. Rose ajouta la sienne en bas à droite. Dans la marge, elle écrivit « Rose Robinson. 3, Washington Square, New York, New York, 10012 ». Elle eut une bouffée de bonheur. Relut « Rose Robinson. 3, Washington Square, New York, New York, 10012 ». Rose Robinson, c'est moi. Je porte un pantalon vert pomme, un châle rose et un manteau en fausse fourrure beige et j'habite 3, Washington Square.

Sergueï s'était installé au bureau voisin. Il remplissait son cahier de labo. Il releva la tête en apercevant Rose. Fit tourner sa chaise vers elle. Se gratta les couilles et demanda :

– Quand est-ce que je te baise, Frenchie ?

Rose le regarda, une mitraillette dans chaque œil.

– T'as un bon avocat ? Parce que je peux te traîner devant les tribunaux pour une phrase comme ça. Tu repartiras dans tes steppes désertes brouter de l'herbe et enculer les chèvres.

– Ben… voilà qui est clair.

Il éclata de rire, glissa dans son fauteuil, le ventre en avant, fit rouler son crayon sur son crâne, séparant des mèches grasses et éparses.

– Jamais vu une fille comme toi ! Une vraie porte de prison. Tu ris que les jours impairs entre 5 et 6 heures du matin ? et sous les draps pour que personne ne te voie ?

Il se leva. La domina comme s'il voulait l'écraser.

Adipeux, c'est le mot qui vint à l'esprit de Rose. Tout de suite après : dangereux. Et enfin : nauséabond. Il sentait l'homme qui n'a toujours pas trouvé le mode d'emploi du robinet de la douche. Il fit mine de se pencher sur elle. Elle le repoussa du plat de la main.

– Je préférerais que tu te tiennes à distance.

– Je voulais juste définir la couleur de tes yeux. Bleu-vert ou vert-bleu ?

– Dégage !

– Dommage. Tu ne sais pas ce que tu perds. Je suis l'homme qui comble les femmes. Je les remplis jusqu'au trognon !

Il donna un petit coup de hanche suggestif. Rose ressentit le même dégoût que chaque fois qu'il l'approchait. Elle eut un reflux de bile dans la bouche. Il n'y avait pas que du dégoût, il y avait de la peur aussi. Ses genoux étaient glacés. Elle tremblait. Pourtant, elle ne risquait rien. Il ne s'attaquerait jamais à une collègue. Il faisait juste son numéro habituel de mâle en rut.

– Elles se bousculent, Frenchie, elles se bousculent.

Un nouveau petit coup de hanche… il entama un va-et-vient lascif, les poings serrés, les lèvres mouillées. Les autres chercheurs, le nez collé sur leur microscope, ne voyaient rien.

– Pauvres filles ! dit Rose. Tu dois les payer cher.

– Même pas. Elles viennent toutes seules et en redemandent.

– Doivent pas être très exigeantes.

– Tu sais, Frenchie, quand on baise, c'est pas la cervelle qu'on suce !

Enchanté de son bon mot, il retomba sur sa chaise et se claqua la cuisse. Rose voulut s'éloigner avec dédain mais se prit les pieds dans les lanières du sac de Diana resté à terre, tenta de se rattraper au dossier de la chaise, le manqua, trébucha et s'étala.

Le sac se renversa, son contenu s'éparpilla. Rose ferma les yeux. Ne pas craquer. Se remettre debout. Ramasser. Elle balaya le sol, ramena tout vers elle. Rangea le contenu du sac. Aperçut un éclair blanc sous le bureau, écarta la chaise, tendit la main, heurta un objet rond, léger. Une boîte en carton avec, en guise de couvercle, un béret de marin à pompon rouge. Un authentique pompon en laine rouge. Rose se crispa, lâcha la boîte qui s'ouvrit, libérant des crayons de maquillage, une crème pour les mains, un tube de rouge à lèvres, deux Tampax, une plaquette de chewing-gums, trois chouchous.

Big Denise, alertée par le bruit de la chute, se précipita.

– Ça va pas ?

Rose secoua la tête, non, ça n'allait pas du tout.

– Que s'est-il passé ? T'es toute pâle.

– Je me sens pas bien.

– Mais qu'est-ce qui a déclenché ça ?

– Sais pas. D'abord y a eu Sergueï, je le supporte pas, je le supporte pas. Et puis la boîte... la boîte là ! Avec le pompon rouge.

Elle désignait la boîte en béret de marin ouverte sur le sol.

– Ben... c'est une boîte avec des trucs dedans.

– Non. Y a autre chose.

– Qu'est-ce qu'elle a ? demanda Sergueï en faisant rouler sa chaise vers elles.

– Sais pas..., dit Big Denise. Elle dit que la boîte lui fait peur.

– Drôle de fille ! il lâcha en ramassant le couvercle au sol. Avoir peur d'un pompon rouge... Un peu névrosée, non ?

Il faisait tourner le couvercle sur son doigt et se rapprochait de Rose.

Rose l'aperçut et gémit :

– Dis-lui de s'en aller, je t'en supplie.

– Casse-toi, dit Big Denise en roulant de gros yeux à Sergueï.

– Oh ! ça va, les filles !

Il se colla contre le dossier de sa chaise et considéra le pompon sous tous les angles avant de le rejeter à terre.

– *Crazy girl** ! il murmura.

– Je sais pas ce que j'ai eu..., dit Rose.

– Ça t'est déjà arrivé ?

– Ça fait mal.

– Où ?

Rose montra son ventre, recracha son café et le bout de muffin aux myrtilles. Jennifer était allée chercher un gobelet d'eau et une boîte de Kleenex. Big Denise redressa Rose, lui rafraîchit les yeux, le front, les joues.

– Tu as mangé quelque chose de spécial ?

Rose secoua la tête, les dents serrées.

– Qu'est-ce qu'elle a ? demanda Jennifer.

– Elle dit que c'est à cause de Sergueï et de la boîte, là, par terre.

– J'ai rien fait, moi ! s'écria Sergueï. Elle est folle, cette fille ! Elle arrête pas de faire des histoires. Toutes les filles sont des...

– La ferme ! gueula Big Denise. Fous-lui la paix !

Jennifer observa la boîte blanche et revint à Rose.

---

* Elle est cinglée !

– Elle n'a pas l'air bien. Attention… Elle perd connaissance !

Rose avait laissé tomber son menton sur sa poitrine et s'affaissait. La ritournelle était revenue et grinçait dans sa tête : « Arrête de faire des histoires ! Toutes les petites filles… Arrête de faire des histoires ! Toutes les petites filles… »

Rose entendait les mots. Un lien l'emprisonnait, lui serrait la gorge. Confus, si confus. Qu'avait dit sa psy quand elle lui avait parlé de son premier malaise ? « Avec le pompon du marin, vous avez soulevé un coin du voile, les choses vont remonter. Accueillez-les. » Elle avait ajouté qu'elle était sur le bon chemin, qu'elle avait trouvé une piste.

Rose plaqua ses mains sur ses oreilles. Elle refusait d'entendre la voix qui grinçait. Big Denise la prit dans ses bras, la hissa sur la chaise, lui parlant à voix basse, « ça va aller, ça va aller… c'est fini ». Rose ressemblait à une noyée, les cheveux collés par la sueur, la bouche entrouverte, un filet de salive sur le menton.

Elle fixa Big Denise, fronça les sourcils et dit :

– Elle est méchante.

– Mais qui, chérie ? Qui ?

– La voix…

– Quelle voix ?

– Celle qui répète toujours la même chose.

– Ouh là là ! Il a pas tort, Sergueï, elle délire, dit Jennifer.

– Je vais aller lui faire prendre l'air… Viens, Rose, on va sortir.

– On prend pas l'ascenseur, dis, on le prend pas, supplia Rose.

– Tu veux qu'on descende à pied ?

– J'ai trop peur de rester coincée, je le supporterais pas.

Elles allèrent s'asseoir sur un banc dans Washington Square. En face de la statue de Garibaldi. Il neigeait des flocons légers qui fondaient en touchant le sol. Les gens marchaient à petits pas. Le drapeau américain frisait dans le ciel blanc. Une vieille dame habillée comme son chien d'un manteau écossais et d'un bonnet rouge portait un large sac en toile à l'épaule. Elle avait un profil d'Iroquois. De longues mèches blanches s'échappaient de son bonnet. Elle s'arrêtait pour reprendre son souffle et repartait, courbée en avant. Un jeune homme, en jean et tee-shirt, jouait sur un piano posé devant l'arche.

– Dis donc… il est réchauffé ! s'exclama Big Denise.

– Chopin, soupira Rose. J'aime pas Chopin. Sa musique me donne la chair de poule.

– Tu sais que t'es pas normale comme fille ?

Rose laissa tomber sa tête sur l'épaule de Big Denise.

– Tu es gentille…

Big Denise lui ébouriffa les cheveux.

– T'es vraiment pas nette !

– Pourquoi tu dis ça ?

– Sais pas. Ça m'est passé par la tête…

– T'as peut-être raison.

Rose tendit son visage vers le ciel cotonneux.

– Il est loin, le soleil.

– On est encore en hiver. Respire à fond, ça va te détendre.

– Pas trop, sinon je vais avoir les poumons gelés. Ils l'ont dit à la télé.

Le pianiste en tee-shirt plaquait des accords furieux. Rose plissa le nez, c'est pas dans la partition, ça. Son regard glissa sur une grande affiche jaune qui disait « *Women, the ball is in your court** ».

– Qu'est-ce qu'il t'a fait, Sergueï ? demanda Big Denise.

– Il me fait peur.

– Il est brutal, grossier, mais pas méchant. Il te provoque et tu marches à tous les coups.

– Mais il est repoussant ! Il a dû être conçu par une *Gryllus bimaculatus* qui s'est gourée et n'a pas choisi le bon mâle.

– Pas faux ! s'esclaffa Big Denise.

Les femelles du grillon *Gryllus bimaculatus* pratiquent la poly-andrie et comptent jusqu'à dix partenaires. Les mâles conviés au rut déposent sur les parties génitales de la femelle un petit sac de sperme, le spermatophore, qu'ils ont fabriqué avant de se joindre aux festivités. La femelle reçoit chaque petit sac et le pose sur ses organes sexuels, le laissant diffuser lentement. À tout instant, elle peut choisir de retirer un spermatophore et empêcher certains mâles de procréer. C'est elle qui choisit le géniteur. Et très souvent, elle préfère le spermatophore d'un inconnu à ceux de ses « réguliers ». Attrait de la nouveauté sans doute mais aussi besoin de sélectionner le sperme fécondant pour limiter la consanguinité.

Big Denise regarda sa montre.

– Tu es pressée ? dit Rose.

– J'ai lancé une préparation et...

---

* Femmes, la balle est dans votre camp.

– Vas-y, je vais rester un peu et je te rejoins.

– Je peux te laisser ?

Rose hocha la tête. Big Denise se leva. Tira sur son soutien-gorge. Le remit en place. Noua la ceinture de son manteau. Se retourna vers Rose.

– Sûr ?

– Sûr, dit Rose.

– Tu vois quelqu'un à Paris ? Je veux dire, quelqu'un qui t'aide ?

– Un psy ? Oui.

– Tu devrais l'appeler. À mon avis, c'est urgent.

Rose, pâle, songeuse, resta assise sur le banc.

Le jet d'eau du bassin n'avait pas gelé, il montait haut. Deux hommes, l'un très âgé, l'autre la cinquantaine, s'installaient à une table d'échecs. Ils posaient leur thermos, leurs gobelets. Le plus vieux sortait une petite pendule en bois clair de sa poche. L'autre portait des mitaines grises et disposait des paquets de gâteaux sur la table. Ils agissaient sans se regarder comme s'ils se préparaient à un championnat du monde et avaient répété chaque geste. Un garçon plus jeune vint les rejoindre. Il se pencha d'abord vers le grand-père qui se versait un gobelet de thé fumant. Puis il embrassa celui qui devait être son père. Il allait de l'un à l'autre. Trois hommes à la même table, trois hommes dans le même sac ? Rose pensa à la puceronne *Rhopalosiphum prunifoliae*. Est-ce que le malheur qui rebondissait de génération en génération touchait aussi les garçons ? ou est-ce que cette particularité était réservée aux filles ?

Un peu plus loin, un clown sortait un saxo de son étui, le mettait en bouche, produisant des notes qui répondaient au piano. Un grand Noir au sourire doux trempait un filet de volley-ball dans un seau d'eau et de liquide vaisselle, l'élevait, le balançait, libérant une envolée de bulles dans le ciel blanc. Des enfants engoncés dans leur combinaison de ski tendaient les mains, couraient, essayant d'attraper les bulles. Le parc reprenait vie. Une pâle lueur de midi réchauffait Washington Square, la neige avait cessé de tomber. Un vieil homme en duffle-coat et bonnet jaunes tournait autour du bassin, brandissant une pancarte « *Love is the answer* ». Les écureuils dévalaient les troncs des arbres et fouillaient la terre. La vieille dame au chien marchait au loin.

Rose observait, l'œil et le cœur froids. Comme si le fil qui reliait l'œil au cœur avait été sectionné. Tiens ! La vieille dame venait de s'asseoir sur un banc. Elle avait posé son sac et se tenait la poitrine. Le chien tirait sur sa laisse, la langue pendante, et trépignait d'impatience. Il avait aperçu un caniche noir au coin de University Place. La vieille dame résista. Puis elle lâcha la laisse et le chien partit à toute vitesse. Elle cria, tendit le bras et tomba en avant.

Rose se dressa d'un bond sans réfléchir. Petite fille bien élevée doit voler au secours de personne âgée en danger. Elle courut vers le banc. La vieille dame s'était relevée, elle dégrafait son col de manteau, lissait ses longues mèches blanches, les glissait sous son bonnet. Un monsieur lui ramenait son chien. Elle le remercia et la fine peau de ses pommettes et de son nez rougit.

Rose se pencha vers elle.

– Ça va, madame ?

– Oui, ma petite. Ça va mieux.

– Je peux vous aider ?

Pourvu qu'elle dise non ! J'ai pas envie de la raccompagner chez elle, de lui donner le bras ni de promener un chien en mantelet écossais. J'aurais l'air de quoi ?

– Non. Merci. Tu es bien gentille.

– Au revoir, madame.

Rose retourna s'asseoir face à Garibaldi. Il lui plaisait bien, cet homme. Grand. Carré. Costaud. La main sur l'épée. Le menton belliqueux. Une large barbe qui s'étalait comme un bavoir de bébé. Babou affirmait qu'il aurait dû être français puisqu'il était né à Nice. Babou... Elle n'a pas répondu à ma lettre.

Rose voulait rester seule. Se placer au milieu du cercle. Réfléchir à ce qu'il venait de se passer. Reprendre son souffle. Ramasser ses forces. Repartir.

Comme si de rien n'était.

Comme si rien n'était arrivé.

Le pianiste jouait un nocturne de Chopin, de la vapeur sortait de sa bouche, les notes sonnaient, nettes, détachées. Rose connaissait les premières mesures, elle avait appris à les déchiffrer au piano avec William, le client de sa mère, son « chiffre d'affaires ». William... comment ? Pourquoi je ne retrouve pas son nom ? William qui avait *sa* bouteille de whisky et *son* fauteuil à la maison. Et ma mère agenouillée devant lui en dévotion. Il m'apprenait à poser les doigts sur les touches blanches et noires, glissait un crayon sous mes paumes pour que mes mains fassent deux coques et ne s'aplatissent pas. Les notes jaillissaient, Rose s'émerveillait. Il lui avait offert un CD de Chopin. Rose l'écoutait quand sa mère sortait le soir et qu'elle avait peur, seule à la maison.

Un souvenir envahissait lentement son esprit. Il ne s'agissait pas d'un rêve, mais d'un petit film tremblant, on sonnait à la porte et elle ouvrait. Trois hommes sur le paillasson.

Comme si de rien n'était.

Comme si rien n'était arrivé.

Reprendre son souffle, rassembler ses forces, repartir.

Un jour, on lui avait donné un ordre : « Tu prends une douche, tu te rhabilles et tu descends chez la concierge. » Elle avait pris une douche, elle s'était rhabillée. C'était quand ? C'était où ? Docteur M. avait raison, elle retrouvait des morceaux de puzzle, toujours dans le désordre.

Elle sortit son téléphone, envoya un message à docteur M.

« J'ai besoin de vous parler très vite. Trop de choses dans ma tête. »

Elle fit bouger ses yeux de droite à gauche, de gauche à droite, le cou droit, la nuque raide, attendant que le couvercle de la petite boîte s'ouvre et libère les images dans le bon ordre. Ses yeux allaient de Garibaldi au piano, du piano à Garibaldi. La plaque de béton résistait.

Elle regarda l'heure. Midi à New York, 18 heures à Paris. Elle appela Babou, rue Rochambeau. Babou n'avait pas de portable. Le répondeur se mit en route.

Rose raccrocha.

Un peu plus tard, elle refit le numéro de la rue Rochambeau. Babou ne répondit pas. Elle essaya le portable de sa mère. Le répondeur disait qu'elle était sur un tournage en Pologne, hors réseaux, « pour me joindre, appeler Anaïs, mon assistante, à l'agence ».

Le lendemain, Rose tenta à nouveau d'appeler Babou. En vain. Elle s'inquiéta. Plus de quinze jours avaient passé depuis l'envoi de sa lettre.

Elle composa le numéro des filles. Khadija la rassura, Babou avait passé la soirée chez elles la veille, elle avait appris à Adama à faire des crêpes, la pâte était fine, aérée, Babou tenait un billet de 10 euros dans la main, elle affirmait que ça portait chance, ils s'étaient régalés.

– Adama ? dit Rose.

– Oui, tu sais, le grand-père du bébé...

– Ah oui !

– Il s'entend très bien avec Babou. Elle l'a convaincu de jouer au Loto. Ils achètent leur billet ensemble chaque semaine dans le même café.

– J'ai essayé de la joindre plusieurs fois, elle ne répond pas. Je m'étais imaginé qu'elle était malade, seule...

– Seule ? Ça risque pas. On veille sur elle. Mais c'est vrai qu'elle est tout le temps dehors... Elle a la bougeotte.

– Elle t'a parlé de ma lettre ?

– Elle nous a tout raconté. T'es heureuse, là-bas ?

– Je me suis acheté un pantalon vert pomme, un châle rose et un manteau en fausse fourrure beige !

Khadija eut un petit rire joyeux.

– Tu voulais dire quelque chose de spécial à Babou ?

Rose hésita. Marmonna :

– Ben… euh…

– C'est urgent ? dit Khadija.

– Pas urgent mais important.

– Envoie-lui un mail à mon adresse, je l'imprime et je lui donne.

Rose se mordit la lèvre.

– Je te promets, je le lirai pas, dit Khadija.

Rose rit bêtement, ne sachant que répondre.

– Je l'imprime les yeux fermés et je lui donne, ok ?

– D'accord, dit Rose avec une légère réticence. Si j'écris pas tout de suite, te vexe pas. Il faut que je tourne bien les choses, c'est délicat.

– Je vais demander à Adama de créer une adresse mail pour Babou.

– Non, mais… c'est pas contre toi.

– Je sais.

– Mais elle a pas d'ordi, Babou ! s'écria Rose, prise de panique.

Elle ne savait pas pourquoi mais l'idée d'écrire ce mail la mettait mal à l'aise.

– Adama va lui en trouver un. Il a une solution pour tout, c'est une merveille. Babou n'arrête pas de dire qu'il est charmant…

– À ce point-là ?

– Ils se quittent plus.

Rose fut étonnée. Babou se méfiait des hommes trop charmants. Elle se méfiait aussi des kiwis. Quand elle les ouvrait, elle s'attendait à y trouver des araignées noires, velues. Pour les hommes, elle avait un avis et s'y tenait, «plus ils sont charmants, plus c'est louche». La voix claire de Khadija la rassura. Rose demanda des nouvelles du bébé.

– J'en peux plus, je voudrais qu'il arrive. Je saute à la corde, je monte et descends les six étages plusieurs fois par jour, rien n'y fait.

– Fais gaffe! Si tu tombais dans l'escalier? Oh là là! Ce serait horrible! Et le bébé serait...

Elle essaya de ravaler ses derniers mots.

– Je voulais pas dire ça... Je suis idiote. Je vais vous porter malheur!

– C'est pas grave. Tout va très bien. Mais dis-moi, Rose, tu vois tout en noir! Qu'est-ce que tu as?

Rien. Elle n'avait rien. C'était ça, le problème.

Le *big problem*, le *big bug*.

Elle n'aimait personne. Elle ne pleurait jamais. Son pyjama pourri était son meilleur ami. Elle dormait seule dans un grand lit. Un *big bed* avec un *big bug*. *Bed bug. Bed bug.*

Elle se sentit très seule. Elle eut très froid.

Elle n'avait rien et ça n'allait pas.

Ni le lendemain, ni le jour d'après, Leo ne rentra d'Ithaca. Jennifer prétendait que c'était normal.

– Si Redcliff l'a envoyé là-bas, c'est que sa mission était importante. Pas un truc qu'on bâcle en deux jours.

– Oui mais… il pourrait m'appeler tout de même !

– Pourquoi ? T'es pas capable de te débrouiller toute seule ?

– Si. J'ai plein d'idées au contraire. Je sens que je suis sur une piste.

– Ben alors ? De quoi tu te plains, *sweetie* ? T'as qu'à demander à Redcliff si tu veux vraiment savoir !

Jamais de la vie ! Je veux garder ma dignité. Redcliff pourrait se faire des idées, se dire qu'on a une histoire ensemble, Leo et moi.

Rose comprit que Jennifer n'avait pas la tête à l'écouter. Elle cherchait une tenue pour la soirée de samedi avec Hector, c'était la Saint-Valentin et c'était drôlement important. Elle interrogeait Rose en lui montrant des photos sur des sites de mode.

– Je veux qu'il tombe par terre, les bras en croix, le nez dans la poussière.

Rose était flattée de servir de coach, embarrassée aussi car c'était la première fois, elle n'avait aucune expérience. Elle conseilla à Jennifer d'aller faire un tour au magasin de fripes où elle avait acheté son pantalon vert pomme, son châle rose et son manteau de fausse fourrure beige. Jennifer fit la moue. Secoua la tête, reçut deux gifles de boucles d'oreilles. Elle cessa de consulter Rose. Elle lui demanda cependant si en France on couchait le premier soir. Hector étant français, elle devait respecter les usages. Rose ne sut pas répondre. Elle perdit ses derniers points de crédit auprès de Jennifer.

– Mais vous faites comment si vous n'avez pas de règles établies ?

– Ben... on improvise. Enfin, je parle pour moi.

– Tu as un copain en ce moment ?

– Non.

– Tu vois bien, pas de règles, pas de copain. On ne va pas très loin sans règlement. Il faut que les choses soient cadrées.

– Comment ça ?

– On se voit, on sort ensemble. On est libres de faire ce qui nous plaît, chacun de son côté. Au bout de trois mois arrive un moment appelé « la conversation ». On appelle ça DTR ou « *define the relationship** ». On se met l'un en face de l'autre et on fait le point : sommes-nous amis ou amoureux ? Si on répond « amoureux », on se déclare « l'exclusivité ». Il ne sortira pas avec une autre fille, je ne regarderai pas un autre garçon.

– Au bout de trois mois ! s'exclama Rose.

– Oui. On devient officiellement « monogames » et on annonce à notre entourage qu'on est en « couple ».

Jennifer accrochait des guillemets dans l'air aux mots importants. Son cou se tendait et elle souriait comme un rideau grand ouvert.

---

* Définissons notre relation.

Rose eut envie de lui dire que le désir n'obéissait pas à des règlements. Que c'était un gaz, une vapeur, une partie de cache-cache, une promenade, les yeux bandés, tout sauf une règle graduée. Elle regarda Jennifer et renonça. Le chemin était trop sinueux et Jennifer, trop plate. Les mots de Corneille, « et le désir s'accroît quand l'effet se recule », ou de Montherlant, « la vie, ce n'est pas la prise, c'est le désir », ou encore des *Dialogues avec l'ange*, « Le désir, c'est la marque de la distance. Tu ne désires pas ce que tu possèdes », rebondiraient contre Jennifer et iraient se perdre en fond de court. Elle n'évoquerait pas non plus monsieur Jean-Claude ni son dernier amant à qui elle avait chuchoté, assise en tailleur sur le lit avant de faire l'amour, « … pas gentiment, s'il te plaît ».

Elle ne lui dirait pas qu'avec… qu'avec l'autre… un soir… elle avait demandé, le nez écrasé contre son torse, « fais-moi mal ». Il avait glissé la main dans ses cheveux, les avait tirés d'un coup sec qui lui avait arraché un cri, et alors, alors…

C'était encore un autre mystère.

Babou la rappela un soir. Rose faisait ses courses au Fresh Market. Elle poussait son caddie, hésitait entre un plateau de sushis et des harengs marinés. Oui mais… marinés à quoi ? Au vin rouge, à la crème, à l'aneth, aux épices, au curry ? Les feux tricolores des caisses clignotaient au bout de l'allée. Vert, orange, rouge. Presque tous les feux étaient au vert. Elle ne ferait pas la queue.

Elle demanda son avis à Babou.

– Moi, je prendrais à l'aneth… Mais tout le monde n'aime pas. Comment va ma princesse ? Je t'appelle sur WhatsApp, c'est gratuit.

– Mais, Babou, tu connais WhatsApp ? T'as un portable ?

– C'est Adama qui me l'a donné. Rose ! Oh, ma Rose, c'est un homme si charmant !

Rose eut un pincement de jalousie.

– Tu m'as toujours dit de me méfier des hommes charmants…

– Mais lui… c'est un soleil ! Il a dit qu'il allait m'apprendre les mails. Comme ça tu ne seras plus obligée de m'envoyer des lettres par la poste. Elle était belle, ta lettre, ma princesse !

– C'est pas pour ça que je t'ai appelée, la coupa Rose.

– Oui, ma Rose, vas-y, parle-moi.

– Babou… Est-ce que, petite, j'ai eu un problème avec un marin ?

Babou resta silencieuse. Rose se demanda si la communication était coupée. Elle secoua son téléphone.

– Babou… Babou…

Elle avait arrêté son caddie devant un bac de salade de quinoa, feta, épinards. Ça irait bien avec les harengs marinés. 8,99 dollars les 500 grammes. C'était cher.

– Babou ?

– Oui…, dit Babou d'une toute petite voix.

Elle ajouta :

– Ne me bouscule pas, ma princesse.

– Bon… je remplis mon caddie, je passe à la caisse et on se rappelle quand je suis à la maison. Dans une demi-heure, ça te va ?

– Oui.

– C'est important, Babou. Tu te rappelles ce qui m'est arrivé la dernière fois quand j'ai cru voir des bérets de marin sur tes doigts de pied ?

– J'ai arrêté le vernis bleu marine, je mets du rouge maintenant.

– Je veux savoir pourquoi je tourne de l'œil dès que je vois un béret de marin. Alors, réfléchis bien et rappelle-moi.

À 6 heures et demie, Babou fut plus loquace.

Elle avait eu le temps de rassembler ses souvenirs.

Elle se rappelait que, chaque année, elles regardaient toutes les deux le défilé du 14-Juillet à la télé. Dans la salle à manger de Saint-Aubin, assises en bout de table, les coudes sur la toile cirée qui servait de nappe pour « tous les jours ». La télévision trônait sur le buffet Minvielle qui renfermait la vaisselle, les nappes, les serviettes. Quand on l'ouvrait, ça sentait la cire d'abeille et la lavande.

Papou n'aimait pas les défilés. Ce matin-là, il allait au café boire une Suze.

– De tous ceux qui défilaient sur les Champs-Élysées, c'étaient les marins, tes préférés. Tu prenais l'air grave quand ils apparaissaient. On aurait pu croire que tu priais. Tu m'ordonnais de me taire, tu voulais rester concentrée, ne pas en perdre une miette, et quand c'était fini, tu soupirais « et maintenant, il va falloir attendre l'année prochaine ».

– C'est tout ? demanda Rose, déçue.

– Presque…

Babou ajouta qu'un soir du mois d'août, le jour de la fête de la Mer à Saint-Aubin, il y avait eu un bal en plein air, des lampions, des confettis, des cornets d'amandes caramélisées, des barbes à papa, des bocks de bière, du bruit, beaucoup de bruit et de poussière. Rose devait avoir huit ans. Elles étaient sorties toutes les deux en laissant derrière elles Papou qui ronflait dans son lit. Le cœur battant, elles avaient marché jusqu'à la place du Marché et avaient dansé, dansé. Un marin de la Marine nationale les observait. Il était grand, beau, un peu éméché. Il avait un œil marron et un œil vert pâle. Il avait invité Rose. Rose lui avait tendu la main « comme une vraie princesse ». Ils avaient valsé. Rose posait ses sandales sur les godillots du type et s'accrochait des deux bras à sa taille, la joue contre la boucle de son ceinturon. À la fin de la danse, il l'avait soulevée et jetée en l'air. Rose avait poussé un cri, mais il l'avait rattrapée avec grâce, l'avait posée à terre et coiffée de son béret pour la remercier. Elle n'avait jamais voulu le lui rendre. Il expliquait qu'il allait être puni, Rose secouait la tête, non, non, elle ne le lui rendrait pas, elle avait eu trop peur, il devait se faire pardonner. Elle avait rapporté le béret à Paris. Elle faisait ses devoirs en touchant le pompon rouge. C'était son porte-bonheur.

– C'est pas cette histoire-là qui me rend malade, Babou. C'est autre chose. Cherche.

Babou à nouveau se taisait.

– Mais vas-y, Babou, parle ! C'est important.

– À un moment, je t'ai laissée avec le marin… Je cherchais les toilettes. Je me disais qu'il ne fallait pas, que je ne devais pas, mais j'avais pas le choix, tu comprends ? J'aurais voulu faire vite, vite, mais il y avait la queue, une longue queue… Quand je suis revenue, vous n'étiez plus sur la piste de danse. Je vous ai cherchés partout. Je me suis fait un sang d'encre. J'ai tourné en rond pendant une bonne vingtaine de minutes.

– On était où ?

– Je sais pas, je te dis ! Arrête de me bousculer ! Tout à coup… comme par enchantement, vous êtes apparus. Il m'a dit que tu avais eu envie de boire une limonade. Tu avais l'air normale, pas effrayée, pas chiffonnée, ta petite robe bien propre. Je me suis dit que je me faisais des idées, qu'avec toutes les histoires qu'on racontait…

– C'est tout ?

– Oui. Après, on est rentrées toutes les deux. Tu étais très excitée. Très fière d'avoir gagné le béret. On s'est glissées dans la maison. Papou ne s'était pas réveillé. On était soulagées.

– Je n'avais pas l'air bizarre, ni droguée ni blessée, ni rien du tout ?

– Non. Tu étais tout à fait normale.

Tout à fait normale… Soit Babou me cache quelque chose, soit il ne s'est rien passé ce soir-là à Saint-Aubin.

– C'est ton numéro ? Tu vas le garder, ce téléphone ?

– Adama me l'a donné.

– Je peux te rappeler quand je veux ?

– Oui, bien sûr.

– Babou… Je suis contente que tu t'amuses avec Adama.

– Merci, ma princesse.

Rose raccrocha, pensive.

Elle ne se souvenait pas de l'épisode avec le marin. Se pourrait-il qu'elle ait tout oublié ? On n'oublie pas quand la douleur est grande. Ou si, justement, on oublie parce qu'elle est trop grande, qu'elle ne rentre pas dans la tête. On oublie parce que sinon on ne pourrait plus jamais rire, on ne pourrait plus grandir, on irait tout droit sauter dans un puits ou sous le métro.

Elle versa ses harengs marinés à l'aneth dans une assiette, ajouta la salade de quinoa, fit bouillir de l'eau pour une tasse de thé, continua à réfléchir en surveillant la bouilloire. Docteur M. n'avait pas rappelé, elle avait dû partir en vacances de février avec son mari et ses enfants.

Rose but une gorgée de thé, se brûla la langue.

Eut envie de pleurer.

Elle pria pour que les larmes viennent la délivrer.

Elle attendit. Attendit.

Ses yeux clignaient. Toujours secs.

Elle attrapa un morceau de hareng mariné, le mit dans sa bouche.

Elle avait oublié de poser une question à Babou. D'où venait cette phrase « arrête de faire des histoires ! Toutes les petites filles… » ?

Le lendemain matin, à l'Irving Farm, Big Denise l'attendait. Elle avait opté pour un rouge à lèvres « Massacre à la tronçonneuse » qui tranchait sur sa tenue noire. Devant elle, se trouvaient quatre petits terrils de miettes équidistants qu'elle écrasait à tour de rôle d'un index féroce.

– T'es en colère ? dit Rose en posant son sac sur une chaise.

Rose ne laissait jamais son sac traîner par terre.

– Très énervée, cracha Big Denise.

– Encore amoureuse… ?

– Pffft ! J'arrête ces conneries. J'ai revu mon ex.

– Lequel ?

– George. Le seul avec qui j'aie eu une vraie relation. Deux ans.

Elle brandissait deux doigts comme une médaille olympique en or.

– Vas-y, raconte, ça va te faire du bien.

– C'est toujours moi qui raconte !

– Dès qu'il m'arrive un truc, je te dis tout, d'accord ?

Big Denise haussa les épaules.

– Je l'ai vu hier. J'étais dans un bar avec d'anciens collègues. Il est arrivé. On nous a présentés. Il n'a pas sourcillé, m'a dit « Salut ». J'ai dit « Salut ». J'ai bu six mojitos. Et j'ai pris la fuite…

– Tu m'as jamais parlé de lui.

– Ça s'est fini il y a deux ans. Et depuis… deux ans de célibat. Ou si tu préfères, deux ans de pipes et de misère.

– Denise, tu es quelqu'un de formidable.

– Demain, j'irai mieux. Je mettrai de l'anticernes et du fard à joues et le soleil brillera.

Big Denise renifla, chercha un mouchoir dans son sac.

– Vas-y, insista Rose, raconte-moi.

– Il y a deux ans pile, on a rompu. Je rectifie, il m'a jetée. Alors ça fait une semaine que j'ai le cafard. Hier, après les six mojitos, j'ai tourné autour de son immeuble et j'ai fini par sonner à l'interphone. « C'est moi, Denise. » La porte s'est ouverte. J'ai pris l'ascenseur. Quatrième étage. Je me suis regardée dans le miroir, je me suis trouvée horrible. J'ai failli arrêter l'ascenseur, repartir et puis... Il m'attendait sur le pas de la porte. Il m'a embrassée. Un baiser « je suis content que tu sois là ». On s'est regardés. Il a dû lire le supplice dans mes yeux. Mes jambes ne me soutenaient plus, j'allais m'écrouler. Il m'a rattrapée et j'ai pleuré. Je me suis vidée de toutes mes larmes. Il a pris mon menton, m'a obligée à le regarder. J'ai balbutié, « je t'aimais, je voulais tout te donner ». Il m'a embrassée sur le front comme pour dire « je sais ». Sur la tempe pour « je suis désolé ». Dans le cou pour « je t'aimais bien ». Sur les lèvres pour se faire pardonner. Et dans ma tête y avait comme un murmure qui disait on peut réessayer, dis ? Je me suis fondue dans lui. J'étais une pieuvre qui l'étouffait. La chambre était plongée dans l'obscurité mais je savais parfaitement où aller. Je reconnaissais la commode que j'avais décapée, les rideaux que j'avais accrochés, le tapis sur le côté gauche du lit qu'on avait acheté dans une foire à tout et lavé à grande eau, sa casquette de base-ball accrochée au mur. Tout ça, c'était nous. Pareil qu'avant. Chaque détail familier me faisait des trous dans la peau. J'arrêtais pas de penser, il est à moi, je suis à lui. Son odeur sur l'oreiller, dans ses cheveux, son grain de beauté, sa narine gauche légèrement plus petite, les paumes de ses mains rugueuses à cause du base-ball. Et puis, le soleil qui se faufile sous la porte. Je ne bougeais pas, il était collé contre moi, son bras sur ma poitrine, je voulais pas qu'il se réveille. Il s'est réveillé. Il m'a embrassée dans le cou, «allez! debout», il a dit. Et juste après, «on oublie cette nuit». J'ai hurlé «Je suis pas une pizza» et j'ai attendu d'être dans le hall pour boxer le pilier de l'entrée.

– Waouh! C'est cruel.

– Non, c'est l'amour. Donc j'ai décidé de tirer un grand trait. Ras le bol. Quand on s'est quittés, j'ai fait n'importe quoi. J'avais Belzébuth, Satan et le Malin en congrès à l'intérieur de moi. Le matin, je finissais ma nuit avec Theo, à midi je bouffais la bite de Jackson et le soir je me faisais retourner par Curtis. Aujourd'hui, je veux sauver ma peau. Et puis, il s'est passé quelque chose. La colère m'a donné une idée de génie. Une idée toute simple.

– Comme toutes les idées de génie…

– J'étais en train de boxer le pilier du hall d'entrée pour me défouler, droite-gauche-droite-gauche, *bam-bam*, quand j'ai levé les yeux, et j'ai aperçu une caméra tout en haut. Microscopique. J'ai pensé à ma termite.

– Je vois pas le rapport.

– Écoute bien… Je vais filmer l'intérieur de la loge royale pour observer le comportement du roi et de la reine termites en continu.

– Tu vas mettre une caméra dans quinze centimètres carrés?

– On appelle ça une «capsule endoscopique». Comme pour

les coloscopies. Je la poserai dans la loge royale, elle filmera tout ce qu'il s'y passe et transférera les photos et les données à un ordinateur. Il suffira d'ajouter un fil pour brancher une pile afin que la caméra ait assez d'énergie pour observer le comportement du roi, de la reine et des ouvriers pendant des semaines. Comme ça je saurai précisément quel ouvrier leur donne à manger, je le choperai, le disséquerai, j'extrairai la substance et l'analyserai. Et alors… j'aurai le secret du rajeunissement éternel.

– J'ai réfléchi à tes expériences… en fait il ne s'agit pas d'un rajeunissement, mais plutôt de la recette pour bloquer les ravages du temps. Une femme de trente ans aura trente ans pour toujours, un homme de quarante ans, quarante ans pour toujours. Il faudra juste qu'ils réfléchissent bien avant de prendre leur décision et d'avaler ta pilule parce que c'est flippant. Je vais te dire un autre truc… Tu vas avoir besoin de ma Lucioline.

– Pourquoi ?

– Parce que, en stoppant le développement des cellules humaines, tu vas les fragiliser et tu risques de déclencher des tumeurs, des cancers, des lésions. Ma Lucioline sera ton assurance vie et bonne santé.

Big Denise réfléchissait, elle mordillait le bord de sa tasse, fronçait le nez, les sourcils. Elle respira profondément et lâcha enfin :

– On peut essayer.

– Merci beaucoup. Tu sais ce qu'on va faire ? On va lancer des tests. Ta substance et ma Lucioline mélangées qu'on fera ingérer par des mouches et un autre tube avec juste ta substance… On commence quand ? Oh ! J'adore cette phase où on tâtonne, on n'est pas sûr mais on se dit qu'on peut trouver un truc énorme !

– Rose… Faut que je t'avoue une chose… Tu vas me détester, mais…

– Vas-y ! Je ne crois pas pouvoir te détester, mais on ne sait jamais…

– Ne ris pas. C'est très sérieux.

– Denise… accouche !

– Je t'ai raconté des mensonges. En fait, j'ai déjà installé une petite caméra, j'ai analysé le produit que l'ouvrier fait ingurgiter au roi et à la reine et je l'ai testé sur des mouches…

– Ton histoire de caméra et de pilier, c'est du pipeau ?

– Oui. Je voulais savoir ce que tu en pensais…

– Tu en as parlé à qui d'autre ?

– Personne. Je n'intéresse personne. Je suis une femme, je suis grosse et je suis noire. On ne me voit pas. On se demande même si j'ai un cerveau…

– Moi, je te vois, je t'écoute, je réfléchis à ton travail. Tu es injuste.

– Excuse-moi.

– Que s'est-il passé avec les mouches auxquelles tu as fait ingérer ton mélange ?

– C'est trop tôt pour le dire. Il va falloir que j'attende encore un peu pour en être sûre. Mais c'est excitant.

– Tu parles ! C'est dingue. Comment tu as fait pour garder le secret ?

– Je n'ai pas d'amis, pas de mec, pas de parents. Je vis sur une île déserte. Je me parle à moi-même, je suis ma meilleure amie.

– Et Redcliff?

– T'es folle ! Il serait capable de me piquer ma découverte. Je fais mes expériences en cachette, je tire mes conclusions, je déposerai mon brevet toute seule, je ferai un doigt d'honneur à tous ceux qui ne m'ont jamais considérée et je partirai à Miami m'acheter une hacienda.

– Et après... une fois à Miami ?

– JE ME PAYE TOUS LES MECS QUE JE VEUX. JE NE SUIS PLUS UNE PIZZA.

Big Denise, la tête rejetée en arrière, hennissait. Son triple menton tressautait, de grosses larmes de triomphe coulaient sur ses joues.

– Tu sais très bien que tu ne veux pas te payer tous les mecs, tu veux juste UN mec qui t'aime. T'es une sentimentale.

– Rose ! M'insulte pas, s'il te plaît !

– Mais, dis-moi, ici... vous avez tous des plans perso ? des missions secrètes dont vous ne parlez à personne ?

– Ben oui. Sinon la vie serait morne. Et on veut tous se faire plein de blé, qu'est-ce que tu crois ?

– Je voyais pas ça comme ça.

– Rose, t'es en A-mé-ri-que, et en Amérique, on veut se faire du fric. Beaucoup de fric !

En fin de matinée, Ronald Lupaletto l'appela. Il avait la voix guillerette du type qui parle les pieds sur la table, en lançant des boulettes de papier dans la corbeille.

– Alors, ma petite Rose, il paraît que c'est la banquise à New York.

– J'ai encore tous mes doigts de mains et de pieds. Aucun n'a gelé.

– Vous en êtes où de vos recherches? On ne peut pas dire que vous m'accabliez de nouvelles! Je ne vous ai pas envoyée au Club Med, ma petite Rose.

– Je suis sur une piste intéressante, dès que j'ai quelque chose de solide, je vous en parle. Je pense que vous allez apprécier.

– J'espère bien! En attendant faites-moi un rapport, voulez-vous?

Quand Leo revint d'Ithaca au bout d'une semaine, il entra dans le laboratoire et se dirigea vers Rose. Il ne dit ni bonjour, ni comment ça va, ni voilà ce que j'ai fait à Ithaca, ville connue pour ses chutes d'eau, ses parcs et son université, mais demanda en enfonçant ses talons dans ses souliers marron comme dans un fauteuil :

– Tu veux venir avec moi voir l'expo Hilma af Klint? Pas ce samedi, mais l'autre. Il y a une soirée privée au Guggenheim. J'ai deux invitations.

À sa grande surprise, Rose accepta tout de suite. Elle ignorait tout de Hilma af Klint, des soirées privées au Guggenheim, mais elle répondit oui en se demandant pourquoi elle avait dit oui aussi vite.

Une fois encore, tu t'es précipitée. Tu as oublié l'adage « centre du cercle, distance et dignité ». Oublié que tu n'étais pas une imprimante. Tu es Rose Robinson, futur prix Nobel de biologie.

Leo la regarda, satisfait, et sortit de la pièce sans ajouter un mot.

Il a dû retourner à son bureau, deux étages au-dessus. Il ne travaille pas au labo en ce moment, c'est évident. Il travaille sur quoi ?

Rose lissa sa blouse, ses gants, remit son masque en place, la calotte sur ses cheveux, ajusta les surchausses qui recouvraient ses baskets et reprit son travail. Ils étaient obligés de se déguiser en fantômes quand ils travaillaient au labo. En fantômes de papier. Ils n'avaient le droit de garder que le bas : pantalon et slip.

La salle était en surpression, de l'air soufflait à l'intérieur et repoussait sur le côté tout ce qui pouvait pénétrer et contaminer les cellules. Rose mit en marche la hotte à flux laminaire et installa ses plaques à 96 puits. Dans chaque puits, elle avait testé des concentrations différentes de Lucioline. Elle en avait fait quelques-unes au 100 000ᵉ, mais ne comptait pas avoir de bonnes surprises. À ce pourcentage-là, cela revenait à verser une tasse de Lucioline dans une piscine olympique et à espérer un miracle. Autant aller à Lourdes sur ses moignons et revenir en courant le marathon ! Mais elle avait eu envie de tenter 100 000. Une sorte de défi qu'elle s'était lancé ou, si elle était honnête, un pied de nez à Leo. Pendant que tu cours les routes, moi, je travaille, je cherche, j'avance des hypothèses.

Un pied de nez aussi à Lupaletto qui était sorti du silence pour lui mettre la pression. C'est facile, elle râla, c'est facile, je déteste ces mecs qui jouent des biceps pour terroriser les autres.

Elle sortit ses plaques de l'enceinte à 37 degrés, fit la mesure dans un spectrophotomètre. Attendit. Son cœur battait contre ses côtes, *boum-boum*, ça faisait un bruit sourd, plein d'échos, comme lorsqu'on met la tête sous l'eau et qu'on écoute les algues et les poissons. Elle croisa les doigts, réclama au Ciel un miracle. Ce serait le couronnement de mes quatre ans de recherches acharnées. Tous les jours à y penser, à supputer, à calculer. Elle ferma les yeux, se mordit les lèvres, plissa le nez, Dieu de Babou, Dieu qui peux tout, je veux un truc de fou qui fasse péter toutes les hypothèses et me propulse au firmament, Dieu de Babou, Dieu qui peux tout, fais que ça arrive ! Elle baissa les yeux lentement et… et… Il n'y avait AUCUNE cellule vivante de cancer dans la dilution au 100 000ᵉ.

Elle retint son cœur entre ses mains moites et se laissa tomber sur le petit tabouret blanc qui lui servait de marchepied. Elle flageolait. Sa vue se brouillait. Ses paupières clignaient. Ce n'était pas possible. ELLE AVAIT MAL LU ! Elle se releva d'un bond. Je me suis trompée.

Au 100 000ᵉ ! Au 100 000ᵉ quand même !

Elle regarda à nouveau son contrôle positif, scruta l'anticancéreux, le 5-FU qu'elle avait mis comme témoin, et crut devenir folle : le contrôle positif n'avait pas seulement tué les cellules au 1 000ᵉ, ni au 10 000ᵉ ni même au 100 000ᵉ.

Non ! C'était encore plus dingue !

Elle avala ses doigts, les mordit si fort qu'elle cria. Reprit son cahier de laboratoire, vérifia ses calculs. Elle parlait toute seule, « là j'ai pris 1 ml de Lucioline à 25 mg/ml, alors ça fait combien ? Réfléchis bien. Calme-toi. Calme-toi. Ça fait combien ? Ça fait combien ? Mais... mais... *Oh my God !* J'ai dilué dix fois plus ! Dix fois plus ! Donc la Lucioline est active à 1 000 000e ! ».

UN MILLIONIÈME !

Elle retomba sur le petit tabouret blanc.

Il fallait qu'elle parle à quelqu'un. Un être humain avec un cerveau, deux yeux, deux oreilles. Elle demeura assise de longues minutes, hagarde, la tête entre les genoux, ses ongles raclant son cuir chevelu, elle grattait, grattait jusqu'au sang pour se prouver que c'était bien vrai, un millionième, un millionième ! Une goutte de Lucioline dans une piscine olympique ! Mais c'est Lourdes, ma vieille, c'est Lourdes. Tu vas devoir le faire, ton marathon !

Elle se précipita vers la sortie, parvint à ouvrir la porte du sas, balança sa blouse, son bonnet, son masque, ses chaussons, ses gants à la poubelle, attrapa son soutien-gorge, enfila son tee-shirt, son gros pull beige, se lava les mains, courut, courut dans les couloirs à la recherche d'un être humain. « *I've got it ! I've got it !* » elle hurlait en faisant des bonds, en claquant des talons en l'air. « *I've got it !* » en lançant les bras au plafond, en faisant la roue, et une, et deux, et trois ! je ne savais pas que je pouvais tourner dans les airs, je ne savais pas. Dieu tout-puissant, Dieu de Babou, Dieu qui peux tout, je te promets de faire bon usage de ma découverte, de ne pas l'échanger contre des dollars bien verts, des écus bien dorés, des crèmes pour femmes riches et fripées. Je te promets de guérir le Ciel et la Terre, les pauvres et les pelés, les galeux et les galettes, les éléphants et les têtards, le Père Noël et la Mère Fouettard.

Elle retombait sur ses pieds après trois roues parfaites quand elle aperçut Hector. Il traversait le couloir et avançait, courbé. Elle approcha à pas silencieux, sauta sur son dos, s'agrippa à ses épaules et le fit chanceler.

– Hector ! Hector ! Devine ce qu'il…

Il poussa un cri, lâcha son plateau couvert de flacons qui roulèrent au sol et se laissa tomber, entraînant Rose.

– Putain de merde, Rose !

Tous les deux enchevêtrés, Hector, éclaboussé de liquides épais, glycérinés, tentant de se dresser sur un coude, Rose, déchaînée, battant des mains, battant des pieds.

– Hector ! Hector ! Écoute-moi bien : les cellules cancéreuses ont toutes été détruites. Toutes. Avec une dilution à 1 000 000e. Je croyais tester au 100 000e et je trouvais déjà ça insensé, et je me retrouve à 1 millionième ! Tu te rends compte ? Je vais guérir des cancers sans AUCUN EFFET SECONDAIRE. Sans diarrhées ni vertige, sans mains qui brûlent, pieds qui fourmillent, cœur qui se décroche, cheveux qui tombent…

– J'en ai rien à foutre, Rose.

– On guérira en restant digne. DIGNE, Hector, digne !

– Fous-moi la paix !

– Hector ! Dis pas ça.

Il s'était redressé, avait posé son front sur ses genoux qu'il enlaçait de ses bras.

– Hector… fais bien attention, parce que je suis si heureuse que, malgré ton attitude pas vraiment amicale, je vais te rouler une pelle de chez Pelleteuse Royale.

Il leva la tête, lui lança un regard glacial.

– Rose, s'il te plaît, tais-toi. Tu viens de détruire tout mon travail. Tu entends, TOUT mon travail. Je trouve pas ça drôle du tout. Et là, je te parle en gentleman. Je peux être plus clair, plus direct, et te bourrer de coups, si tu veux. Comme tu es une femme, je préférerais pas. Je prends sur moi, je prends terriblement sur moi. Alors, retiens-toi !

Rose l'écoutait sans comprendre, les yeux écarquillés, puis elle revint sur terre, mit sa main sur la bouche, balbutia :

– Oh ! Je suis désolée. Désolée. Hector, ne m'en veux pas.

Hector nettoyait sa blouse, grimaçait.

– Y a pas que toi qui travailles, Rose ! Imagine que je sois entré dans ton labo quand tu testais tes pourcentages, que je t'aie sauté dessus en poussant des cris de sauvage et que j'aie saccagé tes solutions. Imagine… Tu n'aurais sûrement pas envie de me rouler une pelle de chez Pelleteuse Royale, n'est-ce pas ?

Son ton sonnait ironique, froid, ses yeux contemplaient le plateau renversé, les flacons brisés. Il semblait épuisé de tristesse. Des vers se tortillaient parmi les débris. Certains écrasés, d'autres tranchés en deux. Rose suivit son regard, se demandant comment elle pouvait réparer.

– Je vais t'aider à nettoyer, elle dit en avançant la main.

– Non ! S'il te plaît !

Il étendit son bras comme s'il voulait protéger les dégâts, les soustraire au regard de Rose.

– Mais si ! Y a pas de raison. C'est ma faute, alors...

– Rose ! J'ai dit non. Laisse-moi. Dégage !

Rose fronça les sourcils. Quelque chose sonnait faux. Pourquoi cet empressement à l'écarter ? Pourquoi cette violence ? C'était comme s'il voulait cacher... cacher quoi ?

Son regard se fit plus aigu. Se concentra sur les insectes qui rampaient, se tordaient, essayant de fuir.

– Mais Hector... ce ne sont pas des mouches, ce sont des...

Il laissa tomber sa tête sur sa poitrine et soupira :

– *Tenebrio molitor.*

– Mais oui ! Je les connais. Je les ai cultivés, petite. Comment ça se fait que... ? Hector ? Tu ne travailles pas que sur les mouches...

Le *Tenebrio molitor* ou ténébrion meunier ou encore ver de farine.

L'adulte est de couleur brun-noir, d'où son nom de « ténébreux », le jeune, brun orangé, le bébé, blanc transparent. Il commence par être un ver minuscule, effilé, perdu dans la farine et finit en noir scarabée d'un centimètre et demi.

Enfant, Rose achetait des larves dans une jardinerie. Une vingtaine par boîte. Elle les posait sur une couche de farine et les regardait grandir, s'accoupler, pondre des œufs par centaines. Ils n'avaient pas besoin d'eau ni de beaucoup de nourriture. Elle suivait leur métamorphose, observait la formation des ailes, des bras recroquevillés, puis le ver extirpait la tête de sa capuche comme s'il sortait d'un col roulé. Ses antennes se dépliaient. Il remuait l'abdomen. Rose lui grattait le ventre. Elle en épargnait certains pour les étudier, donnait les autres à manger à ses poissons rouges qui en raffolaient. Récemment, le *Tenebrio molitor* était devenu à la mode et même à la pointe de la mode. Des biologistes français avaient réussi à le transformer en protéines propres à la consommation. Une première usine avait été construite à Dole, une nouvelle allait être implantée près d'Amiens. Production annoncée : 10 000 tonnes de protéines d'insectes en 2020. Une farine d'excellente qualité. La région d'Amiens venait d'allouer 125 millions d'euros au constructeur. Pour l'instant, la consommation de ces protéines était réservée à l'alimentation des poissons mais tout le monde espérait la développer pour les humains. Des juristes travaillaient à la modification des textes européens pour obtenir l'autorisation. Bientôt on en ferait des gâteaux et des steaks. On n'avait pas le choix : il allait falloir nourrir dix milliards d'humains en 2050. Les bonnes vaches normandes, charolaises, limousines ou gasconnes n'y suffiraient pas. Le *Tenebrio molitor* était un ver très intéressant car il offrait de multiples débouchés. Avec la carapace, on fabriquait des cosmétiques, avec les crottes, des engrais, avec le corps, des protéines. C'était en outre une matière première propre et écologique. Le beau ténébreux ne faisait pas pipi, produisait un caca sec, inodore. Se contentait d'une maigre pitance, n'avait pas besoin d'eau. Enfin, il était très résistant.

– J'ai compris, dit Rose, tu es sur le coup de l'usine d'Amiens et tu essaies de mieux connaître le fonctionnement du ver pour améliorer la production de protéines?

– Continue…, dit Hector, souriant pour la première fois.

– Tu es venu travailler ici parce qu'ils disposent d'outils que nous n'avons pas en France. Dès que tu auras récolté toutes les données, tu repartiras. Tu travailles pour qui?

– Pour celui qui investit dans cette usine d'Amiens. Mon père.

– Ton père !

– Il y croit dur comme fer. Non seulement cette usine va créer des dizaines, voire des centaines d'emplois, mais elle va faire travailler les agriculteurs locaux. Leurs déchets végétaux nourriront les vers. Et nous, on récupérera les protéines aussi riches que celles de la viande. Avec le gras de l'insecte, on fera de l'huile. Avec la carapace, des crèmes de beauté. Et tout le monde mangera à sa faim.

Il souriait, le visage illuminé. Il marchait dans son rêve.

– En plus, toute l'entreprise est à 100 % écologique car ces insectes ne polluent pas. On est à l'aube d'un nouveau monde, c'est si excitant.

Son visage s'assombrit d'un coup.

– Tu ne dis rien. Tu n'en parles à personne. D'accord?

– Promis. J'ai compris un truc : tout le monde ici travaille en douce sur autre chose.

– On a tous envie de changer le monde. Toi aussi.

Rose avait oublié. Elle poussa un cri et hulula.

– Un millionième ! J'aurais jamais imaginé ça. Va falloir que je teste encore, mais je crois bien que j'ai trouvé un truc inouï. Je ne vais pas en parler tout de suite à Leo. Ni à Lupaletto...

– C'est qui ?

– Mon chef de labo à Paris. Tu dis rien à Leo ? Tu gardes le secret ?

Il lui tendit sa main ouverte en signe de bonne foi. Elle glissa la sienne dans la paume lisse, douce. Il referma la main, l'emprisonna. Elle savoura l'étreinte. Leva la tête, le regarda, apprécia le grain serré de sa peau, son sourire timide et chaud, l'implantation de ses cheveux, de ses sourcils, la peau ambrée des paupières, les cils noirs, épais. Elle eut envie de sentir sa bouche sur sa bouche. Elle se pencha vers lui et murmura :

– Je peux t'embrasser ?

– Je préférerais pas.

Rose se redressa.

– Oh ! Excuse-moi. T'as une copine ?

– On peut dire ça comme ça. Je suis marié.

– Et amoureux ?

– Et amoureux.

– Alors je m'incline.

Rose eut un petit rire idiot. Prit un air « c'est pas grave, pas grave du tout, j'étais sous le coup de l'excitation à cause de ma découverte. C'est tombé sur toi, ça aurait pu être sur n'importe qui, on oublie ».

Elle effleura le front d'Hector, ses pommettes, l'arc de ses sourcils, de sa bouche.

– Je t'aurais bien fait un câlin.

– Très honoré.

Il souriait, un peu ému, un peu coquet, beaucoup embarrassé.

– Personne ne sait au labo que tu es marié, ajouta Rose. Et j'en connais qui ont des vues sur toi…

– Je saurai me débrouiller.

– Alors ça nous fait au moins trois secrets ?

Hector acquiesça, amusé.

– C'est beaucoup, il dit. Tu vas pouvoir tenir le coup ?

– C'est ce qu'il faut pour sceller une amitié. En dessous de trois, on n'est pas qualifié.

– Potes alors ?

– Potes.

Cette semaine-là, Rose fut absente de son bureau. Elle passa tout son temps au labo. Il lui fallait recommencer les tests pour être sûre que sa concentration à $1/1\,000\,000^e$ marchait.

Mais elle n'avait pas la tête qu'à ça.

Elle était fébrile aussi à la pensée de sa prochaine soirée avec Leo. Ils ne se voyaient pas. Elle enfermée au neuvième étage dans le labo, lui au onzième dans les bureaux. Ou sur les routes.

Ce n'était pas très clair.

Ils échangèrent une série de messages au sujet de Hilma et de son drôle de nom de famille, af Klint. Un fou rire de troll aux oreilles de Rose, un aboiement de lévrier afghan à celles de Leo. Chacun plaidait sa cause. « Af Klint, comme une galipette d'elfe dans les brumes nordiques », écrivait Rose. « Ouaf Ouaf Klint, comme le chien de mon voisin quand il aboie !» rétorquait Leo. Chacun délirait, qui sur le chien, qui sur les trolls et leurs ébats. Les pouces de Rose s'agitaient. Leo répliquait. Rose mouillait ses lèvres, les mordait, renvoyait la balle plus fort, plus loin. Leo opérait un superbe revers. Bien joué ! pensait Rose, mais attends un peu... Elle se frottait le menton, une étrange allégresse s'emparait d'elle. Elle n'avait plus sommeil, elle n'avait plus faim, elle vivait les yeux fixés sur l'écran. Tricotait des réponses, les reprenait, les affûtait. Chaque message envoyé, chaque message reçu était un engin explosif. Il pouvait contenir un piège. Une mine enfouie sous un mot. L'excitation enflammait ses joues, accélérait ses pas. Elle apercevait son reflet dans une vitrine, s'arrêtait, interdite, c'est moi, cette fille longue, brune, désinvolte ? Elle virevoltait, se reprenait, se disait *hum...hum...* danger ! je vais tomber amoureuse, et crépitait à l'intérieur d'elle un curieux mélange de peur, de désir et d'attente. Une excitation à la fois vague et précise qui incendiait les moindres détails. Les mots « troll », « aboiement », « lévrier afghan », « éternuement », « brume nordique », « galipettes » devenaient des petits ressorts érotiques qui dessinaient ligne après ligne un rapprochement des esprits, certes, mais des corps aussi. La situation était hautement inflammable. Rose et Leo se frôlaient, se repoussaient, se goûtaient, s'affriolaient. Longtemps ils luttèrent à armes égales, chacun alignant les bons mots, les bons points. Puis une nouvelle passe d'armes commença. Ils avaient épuisé le sujet « Hilda », Leo enchaîna avec le dossier « Lucio Fontana ». Une rétrospective venait de s'ouvrir au MoMa. Rose ignorait tout de cet artiste et elle manqua vite de munitions. Ce qu'elle lut en tapant son nom sur Google ne l'enthousiasma pas : « fondateur du mouvement spatialiste associé à l'art informel ».

Leo allait l'écraser.

Elle refusa de hisser le drapeau blanc.

Parla de labyrinthe rouge, de fentes, de *Concetto spaziale*. Il renchérit, évoqua le *Manifesto blanco*, Altamira, la « Proposition d'un règlement du mouvement spatial », la lumière noire, la lame de rasoir. Elle perdit pied. Tenta quelques mots en français. Il balança un énorme « LOSER », suivi de « CHEATER », et envoya un petit film de *Bip Bip et Coyote* (Bip Bip disparaissant au loin dans un nuage de poussière pendant que Vil Coyote gisait, écrasé sous un rocher).

Rose resta muette quelques heures. Il lui fallait désamorcer le piège dans lequel elle était tombée. Elle ne savait pas comment rebondir. Mieux valait jouer la fille occupée ailleurs. Il insista : « Tu connais pas cet immense artiste ? » Elle revint dans le match, « je travaille ». Il s'exclama, « oh ! la menteuse ! ». Elle faillit lui demander s'il travaillait aussi, mais cela aurait brisé le charme et elle s'abstint. Rongea son frein. Lui envoya *Le Café* de Bonnard. Les Américains connaissaient peu ce peintre, elle avait une chance de reprendre la main. Il rétorqua « ah ! le nabi ? Bof bof, trop décoratif à mon goût ». Elle tenta Yves Klein. Il bâilla, « bleu, si bleu ». Elle asséna Miquel Barceló, « énorme ! écrivit-il, j'adore ses sculptures, ses corridas, les vitraux de Palma ! ». Elle tapa « bravo » du bout des doigts. « J'ai sommeil, je me couche. »

Elle plongea dans les pages consacrées à Hilma af Klint sur Google.

Elle allait se servir de la Suédoise comme d'un gourdin.

Ce fut la luciole alsacienne qui l'assomma.

Une nuit, alors qu'une tempête de neige tourbillonnait autour du quatorzième étage du 3, Washington Square, brouillait la nuit, faisait grincer les huis, Rose fut réveillée et refit en pensée, étape par étape, toute l'expérience depuis le début. Une angoisse surgit. Et si elle n'avait pas pris le bon tube de Lucioline purifiée ? Si elle avait confondu ce tube avec celui de la molécule anticancéreuse témoin ?

Elle enfila son manteau beige, son châle rose, son pantalon vert pomme, ses gants, ses bottes. Courut jusqu'au labo – le veilleur de nuit dormait sur sa chaise –, grimpa à pied les neuf étages – trop effrayée à l'idée de rester coincée dans l'ascenseur –, envoya voler ses vêtements, s'habilla de papier blanc, ouvrit le frigo, sortit les tubes, les observa à la lumière, hurla « mais c'est pas possible ! » et se laissa tomber par terre, les doigts pleins de glace dans une gerbe de neige carbonique.

Les inscriptions au feutre noir sur les tubes, « Lucioline » et « 5-FU », s'étaient effacées.

Cela n'arrivait jamais.

Elle vérifia l'état de son feutre en écrivant « Lucioline » sur un tube vide, le plongea dans la glace du congélateur, frotta l'inscription avec son doigt sec, puis humide. La marque restait indélébile.

Elle devint folle. Quelqu'un a volontairement effacé ce que j'avais inscrit sur ces tubes. Ou les a volés et remplacés.

Quelqu'un manipule mes tubes. C'est du sabotage. On m'espionne. On convoite mes travaux. Mais qui ? Hector ? Oui, c'est lui. Il m'en veut d'avoir détruit son travail. Il a prétendu que nous étions amis mais il me déteste, il me fait payer ma maladresse. J'ai bien vu que je le dégoûtais quand j'ai essayé de l'embrasser. Il se venge. Mais non, ce n'est pas Hector ! Il a mieux à faire, il est sur un gros coup avec les ténébreux vers de farine. Quelqu'un d'autre. Qui travaille au laboratoire ? Qui est au courant de mes recherches ? Leo ? Ce n'est pas son intérêt. À moins qu'il n'ait passé un contrat avec un labo et veuille m'évincer. Possible. Méfiance, méfiance. Non ! ce serait trop horrible. Et puis c'est moi qui ai déposé le brevet. Il est à mon nom. Big Denise ? Impensable. Redcliff ? Et pourquoi pas Kanye West ET le président des États-Unis ? Tous fascinés par ta luciole ! Tu dérailles, Rose, descends de ta gondole.

Rose sortit du labo, le dos voûté, la gorge serrée, les pieds raclant le sol. Elle arracha ses vêtements en papier. Les roula en boule dans la poubelle. J'étais à deux millimètres du Nobel... Pour une fois, le prix de biologie aurait été accordé à une femme. Un prix UTILE qui éradiquait la souffrance humaine. Les femmes ne représentent que 5 % des lauréats. J'aurais dynamité les statistiques.

Elle rentra chez elle.

Son téléphone était resté sur l'étagère des toilettes. Il n'y avait aucun message de Leo. Ni de personne.

– Je n'ai plus ni amis, ni amants, ni Paris, ni parents.

Elle se jeta sur son lit, plongea la tête sous les oreillers.

Elle y penserait demain.

Le lendemain, Lupaletto rappela. Cette fois-ci, il ne s'embarrassa pas de généralités ni de considérations sur la météo. Il fut bref, concis. Et désagréable :

– Toujours pas reçu de rapport.

– Je n'ai pas eu le temps.

– Va falloir vous y coller. Et vite. Je vous ai fait confiance, ne me le faites pas regretter. Entendu ?

Rose bredouilla « oui ».

Il raccrocha.

Toute trace de bonhomie avait disparu. Il ne l'avait pas appelée une seule fois « ma petite Rose ».

Elle se dit, j'ai plus qu'à me jeter à la poubelle.

Ajouta, pas besoin de rapport puisque si ça se trouve, j'ai rien trouvé.

Conclut, suis nulle. J'ai rêvé trop vite. C'est le signe des faibles de se croire au centre de l'action alors qu'ils ne sont que des rouages insignifiants.

Soupira, reste plus qu'à me marier et à faire des enfants. Oui mais avec qui ? J'ai bientôt trente ans. C'est foutu.

Renonça à réfléchir. Fila à son bureau.

Sur le palier, la voisine brandissait la Bible, les bras décharnés, les seins dégoulinant sous la robe grise :

– « Lorsqu'on tombe, ce n'est pas le pied qui a tort. »

– Ta gueule ! dit Rose en français dans un grand sourire.

Madame Jésus lui rendit son sourire.

– « Chaque brin d'herbe a sa part de rosée. » Louons le Seigneur ! Si tu es triste un soir, viens chez moi, je panse les âmes blessées.

En sortant de l'ascenseur, Rose lança au doorman :

– Elle s'arrange pas, ma voisine. J'en peux plus. Le soir, il y a un de ces va-et-vient chez elle ! Elle m'a invitée.

– Les voies du Seigneur sont impénétrables ! répondit Richie en joignant les mains en un geste ironique de prière. C'est vrai que le soir, elle reçoit un monde fou. Elle doit être prof de religion ou un truc comme ça... Vous devriez y aller.

– Non merci. Je déteste les réunions quand il y a plus d'une personne.

Alors que Rose retrouvait son bureau au neuvième étage, Jennifer lui annonça que Leo était reparti, elle ne savait pas où. Il n'avait pas laissé de message. Elle avait juste eu le temps de lui lancer « tu t'en vas ? ». Quand il avait répondu « oui », il était déjà dans l'escalier.

– Mais on a rendez-vous ! s'écria Rose.

– Tu veux dire... *a date* ?

– Oui. Ce samedi.

– *I absolutely looooove it ! Tell me, sweetie...*

– Ne t'excite pas. Il va sûrement se décommander.

– T'as raison, se rembrunit Jennifer. Les mecs sont tous des nazes.

– Comment ça, les mecs ? dit Rose en frottant une tache sur son bureau.

Quelqu'un avait dû s'y installer quand elle travaillait au labo.

Jennifer haussa les épaules, la bouche en parenthèse renversée.

– Les mecs sont juste des mecs. C'est nous qui en faisons des héros. Malgré eux. On se fait des films, on y croit et on s'en prend plein la gueule… Tout ça parce qu'ils ont une bite et qu'on manque cruellement de bites en ce moment.

Sa bouche tombait, entraînant le nez, les yeux, le front, la racine des cheveux vers le bas. On aurait dit le toboggan du désespoir.

– L'espèce va disparaître si ça continue…

Rose comprit enfin. Et se retint de sourire.

– C'était comment ta soirée avec Hector ?

– Nul. On est allés au cinéma. Il est resté cramponné à son gobelet de pop-corn, les coudes collés au corps, les yeux rivés à l'écran. Comme si j'allais le violer ! Terré dans son coin. Un vrai *Neotrogla brasiliensis*. Flatteur pour moi ! Merci beaucoup !

Rose retint un fou-rire. Le *Neotrogla brasiliensis* ! Une espèce de psoque de trois millimètres au comportement unique dans le règne animal. Il vit dans des grottes au Brésil et se nourrit de crottes de chauve-souris. La femelle possède une sorte de pénis en crochet épineux qui chope le mâle et l'oblige à copuler pendant soixante-dix heures. Pas étonnant qu'il se planque !

– En sortant, on s'est serré la main. Il ne m'a pas raccompagnée. Tu parles d'un Français !

– Je t'avais prévenue, tous les Français ne sont pas de gros cochons.

– Je m'en fiche, *sweetie,* je l'aurai. Je vais réfléchir à une stratégie. J'en ai trop envie. Il est trop beau.

« Il est surtout trop marié », eut envie de répliquer Rose qui se demanda pourquoi Hector ne proclamait pas haut et fort qu'il n'était pas libre. Cela lui éviterait bien des malentendus.

Rose ne s'avouait jamais longtemps vaincue. Elle reprit ses dilutions.

Mon boulot n'est pas un boulot à la con, un boulot auquel on ne comprend rien ou qu'on peut supprimer sans dommage pour la société. Au contraire. Les boulots à la con ne servent qu'à embrouiller les gens, à les faire consommer davantage. Moi, j'œuvre pour leur bien-être. Je dois être à la hauteur et ne pas me laisser abattre.

Rose avait l'habitude de parler toute seule, mais en ce mois de février, elle n'arrêtait pas de soliloquer.

Elle n'avait plus de nouvelles de Leo. Elle oublia qu'elle l'avait soupçonné d'être son pire ennemi. Elle reprit les sms. Le titilla, « tu révises pour samedi soir ? ». Il répondit « nope » comme s'il était pressé. Ou pas intéressé. Elle le relança, « je sais tout sur Hilma. Demande-moi un truc pour voir ». Nouveau silence. « T'es vraiment pas curieux ! » Encore un silence. Elle s'abaissa à un inquiet « tout va bien ? », qu'elle tenta d'empêcher de partir à la dernière seconde, mais trop tard. Elle jeta son téléphone par terre. Il bipa une fois, deux fois et s'éteignit. Elle plongea pour le récupérer, tenta de le rallumer une fois, deux fois, souffla dessus, le frotta, le secoua, supplia et… entendit un hoquet. Elle tapa son code. Consulta ses sms.

Leo n'avait pas répondu.

Cet homme était imprévisible. Il pouvait arrêter, reprendre, faire une pause, disparaître. Il imposait son rythme, refusait de se laisser posséder. Un homme libre, indépendant, fort. Très excitant. Rose était en train de fabriquer un prince charmant.

Elle grandit Leo de huit centimètres, sortit son cou de ses épaules, lui ajouta des pectoraux, effaça l'embonpoint léger des hanches, lui ôta ses pantalons jaunes, les remplaça par des chinos beiges de chez Brooks Brothers, nettoya ses souliers, les cira en noir, lui colla un sourire fin et cruel sur les lèvres. Et quand tout fut terminé, que l'homme fut toiletté, elle brûla de désir pour lui.

Elle retourna à la boutique de fripes. Parcourut les portants de vêtements sous le regard épuisé des vendeuses tatouées, fit défiler les cintres en accéléré. Remplit la cabine d'essayage. Se déshabilla. S'aperçut dans la glace. Sa mère avait raison. Elle rendit tout. Releva ses cheveux. Trop longs, trop gras, trop mous.

Elle annulerait le rendez-vous.

Babou envoya un mail, « tout va bien, ma princesse ? ». Rose répondit « suis en train de travailler, peux pas te parler ». Babou expliqua qu'elle voulait juste utiliser son téléphone, elle n'avait pas beaucoup de contacts, six en tout. Les cinq autres ne répondaient pas. Rose envoya un sourire ;-)) Babou demanda

« comment tu fais ça ? ». Rose expliqua. Babou envoya dix sou-
rires. Rose écrivit « tu es une vraie geek ! ». Babou demanda,
« c'est quoi, "geek" ? ».

Rose songea qu'elle avait oublié d'aller vérifier les suites 611
et 612. Elle se rendit à l'hôtel Mercer. Sa mère l'appela quand
elle en sortait. Rose l'assura que les suites étaient vastes, claires,
sobres, chics. Et calmes. Elle n'en avait vu aucune. Elles étaient
toutes occupées.

Valérie lui proposa de dîner un soir à New York.

– Pourquoi pas ? dit Rose.

Ce n'était pas son problème. Depuis qu'elle avait découvert
que les inscriptions s'étaient effacées, Rose n'habitait plus sur
terre. Pourtant elle se levait, s'habillait, petit-déjeunait, croisait
madame Jésus, allait au bureau, travaillait, rentrait chez elle,
mangeait des harengs marinés, mais ce n'était pas elle qui faisait
tout ça. C'était une autre fille qui s'appelait Rose Robinson aussi
et lui ressemblait trait pour trait. Un alias. La vraie Rose s'était
réfugiée dans son cerveau. Recroquevillée sur ses calculs, ses rai-
sonnements, elle cherchait, cherchait et n'avait que faire de bille-
vesées sentimentales.

La minuterie du grille-pain sonna, les toasts sautèrent, la
bouilloire se mit à chanter, le beurre ramollissait dans la sou-

coupe. Rose sortit de la douche, les cheveux enveloppés dans une serviette blanche.

À la télé, l'homme de la météo annonçait l'arrivée d'un ouragan sur la Caroline du Sud, la Caroline du Nord et la Virginie. Il montrait les premières images : un entonnoir sombre traversait un ciel taché de noir, d'orange, de violet, un « ultraviolet », expliquait-il en souriant de ses dents toutes fausses, toutes trop blanches.

La vraie Rose descendit à toute vitesse du cerveau, bouscula Rose l'alias, lui arracha sa tasse, la serviette blanche. S'habilla vite, vite, s'enfonça un toast dans la bouche tout en agrafant son soutien-gorge, sauta dans ses bottes fourrées, attrapa ses clés, bouscula madame Jésus sur le palier.

– « J'étais furieuse de ne pas avoir de souliers, j'ai rencontré un homme qui n'avait pas de pieds et j'ai été heureuse de mon sort. »

– Formidable ! cria Rose, la bouche pleine, en tambourinant à la porte de l'ascenseur qui n'arrivait pas.

– « Quand on a dix pas à faire, neuf font la moitié du chemin. »

Rose courut au labo. Enfila ses vêtements de fantôme. Vérifia que les tubes étaient toujours là, que l'encre était bien effacée.

En entendant monsieur Météo, elle s'était rappelé que la Lucioline absorbait la lumière à une longueur d'onde spécifique dans l'ultraviolet et qu'au troisième étage de l'université, se trouvait un vieux spectrophotomètre capable d'établir des mesures dans l'ultraviolet. Elle prit les tubes qu'elle voulait tester, descendit les marches deux à deux, fonça au troisième étage et, trois minutes plus tard, lançait sa mesure. Elle attendit, ne quitta pas les tubes des yeux, tortilla ses cheveux, se rongea un pouce puis l'autre, calcula comment, calcula combien, calcula si…, attendit… attendit…, se mordit l'intérieur des joues, eut un goût de sang dans la bouche…, déglutit, quand… un des deux tubes afficha le résultat : il contenait bien de la Lucioline purifiée dissoute à un millionième.

Sa molécule était la plus efficace contre le cancer.

Elle ne s'était pas trompée. On ne l'avait pas sabotée. L'encre s'était effacée simplement parce que ses feutres étaient de mauvaise qualité. Elle en avait acheté tout un lot à bas prix en croyant faire une affaire. Mauvais calcul !

Elle n'avait pas d'ennemi.

Elle pouvait commencer à écrire son discours de remerciement pour le Nobel.

Comment allait-elle s'habiller ?

« Désolé, pas de musée ce soir. Me suis trompé de jour. On se retrouve chez Omen ? Resto japonais sur Thompson et Prince. 19 h 30 ? »

Non seulement il lui confisquait Hilma af Klint qu'elle avait révisée et connaissait par cœur mais il imposait le restaurant, l'adresse et l'heure. Il la mettait devant le fait accompli. Comme « la vache qu'on mène au taureau », aurait dit Babou.

– Gamberge pas, vas-y cool, dit Rose l'alias.

– Mais tu sais très bien, c'est ce qu'il y a de plus dur d'être cool ! hurla Rose la vraie.

– Arrête de faire des histoires !

– « Arrête de faire des histoires ! Toutes les petites filles… »

– Ah non ! C'est pas le moment. Le passé est le passé. Enterre-le et danse dessus.

Rose Robinson avait le tournis. Elle n'arrêtait pas de se disputer avec elle-même. À cause de lui.

– Tu me soutiens même pas ! disait Rose la vraie.

– Passe ta colère sur quelqu'un d'autre. Trouve-toi une amie, une véritable.

– J'ai jamais eu d'amie !

J'ai eu un ami. En terminale. Il était gay. On dormait ensemble, on testait des crèmes contre les boutons, des shampoings pour cheveux gras, on s'épilait, lui le torse, moi les jambes, les aisselles, le maillot, en poussant des petits cris et en mangeant des chocolats. On allait à des concerts de hard rock et de Céline Dion, on lisait Virginia Woolf et Kathy Acker. Il était fou de comédies musicales. *Mamma Mia !*, *Singing in the Rain*, *Chorus Line*. Je ne sais même pas s'il était gay, je ne l'ai jamais vu avec un homme. Il était horrifié par le contact physique. Je n'avais pas le droit de l'embrasser. Il s'esquivait, se cachait derrière sa main. Le plus loin qu'il soit allé avec un garçon, c'était un baiser sur la lèvre supérieure. Un jour, il est mort. Un cancer foudroyant. En trois mois.

– Pourquoi tu ne choisis pas Big Denise comme confidente ? insistait Rose l'alias.

– T'as vu comment elle mène sa vie ?

– Jennifer ?

– Pas envie.

– Bon, démerde-toi !

– Merci beaucoup. Dès que c'est difficile, tu te casses !

Et voilà : elle était fâchée avec elle-même.

Elles firent la paix. Rose accepta de porter un jean noir, un pull noir en V avec aperçu sur ses seins, son châle rose, son manteau de fausse fourrure beige. Et des Frye boots noires. Pas très créatif, mais de toute façon, je suis pas d'humeur créative ce soir. Elle brossa ses cheveux – trop longs, trop gras, trop mous –, les attacha. Elle ressemblait à une asperge. Baissa la tête, vida une bombe de laque, redressa la tête. Elle ressemblait à un hérisson.

Elle jeta la brosse, jeta la bombe, se jeta sur le lit. Décida d'envoyer un sms, « Désolée. Fièvre, vertiges, nausées. Un autre soir ».

Elle reprenait le pouvoir.

– Infantile ! soupira Rose l'alias.

– Pas faux, reconnut Rose la vraie.

Elle eut honte.

Elle se demanda si elle prendrait un taxi. Ce n'était pas loin mais il faisait froid et ça glissait. Il s'en fiche, lui, avec ses horribles souliers marron.

Elle partit à pied.

Furieuse.

Il se mit à pleuvoir. Elle arriva trempée.

Exaspérée.

Il était déjà assis quand elle arriva. Il portait un polo blanc sous un pull gris foncé. Le col de son polo aplati lui donnait un air de premier de la classe. Ou d'un suricate aux aguets. Elle hésitait.

Au moment de passer commande, Leo demanda une choucroute. Le garçon, un grand Japonais chauve, très myope, se courba en ânonnant « ssoucoute, ssoucoute », fronça les sourcils, avança le menton pour montrer qu'il cherchait, mais ne trouvait pas. Il finit par s'excuser en multipliant les courbettes. Leo déclara, magnanime, « laissez tomber », et fit un clin d'œil à Rose. Elle se demanda si elle devait rire, crispa un sourire. Et opta pour le suricate aux aguets.

Le garçon, confus, leur tendit un menu. Leo étudia le sien. Rose, devant la complexité des plats, renonça :

– Je te laisse choisir, j'y connais rien.

– Fais-moi confiance, tu vas te régaler.

Il lui tapota la main d'un geste qui pouvait passer pour une manifestation de tendresse ou pour de la pitié envers une pauvre fille qui ne connaissait rien d'autre que le steak-frites.

Rose opta pour la seconde solution.

Il commanda plusieurs plats, les commenta en buvant de grandes gorgées de bière japonaise au fur et à mesure que le garçon les déposait devant eux.

– Ce soir, on ne parle pas boulot. Dis-moi comment se passe ta vie à New York. Tu t'es fait des amis ? Tu sors beaucoup ? Tu ne souffres pas trop du froid ? Je suis désolé de ne pas avoir été plus présent mais j'ai été très occupé. Je t'en parlerai une autre fois.

Rose avait l'impression de répondre à un questionnaire.

– Ça ne va pas ? il demanda.

– Si, si.

– Tiens, goûte cet *uni*, c'est délicieux.

Il lui montrait une chose marron orangé, semblable à une limace.

– C'est quoi ?

– Un oursin frais. Pas sous plastique ni congelé. C'est la saison de l'oursin. Elle ne dure pas longtemps. Il faut en profiter…

Il lui tendit la limace sur une algue brune. Rose revit sa mère qui la forçait à manger des corn flakes en lui enfonçant une cuillère entre les dents. Elle ouvrit la bouche, avala. C'était visqueux, flasque, salé. Ça lui rappelait la dernière pipe qu'elle avait faite. L'homme lui appuyait sur la nuque, la forçait à avaler et, comme elle hésitait, criait « avale, putain ! avale ! ».

J'avale si je veux ! elle avait voulu répondre, mais elle avait la bouche pleine. Que les choses soient claires : j'aime qu'on me domine, qu'on dispose de moi, qu'on me menace, qu'on me manipule, mais seulement si je suis d'accord.

C'est un jeu, pas une partie de chasse ni un hallali.

L'oursin se coinça dans sa gorge. Elle étouffa. Recracha.

Leo fit signe au grand chauve myope d'apporter de l'eau. Rose dut engloutir un verre plein de glaçons. Elle fit une grimace.

– C'est froid !

– T'aimes pas l'*uni* ?

– Je crois que je préfère le poulet.

208

Il me force à manger des bites molles. Je le déteste.

Elle se reprit, sourit, demanda s'il y avait du canard laqué au menu.

— C'est plutôt dans les restos chinois, dit Leo, contrarié.

— Je peux commander un poulet rôti ?

— Tu veux dire, n'importe quoi plutôt que de la nourriture japonaise ?

— Je crois que j'aime pas trop...

Je pensais que c'était comme les sushis que j'achète au Fresh Market. Beaucoup de riz avec un petit bout de poisson au milieu. Et un truc noir en simili-plastique autour. J'aime le goût du truc en plastique.

— Tu aurais dû me le dire avant ! On serait allés dîner ailleurs.

— Ben... tu m'as pas laissé le choix.

— Mais je pensais te faire plaisir ! C'est le meilleur restaurant japonais de Manhattan.

Elle était désolée. Elle comprenait qu'il avait choisi la cuisine japonaise parce qu'elle était à la hauteur de la gastronomie française. Il avait sélectionné Omen, restaurant décoré d'étoiles. Et sûrement très cher.

Le garçon apporta la carte. Leo la tendit à Rose en précisant :

— Va voir dans viandes et volailles. Ce sera moins risqué.

Rose parcourut la carte. Et les prix. S'arrêta sur celui des *unis*. Vingt-six dollars les 50 grammes! Leo Zackaria avait voulu faire bonne impression. Leo Zackaria était une imprimante.

Elle le regarda sous ses cils baissés, elle eut envie de le consoler. De le prendre dans ses bras, de le bercer.

– Je vais prendre un *organic chicken teriyaki*.

– Tu es sûre qu'il n'y a pas de risque? Je préférerais ne pas avoir à appeler le 911*.

Le poulet était très bon. Les *mochi ice*** aussi.

Leo confisqua l'addition, ajouta le pourboire, gribouilla sa signature.

Remercia le garçon et s'effaça pour la laisser passer. Rose remercia «pour ce si bon dîner...» et enfila son manteau.

Avant de sortir, Leo extirpa une chapka d'une poche de sa parka, une chapka orange avec deux languettes fourrées en peau de lapin qui pendaient de chaque côté. Rose préféra ne pas regarder et loucha sur le petit escalier qui menait au trottoir.

Un tourbillon de neige les immobilisa sur la dernière marche. Rose plongea contre Leo. Il referma les bras sur elle et rit.

– Ha, ha! C'est terrible, hein?

– Vouiiiii..., marmonna Rose. Ça pique!

– On ne s'habitue jamais.

---

* Numéro de téléphone équivalent aux pompiers français.

** Dessert japonais fait d'une pâte de riz gluant parfumée au thé vert, chocolat, vanille, etc., et fourrée d'une crème glacée.

Elle ne voulait plus sortir des bras de Leo. C'était chaud, confortable, il sentait un savon à la lavande. Elle reconnaissait l'eugénol, le citronellol... et peut-être une pointe de géraniol ?

– Je ne vais pas te proposer une balade nocturne, dit Leo, resserrant son étreinte et tapotant le sommet de son crâne comme pour l'assurer que le froid n'allait pas la manger.

Rose se sentit toute petite dans les bras de Charles Ingalls.

– Je ne crois pas que ce soit une bonne idée, en effet, dit Rose.

Elle ne bougeait pas, ne relevait pas la tête de peur que ne vienne à Leo l'idée de la relâcher.

– La semaine dernière, il dit, la bouche dans ses cheveux, j'ai dîné avec une copine cubaine qui vient de s'installer à New York pour terminer ses études de médecine. J'ai voulu lui montrer la ville de nuit, on a marché, elle a glissé sur le trottoir, un tendon de la dernière phalange du majeur droit s'est rompu et... *mallet finger*. Elle va devoir porter une attelle pendant trois mois. Elle est désespérée et je culpabilise. C'est moi qui ai insisté pour marcher ! Elle disait que ce n'était pas prudent, que ses mains étaient son instrument de travail, qu'il ne fallait pas qu'elle fasse une mauvaise chute.

– Ah ! dit Rose, blessée d'apprendre qu'il avait passé une soirée avec une copine cubaine avant de dîner avec elle.

Elle se sentit reléguée au rang de fille qu'on sort par obligation. Elle se trouva moche, grosse. Et vieille.

Elle se raidit, se dégagea.

– Tu veux qu'on aille au cinéma ? On donne un film de Truffaut au Film Forum. C'est tout près.

– J'adore Truffaut, elle répondit en se forçant à prendre un ton enjoué.

– J'en étais sûr ! J'ai bien réfléchi à ce qui pourrait te faire plaisir et… j'ai vu juste.

Rose retrouva le sourire. Il avait pensé à elle, rien qu'à elle. Sa copine cubaine n'était qu'une amie d'enfance avec les dents de travers, des boutons, un gros cul et une attelle. Il l'avait invitée par sympathie parce que c'était un garçon généreux. Un peu maladroit peut-être, mais simple, direct.

Pas comme elle ! Elle défiait n'importe qui de comprendre ce qu'il se passait dans sa tête. Elle-même n'y arrivait pas. Elle eut envie de retourner dans ses bras. S'enhardit. Laissa tomber un gant acheté sur Canal Street. Dix dollars les cinq paires. Elle était bien contente de s'en débarrasser. Sur l'étiquette intérieure était écrit *made in Bangladesh*. Encore des enfants exploités, transformés en esclaves pour le grand capital. D'habitude, elle faisait très attention à l'origine des produits, mais ce jour-là, elle avait eu si froid qu'elle avait acheté les cinq paires sans regarder. Elle piétina le gant à terre, le recouvrit de neige du bout du pied.

– Ça ne t'ennuie pas ? J'ai perdu un gant, lui dit-elle en glissant la main dans la poche de sa parka.

C'est un signal que je t'envoie, Leo. Ça signifie « tu peux m'embrasser quand tu veux ». Et même au cinéma. Les films de Truffaut, je les ai tous vus. Sauter une scène ou deux m'est complètement égal.

Le Film Forum était un vieux cinéma d'art et d'essai sur Houston Street. Mathusalem avait été invité à l'inauguration.

Leo acheta les billets. Il n'y avait personne dans la salle à part un vieux monsieur qui dormait, un cabas sur les genoux, et une dame aux cheveux blancs qui mangeait des chips. Elle mastiquait si fort qu'ils choisirent de s'asseoir loin d'elle. Quand le film commença, Rose l'aperçut qui rangeait ses chips et réglait son sonotone.

Le film s'appelait *La Femme d'à côté*.

– Tu l'as déjà vu?

– Non, dit Rose qui l'avait vu trois fois.

Elle connaissait le début par cœur : « Il faisait encore nuit quand la voiture de police a quitté Grenoble. Le village est à vingt-trois kilomètres. On a également appelé une ambulance… »

Rose avait dû retirer sa main de la poche de Leo pour entrer dans le cinéma. Elle ne savait plus qu'en faire. Elle la laissa tomber sur le côté. Attendit qu'il la reprenne. Son cœur battait. Les images défilaient. Fanny Ardant et Gérard Depardieu se rencontraient au supermarché, s'embrassaient, faisaient l'amour dans une voiture… Leo ne bougeait pas.

Peut-être l'avait-elle choqué en lui confiant sa main?

Peut-être faisait-il partie de cette vieille école qui pense que l'homme doit prendre l'initiative et la femme attendre?

Qu'aurait dit docteur M.?

De rester au centre du cercle.

De ne pas se pendre à son cou.

De le faire attendre afin que son désir grandisse.

La dame aux cheveux blancs lisait les sous-titres à voix haute, le vieux monsieur ronflait, son cabas versa, cela fit un boucan d'enfer, plusieurs bouteilles roulèrent à terre. Bientôt cela pua la bière. Il se réveilla, grogna, regarda à ses pieds, changea de rang, se rendormit.

Les mains de Rose restaient vides. Ouvertes, immobiles. Inutiles.

À la sortie du cinéma, Leo proposa d'aller prendre un verre dans un bar sur la 8ᵉ Rue. Ils n'auraient pas à marcher longtemps. Il portait ses gros souliers marron et ne craignait pas les mares qui inondaient les trottoirs. Rose les enjambait, il lui tendait la main pour l'aider à franchir les gués. Elle releva son long manteau beige en fausse fourrure pour que le bas ne soit pas trempé.

Rose commanda un peach bourbon, Leo, un whisky sour.

Les lumières étaient tamisées, les tables espacées, il y avait de la moquette noire sur les murs, Rose aima la musique de jazz qui passait, se laissa aller contre le dossier.

Leo avoua n'avoir rien compris au film.

– Pourquoi elle le tue si elle l'aime ?

– Parce qu'elle l'aime justement.

Il soupira.

– Elle passe son temps à le prendre, à le quitter, à le reprendre, à le laisser. Elle ne sait pas ce qu'elle veut !

– L'amour, c'est tout sauf logique. Si c'est logique, c'est pas de l'amour.

– C'est quoi alors ?

– De la raison, de la résignation, de la distraction, du calcul, de l'application, de la répétition... Au choix.

– Waouh ! Rose, t'es dingue !

– Ce sont les autres qui sont dingues, moi, je suis vivante, perspicace.

Elle eut envie de rire, ajouta :

– Et complexe.

– Je crois que les hommes sont plus simples. Je veux dire en amour...

– Pas tous. Quand tu lis Albert Cohen...

Leo baissa la tête, accablé.

– T'as raison. Pas Albert Cohen... Oh là là ! C'est vrai. Pas Albert Cohen.

Il commanda un autre whisky. Rose se dit que, peut-être, il était impressionné. Ils étaient en train de passer d'une relation de travail à une relation personnelle. Il l'avait prise dans ses bras, elle s'était serrée contre lui, elle avait mis la main dans sa poche. Ils avaient franchi la ligne jaune. Pour elle, c'était facile : elle vivait avec lui depuis Noël. Ils étaient mariés. Elle lui avait déjà donné deux enfants. Elle enfreignit un commandement de docteur M., passa une main rapide dans les cheveux de Leo. Remit sa mèche brune en place, laissant traîner son pouce sur son front. Une façon de lui dire « je sais ce que tu ressens, ta sensibilité me touche, j'ai été très émue d'être dans tes bras ».

– N'en fais pas trop ! gronda Rose la vraie.

– Tu vois bien qu'il est troublé ! dit Rose l'alias. Il ne devait pas s'attendre à ce que cela devienne si intime.

– Intime ? Vraiment ? Pour le moment, il ne se passe pas grand-chose...

Leo la regarda, soulagé.

– Je suis content de passer cette soirée avec toi, Rose.

C'était presque une déclaration. Rose se retint de l'embrasser. « Milieu du cercle, distance, dignité », elle se répéta. Elle sourit, se cacha derrière ses cheveux. Elle avait mis trop de laque, ils puaient l'acétate de vinyle et le copolymère de polyvinylpyrrolidone. Elle voulut commander un second bourbon mais il se leva et déclara :

– Viens ! On va le boire chez moi.

Dans la rue, il lui prit la main et ils cherchèrent un taxi. Ils descendirent la Huitième Avenue, obliquèrent sur West Broadway, traversèrent Canal Street, virent briller les flèches jaunes en pointillé indiquant Holland Tunnel. Sa main dans la sienne, solidement remorquée dans les rues de SoHo puis de TriBeCa, Rose ne sentait plus le froid. Il y avait beaucoup de monde dans les rues, les gens entraient dans les restaurants et en sortaient, parlaient en faisant des nuages de buée. Leo, tous les dix mètres, tendait le bras, criait « Taxi, taxi ».

Les taxis jaunes passaient et ne s'arrêtaient pas.

On est allés au cinéma, on rentre chez nous. Babou garde les enfants. Bientôt, il va râler parce que, dès qu'il pleut ou qu'il neige à New York, il n'y a plus de taxis.

S'il râle, c'est qu'on va se marier.

– Dès qu'il fait froid, qu'il pleut ou qu'il neige, on ne trouve plus un seul taxi ! On ne va quand même pas marcher jusqu'à chez moi !

Rose se serra contre lui, leva la tête et demanda dans un grand sourire :

– Tu veux que je te porte ?

Il baissa les yeux vers elle, sourit, la souleva, la fit tourner, tourner sur West Broadway, dans les lumières de la ville qui ne dort jamais, la reposa, se pencha. Elle sentit son souffle sur sa bouche et…

Une longue langue de caméléon jaillit, lui percuta les lèvres, pénétra dans sa bouche, descendit dans l'œsophage, traversa le foie, l'estomac, le pancréas, le côlon, l'intestin grêle, le gros intestin, alla se coller sur ses ovaires, s'y enroula, les aspira, les décolla avec la force d'un champion olympique du lancer de marteau.

Et, pour parfaire ce supplice, cette langue qui la fouillait produisait une salive de caméléon, c'est-à-dire quatre cents fois plus visqueuse que la salive humaine. Une salive qui, d'après les chercheurs, allait devenir la colle de demain. Quelques centilitres suffiraient pour fixer une poutre en fer au plafond. Salive qui dégoulinait sur son nez, sa bouche, son menton…

– Ça va, ma petite chérie, cria Rose l'alias. Tu survis ?

– Je vais mourir, gémit Rose la vraie. Et je vais rester collée à lui à vie !

– C'est pas agréable du tout, je dois dire.

– C'est comme embrasser un aspirateur qui crache de la colle ! C'est pas possible qu'on lui ait jamais dit. Toutes les filles avant moi se sont tues ou quoi ? Viens, on se casse !

– Non. On va monter chez lui, j'ai envie de voir où il habite.

– T'es folle ! Il va me bâillonner et me découper le sexe avec des ciseaux à ongles.

– On va être prudentes… Allez, dis oui.

– À condition qu'il ne m'embrasse plus jamais. T'as compris ?

Dans l'ascenseur, Leo lui annonça qu'il habitait au dixième étage. Il semblait très content d'avoir un numéro à deux chiffres.

– Et toi, dans ta résidence étudiante, t'es à quel étage ?

– Au quatorzième.

Il eut l'air contrarié.

– Dixième ou quatorzième, ça revient au même, dit Rose. On a à peu près la même vue.

– C'est ça, pesta Rose la vraie, ménage-le, cet homme si sensible qui t'arrache les lèvres, la bouche, la gorge et les entrailles. Bientôt, tu vas déménager pour habiter au sous-sol ! Au fait… comment s'appelle ce chercheur de l'université d'Arizona qui a étudié la force de la langue du caméléon ? Tu sais, il l'a comparée à celle d'un humain qui transporterait dix kilos de hamburgers sur sa langue ? J'ai oublié...

– Kiisha Nishikawa, répondit Rose l'alias.

Le loft de Leo était impressionnant. Une grande pièce blanche, haute de plafond, avec des poutres en fer noires. Un ancien atelier sûrement. Rose se tassa, soudain devenue minuscule.

– 250 mètres carrés, précisa Leo en posant ses clés sur une console dans l'entrée et en allumant les lumières.

Une simple pression sur un bouton. Et la magie opéra. La pièce s'illumina. Des lampes Pipistrello, Ingo Maurer Poul Poul, des suspensions Tolomeo, George, Galileo, des liseuses Mayfair. Rose connaissait leur nom, leur prix, la qualité des ampoules qu'il fallait utiliser. Quand sa mère avait aménagé son bureau dans sa nouvelle agence, elle avait passé beaucoup de temps à étudier l'éclairage. Elle expliquait que c'était très important. Les acteurs et les actrices, bien éclairés, aimaient leur reflet dans les glaces ou les parois vitrées et signaient sans discuter.

Leo ôta sa parka, Rose aperçut l'étiquette, Canada Goose. Il l'accrocha à côté d'un manteau bleu marine en cachemire et d'un imperméable Prada. Posa la chapka orange sur une étagère sous la console. Et qu'elle y reste ! pensa Rose.

– Au bout du salon, un couloir mène à deux chambres à coucher et deux salles de bains. Voilà, tu es chez moi.

Rose n'arrivait pas à le croire. Cette immensité immaculée, ces grandes baies vitrées, ces canapés profonds comme des piscines et aux murs de très beaux tableaux.

Dans un coin, se dressait un énorme cactus.

– Un *Cereus peruvianus* pour absorber les ondes électromagnétiques. T'as vu la longueur des piquants ? Ça fait peur, hein ? Et là, j'ai des *Crassula ovata*, excellents aussi pour capter les ondes.

– Et les tableaux... C'est toi qui...

– J'ai une copine argentine qui a une galerie à Chelsea. La galerie Praxis. Je t'y emmènerai si tu veux.

Ah ! Il fait des projets avec moi. C'est bon signe.

– J'adore les artistes qu'elle représente, je lui achète des tableaux de temps en temps. Tu connais l'art contemporain ?

– Pas très bien...

Rose se sentait bête, inculte, gourde. Tout l'avantage qu'elle avait tiré de ce premier baiser meurtrier se dilapidait. Elle eut honte de son long manteau beige en fausse fourrure, de son châle rose.

Elle les ôta et se laissa tomber dans un grand canapé bouton-d'or.

– T'as vu comme j'ai ramé pour Fontana ? elle sourit comme pour présenter des excuses.

– C'est un grand. Un très grand. Et Jasper Johns ? Tu connais ?

Elle plongea le nez en avant et marmonna « pas vraiment ».

Elle se le disait souvent : elle n'était pas « assez ». Pas assez raffinée, pas assez cultivée, pas assez intelligente pour se forger ses propres opinions. Il y avait un seul domaine où elle était sûre d'elle, c'était la vie des insectes. Alors là elle était imbattable. Mais ce n'était guère utile dans la vie de tous les jours. Dans l'appartement de Leo, elle avait le sentiment d'évoluer dans un environnement hostile. Tout se dressait entre eux : l'adresse si chic, le loft, les canapés, les tableaux sur les murs, Lucio Fontana et Jasper Johns. Même le cactus la regardait de travers et brandissait ses épines géantes pour la blesser. Elle tendit un bras pour reprendre son manteau et se protéger.

– T'as froid ?

– Euh... non. Euh... oui.

– Je peux te prêter un châle si tu veux... ma mère m'en a apporté deux avant-hier.

Il tendit le bras, posa son index sur le mur, la porte d'un placard s'ouvrit. Il sortit deux couvertures Hermès. Rose se retint de dire, « ah ! c'est un placard ? ». Elle ne voulait pas passer pour Totale Simplette. Il se pencha sur son ordinateur, choisit une liste de musique, la voix de Pavarotti s'éleva, majestueuse, profonde. Rose ferma les yeux, laissa aller sa nuque contre le dossier. Leo plaça un châle sur elle, s'assit à ses côtés, renversa la tête, ferma les yeux aussi. Tous les deux silencieux, recueillis, écoutèrent Pavarotti chanter *Norma*. Sans se toucher, sans se parler. Rose apprivoisait l'appartement, les lumières, les tableaux, le placard caché dans le mur blanc. Le cactus éloignait ses piquants. Le tumulte s'apaisait en elle.

Ils laissèrent passer l'acte I et, au début de l'acte II, Leo posa sa main sur celle de Rose. Il lui proposa un cocktail dont il avait le secret. Le col de son polo était toujours aplati, elle eut envie d'en redresser les pointes. C'était un geste très intime. Ils ne se connaissaient pas assez. Et puis... que représentaient deux pointes de polo ? Qu'elles soient écrasées ou dressées, quelle importance ?

   – Ça m'énerve ! Il a l'air ballot avec ce polo... Pas sexe du tout !

   – Pense à autre chose, dit Rose l'alias.

   – J'y arrive pas ! grogna Rose la vraie. T'as vu comme il me regarde ?

Il la contemplait, paisible, satisfait, plein de ce bonheur nouveau qu'elle lui apportait. Un bonheur dont, elle le devinait, il se sentait propriétaire. Elle lui appartenait. Comme les châles, les tableaux, les cactus. Elle n'aima pas cette idée. Elle regarda sa montre, prétexta qu'il était tard. Elle devait rédiger un rapport pour Lupaletto et l'envoyer dans la matinée. Elle ferait mieux de rentrer.

   – On a dit qu'on ne parlait pas boulot ! il sourit en la prenant dans ses bras.

Sa joue frottait la sienne, sa main allait bientôt toucher son sein, sa bouche se rapprochait de ses lèvres.

   – Tu as raison, elle bafouilla en tournant la tête comme si elle cherchait quelque chose dans ses poches.

   – Tu es sûre que tu ne veux pas goûter mon cocktail ?

   – Il faut vraiment que j'écrive cette note.

   – On se voit demain soir ?

   – Si tu veux...

Mais quelle gourde ! Elle allait devoir subir un deuxième baiser caméléon. Et un troisième, un quatrième… il ne s'arrêterait jamais !

Leo sauta sur ses pieds, remit sa mèche en place, tira sur son pull gris, se dirigea vers l'entrée.

– Je vais nous trouver un endroit super pour dîner demain soir. Tu aimes la cuisine italienne ?

– Oui. Beaucoup.

– Aucune allergie au fromage ou aux poivrons ?

– Non.

– Au gluten non plus ?

– Non plus.

– Rien contre le jambon ?

– Non.

Ce type passait son temps à lui faire subir des interrogatoires.

– Parfait. On ne dit à personne au labo qu'on s'est vus ce soir. Je préfère que ça reste entre nous.

– Moi aussi.

– Je vais descendre avec toi pour te trouver un taxi. Je n'aime pas te savoir dans la rue à cette heure tardive.

– Cela m'arrive souvent, tu sais.

– Mais maintenant, je suis responsable de toi.

Il lui donna une petite caresse de propriétaire sur le nez avec la mâle assurance de l'homme qui s'est battu à mains nues avec un ours.

Voilà qu'il se prend encore pour Charles Ingalls ! Il va empoigner sa carabine, son grand chapeau et m'accompagner. Il tirera sur le premier type qui ne marchera pas droit. On est samedi soir, il y en aura un tas. Je déteste Charles Ingalls. Ses cols sont trop larges, le bord de son chapeau est trop grand, son menton trop mou. Il a un sourire niais.

Il doit baiser comme un pied.

Leo tapotait la paroi en marbre de l'ascenseur avec ses clés. Il examinait Rose comme s'il mitonnait des projets pour le lendemain, les jours suivants et le reste de leur vie.

Il souriait, plein d'avenir. Il arrêta un taxi jaune. Ouvrit la portière à Rose. Donna l'adresse au chauffeur. Ajouta « une minute, s'il vous plaît ». Se pencha à l'intérieur du taxi et posa un baiser léger sur les lèvres de Rose qui avait serré les poings pour le repousser.

– Un baiser de coccinelle ! Il est vraiment gentil, dit Rose l'alias.

– Comment je vais faire ? soupira Rose la vraie. S'il baise comme il m'a embrassée la première fois, je vais finir aux urgences...

– Oublie ! Il a voulu t'impressionner. S'il recommence... tu le guides, tu lui chuchotes de s'y prendre autrement. T'as vu son loft ? C'est encore mieux que dans tes rêves.

– Un peu trop propre, c'est louche.

Rose fit une pause, réfléchit et paniqua :

– Va falloir que je me trouve d'autres fringues !
– Pourquoi ? J'aime bien tes fringues.
– Oui mais… S'il veut me présenter à ses parents ?

Le lendemain, c'était dimanche.

Rose traînait en pyjama dans son studio. Elle s'était lavé les cheveux. Avait eu un mal fou à éliminer la bombe de laque vaporisée la veille. Elle finit de vieux raviolis végétariens, des harengs marinés, un reste de salade de quinoa, jeta un rouleau de printemps écrasé sous le casier à légumes, chercha où était passée la tablette de chocolat achetée dans la semaine – elle cachait toujours le chocolat pour ne pas le dévorer trop vite.

Elle était en train de dévisser le fond du tiroir des produits d'entretien – je l'ai pas mis là tout de même ! – quand elle entendit un branle-bas de combat dans l'appartement voisin, celui de madame Jésus. Des bruits de bottes, de meubles renversés, des ordres hurlés, des cris, des pleurs, des imprécations. Madame Jésus criait « Jésus ! Jésus ! Sauve-moi ». On lui répondait « Ta gueule ! ». Madame Jésus récitait des versets de la Bible, quelqu'un hurlait « Jetez-la à terre et passez-lui les bracelets ! ».

Rose sortit sur le palier.

Steve, le doorman du dimanche, assistait à la scène en se grattant le menton de ses longs doigts aux griffes de rapace.

Rose l'interrogea.

– Elle faisait du trafic de drogue. Ils ont trouvé des dizaines de milliers de dollars sous son lit, des paquets de coke, d'héro et autres substances. Incroyable, non ? Ils étaient sur sa piste depuis longtemps. Ils étaient venus nous interroger, Richie, Sam, Freddy et moi. On n'avait rien à dire. Elle était bizarre, c'est tout. Mais bon... Y a plein de gens bizarres dans cette ville.

Sur son menton, une plaque rouge vif saignait. Une tête de mort dépassait du col de sa chemise et sur son crâne rasé une petite mèche gominée se dressait, étranglée dans un élastique rose.

– On n'est plus en sécurité nulle part..., il soupira.

Madame Jésus sortit du studio, les bras dans le dos, la main d'un flic sur sa nuque. Elle tenta de lever les yeux vers Rose, mais le flic lui donna un coup sec et elle baissa la tête.

Le soir, Rose retrouva Leo devant la trattoria Lavagna. Il lui avait envoyé l'adresse par sms avec un lien pour qu'elle étudie le menu avant d'y aller et un éclat de rire en surimpression.

Il portait un polo noir dont il avait relevé le col, sa parka noire et des baskets noires aussi. Ni chapka orange ni souliers marron. De loin, en plissant les yeux, on pouvait trouver qu'il ressemblait à George Clooney dans la pub Nespresso. Elle eut envie de se jeter dans ses bras. Se rappela le baiser caméléon, se ravisa et s'avança d'un pas qu'elle voulait nonchalant.

Elle choisit la table, il choisit le vin. Il lui demanda si elle avait envoyé son rapport à Lupaletto. Elle répondit que oui mais ne développa pas. Ce n'est pas parce qu'ils dînaient ensemble deux soirs de suite qu'elle allait lui livrer son secret.

Elle avait décidé de garder cette carte maîtresse. En avait dit le moins possible à Lupaletto, avait parlé de l'espoir qu'elle avait de réussir une dilution à très faible concentration, expliqué qu'elle faisait des essais, qu'elle progressait mais qu'il était encore trop tôt pour en parler sérieusement. Elle s'était excusée de ne pas lui avoir donné de nouvelles.

Leo non plus n'en saurait pas davantage.

Rose lui raconta l'histoire de madame Jésus. Ils rirent. Ils enlaçaient leurs doigts, se caressaient les mains. Rose décrivit la scène en ajoutant des voitures de police, des sirènes, une dizaine de flics armés. Elle imita le grésillement des talkies-walkies. Leo l'écoutait en remettant sa mèche en place et en répétant « *really ?* ». Elle le tenait en haleine. Ce soir, elle demanderait l'addition et laisserait un bon pourboire.

Elle appela le garçon, sortit sa carte. Leo fit un petit signe de tête et tendit la sienne. Le garçon l'attrapa en riant.

– Je me vengerai, dit Rose en pointant Leo du doigt. Il prit son index et le baisa.

Un baiser de coccinelle.

Ils descendaient l'Avenue B. Leo fixait le ciel et les étoiles, les pointes noires de son polo toujours relevées. Ses cheveux rebiquaient sur le col. Rose le regardait à la dérobée. Je suis dans un film, elle se disait. Le titre serait *Un couple magnifique à Manhattan.* Il ne pleuvait pas, il ne neigeait pas, les trottoirs étaient dégagés, ils marchaient en direction de TriBeCa comme s'il était entendu qu'elle dormirait chez lui, ce soir et tous les autres soirs. Les filles qu'ils croisaient les dévisageaient. Rose les imaginait parler dans son dos. Sûr qu'elles évoquaient la chance qu'elle avait de sortir avec George Clooney. Parfois il tenait sa main, parfois il la lâchait. Sans raison. Elle se mit à attendre sa main, à apprécier sa chaleur, à goûter la manière qu'il avait de serrer ses doigts. Elle avait dramatisé le baiser caméléon. Il n'était pas cette bête féroce qui lui aspirait les ovaires.

– Pourquoi tu ris ? dit Leo.

– Je pensais à la réflexion d'une amie...

– Dis-moi...

– Je n'ai pas envie de parler. Je suis bien.

Il l'attira contre lui. Elle respira l'odeur qu'elle aimait. Eugénol, citronellol et une pointe de géraniol. Plus tard, quand ils seraient un vieux couple, que les enfants iraient à l'université, elle lui rappellerait l'odeur de son savon. Elle posa la tête sur son épaule, se demanda si elle jouait un rôle. Préféra ne pas répondre. Lui donna un baiser de coccinelle. Il le lui rendit. Ils allaient passer toute leur vie ensemble. Il accrocherait l'étoile au sommet du sapin, étalerait les paquets au pied de l'arbre, pousserait la porte de la chambre, la rejoindrait dans le lit, ferait glisser le drap sur ses hanches, poserait la main sur son sexe, une légère pression et... Rose ressentit un picotement entre les jambes. Un scarabée, un *Coprophanaeus lancifer*, titillait son clitoris de sa grande corne phallique bleu métallisé pendant que les protubérances de son thorax frottaient ses grandes lèvres d'un mouvement ample et rythmé. Son sexe grouillait de sensations. Elle s'appuya contre Leo, murmura « c'est loin encore ? j'ai envie de toi ! ».

Il se gratta la gorge, troublé.

– Tu sais, il dit, la première fois que je t'ai vue, je t'ai trouvée très...

– Attirante ?

– Oui. Je venais d'arriver à Paris. J'avais lu ta thèse, tes articles, j'imaginais une fille sérieuse, austère et... tu étais juste très belle, très parisienne. Avec une retenue assez excitante. Je me suis dit que je n'avais aucune chance, qu'il valait mieux que je te considère comme une collègue.

– Et moi, j'étais tellement absorbée par mon travail que je ne te voyais pas. Tu n'étais qu'une blouse blanche avec deux bras !

– Je m'en suis aperçu ! Et je n'ai rien fait pour que ça change. Même si parfois il m'arrivait de le regretter.

Ils dérivaient sur l'Avenue B, se souvenaient des détails de leurs jours tranquilles à Paris. Parlaient de Kirsten, de Niels, du pot de fin d'année, « tu te souviens, quand je t'ai caressé le dos et que je t'ai appelée Rosa ? », « oui ! », « j'ai adoré te caresser, j'avais envie de recommencer ».

Ils s'étreignaient, s'échangeaient des coccinelles dans le cou, sur le nez, au coin de la bouche. Ils reprirent leur marche, parlèrent encore de Lupaletto, de sa manie de l'appeler « ma petite Rose », de faire des phrases longues, laborieuses, de son fond de pantalon lustré. Ils évoquèrent le dîner à la Taverne alsacienne.

Rose décida de tout lui avouer, mais il la devança :

– Tu devais être fatiguée ce soir-là parce que tu es partie très vite. Tu n'as pas dit au revoir ni rien. J'étais surpris. Et puis, j'ai compris !

Rose le regarda, intriguée.

– Tu as compris ?

Elle voulait dire « tu as compris quoi ? » mais omit le pronom interrogatif, ce qui donna une phrase laudative, oh là là tu as réussi à deviner ! Leo s'attribua aussitôt la louange :

– J'ai compris que tu avais eu un petit problème féminin. Enfin, tu sais, quoi… Et que tu avais préféré partir sans expliquer. J'ai trouvé cela très élégant. J'avais raison ?

– Euh oui… J'étais très gênée.

– Je suis désolé de te l'avoir rappelé. Excuse-moi.

– Non, non… ça va.

– Je suis fin psychologue, hein ?

– Quelle délicatesse ! Quelle générosité ! s'émouvait Rose l'alias.

– Et quel fin psychologue ! se moqua Rose la vraie.

– T'es vraiment méchante ! Réfléchis un peu, tu es peut-être tombée sur la perle rare. Un homme sensible et fort. Masculin et féminin. L'homme idéal…

– Arrête ! Le prince charmant *is dead* !

Ils riaient en descendant Broadway, ils riaient en traversant Little Italy, ils riaient en tournant à droite, ils riaient appuyés au feu qui clignotait orange sur Church Street. Rose eut envie d'appeler Babou, de lui dire qu'elle était la fille la plus chanceuse du monde et qu'elle n'était plus jalouse d'Adama. Elle lâcha la main de Leo, courut jusqu'au coin de la rue, se cacha à côté d'une poubelle et d'une poussette d'enfant déglinguée, attendit qu'il la trouve. Son cœur battait jusque dans ses oreilles. Il allait la plaquer contre le mur, enfoncer son genou entre ses jambes, la bâillonner, la mordre. *Wild, wild, wild*, scandait son corps. Le scarabée *Coprophanaeus lancifer* lui dévorait le sexe. Leo passa à côté d'elle sans la voir, il continua à marcher en sifflotant « Rosa, Rosa, où es-tu ? ».

Elle courut le rattraper.

Rose accrocha son manteau beige en fausse fourrure et son châle rose dans l'entrée. À côté du manteau en cachemire et de l'imperméable Prada.

Leo lui proposa son cocktail, celui qu'il faisait si bien.

– Tu veux savoir ce qu'il y a dedans ?

– Je te fais confiance.

– Je pourrais te droguer si je voulais. Je te l'ai pas dit mais je suis le chef du réseau qui employait madame Jésus.

Rose se laissa tomber parmi les coussins du canapé. Elle se lissa les cheveux et tira sur le bas de son jean. Il lui fallait apprivoiser le luxe, la beauté impeccable du loft. C'était plus intimidant que tous les trafiquants du monde.

– Ha, ha ! elle dit, distraite, pour lui donner la réplique.

Le tissu du canapé jaune bouton-d'or était finement cloqué, dessinant de larges fleurs en surimpression. Pas une tache, pas un grain de poussière. Peut-être qu'il n'habitait pas là ?

– C'est moi, le grand patron. N'oublie pas que je suis cubain et que Cuba est une plaque tournante du trafic de drogue. Comment crois-tu que j'ai payé ce loft? Je t'ai raconté l'histoire de mon père chirurgien à Cuba. Tu l'as crue...

– Je meurs de peur..., dit Rose en lui tirant la langue.

Et aussitôt elle pensa, c'est peut-être pour cela qu'il voyage tout le temps? Les recherches sur la luciole ne sont qu'un alibi. Il tue des gamins et prostitue des filles.

Il lui tendit un verre, elle le but. Se lécha les lèvres. C'était fruité, acidulé, ça sentait la mandarine, le cassis, l'orange.

– Mmmm... J'ai l'impression d'avoir avalé un bison sucré!

Elle tendit le bras, en réclama un autre.

En but deux, trois, quatre. S'étira dans le canapé.

Fit sauter une, deux chaussures. La tête lui tournait.

Qu'attend-il pour m'emmener dans son lit? S'il tarde trop, je vais m'endormir. Au cinquième verre, je me lève et fonce vers sa chambre.

Au cinquième verre, elle se leva.

Leo la rattrapa par la main. Les pointes de son polo noir enca-draient sa fossette, son menton, sa bouche.

– Tu cherches les toilettes?

Rose le dévisagea. Qu'est-ce qu'il est beau! elle pensa.

Et elle tomba dans ses bras.

La chambre à coucher était aussi belle que le reste de l'appartement. Des tableaux étaient posés par terre contre le mur, une sculpture composée de deux lames de bois enlacées, signée Maguy Seyer, montait jusqu'au plafond, le lit était immense, les lumières douces. Il la prit dans ses bras. Elle se serra contre lui, poussant ses hanches contre ses cuisses, passant ses bras autour de sa taille. Elle aima se sentir toute petite. Il lui effleura les cheveux, murmura « tu es belle ». Elle dit « merci ». Voulut savoir s'il était sincère, se pressa contre lui jusqu'à ce qu'elle sente son sexe en érection. Il la relâcha, étendit un bras, cherchant un interrupteur près du lit. Il tâtonnait, tâtonnait, elle se dit qu'il n'était pas chez lui, que c'était l'appartement d'un copain. Il y avait une bouteille de whisky sur la table basse et un paquet de cigarettes.

Leo ne fumait pas.

– Arrête, protesta Rose l'alias, tu vas tout faire foirer ! Peut-être qu'il allume une cigarette et se sert un whisky de temps en temps...

– Ok, mais c'est bizarre tout de même...

Rose revint à Leo, au polo noir aux pointes toujours dressées. Il était assis au bord du lit, défaisait son pantalon, la boucle de sa ceinture brillait dans la pénombre, une belle boucle argentée avec un ardillon de métal qui pointait tel le dard d'une abeille. Le polo formait dans le dos une poche kangourou. Il ôta ses chaussures en s'aidant de la pointe du pied, se souleva pour faire descendre son pantalon. Rose préféra ne pas regarder. Elle se glissa sous les draps, se déshabilla en se tortillant. Ôta son chemisier blanc, son jean noir, dégrafa son soutien-gorge, le posa près du lit. Voilà, je suis prête, elle se dit en gardant les mains sur ses seins. Prête pour quoi ? Je ne sais pas. Et puis d'abord… qu'est-ce que je fais dans cette chambre ? C'est trop tard pour partir.

– Laisse-toi aller ! gronda Rose l'alias.
– Je vais essayer…

Leo était nu, mais Rose ne voulait pas le savoir.
Leo rampait sur les coudes, mais Rose ne voulait pas le voir.
Leo se dirigeait vers elle. Pas son problème !
Leo se posait sur elle. Nu sur nue.
Leo touchait ses seins. Rose eut l'impression qu'il cherchait toujours l'interrupteur et se raidit.
Leo essayait d'atteindre sa bouche. Rose poussa des petits gémissements pour le distraire, le faire changer d'itinéraire, qu'il pense, elle ne peut pas gémir ET m'embrasser à la fois… je vais laisser tomber le baiser et la lutiner ailleurs.
Ce n'est pas la tactique qu'il choisit. Il se hissa jusqu'à la bouche de Rose, prit sa mâchoire en étau, la maintint entre ses doigts…

Comme chez le dentiste. « Ne bougez pas, Rose, c'est juste une piqûre, c'est désagréable, mais ça ne fait pas mal. »

… Enfonça sa langue, descendit dans la gorge, reprit le même trajet que la première fois, traversa le foie, l'estomac, le pancréas, le côlon, l'intestin grêle, le gros intestin, se colla sur ses ovaires, les aspira, les décolla en émettant un flot de salive visqueuse qui coula sur le menton, le cou, la poitrine de Rose. Il devait être si fier de ce baiser caméléon qu'il le reproduisait à l'identique.

Rose se rebiffa.

– Ah non ! Pas comme ça ! elle cria en s'essuyant la bouche.

Leo redressa la tête, surpris, gluant de salive.

– T'aimes pas ?

– Non.

Il se rembrunit, retomba sur le dos. Tout le monde aime les baisers de Leo Zackaria, sauf cette petite péteuse de Rose Robinson, il devait penser.

– Tu veux que je t'embrasse comment ? il demanda, piqué au vif.

– Tu me fais mal.

– C'est idiot. Un baiser est un baiser.

– Un baiser, c'est pas un massacre.

– Parce que je te massacre ? il s'écria, outré.

– Oui. Parfaitement.

Cela faisait un moment que le *Coprophanaeus lancifer* avait plié bagage.

Leo remonta le drap sous son menton et se transforma en sarcophage. Le silence dans la chambre devenait pesant, ils allaient finir par n'entendre que lui. Au loin passa un camion de pompiers. Puis un autre. Suivis d'une ambulance, et d'une autre. Un concert de sirènes qui crevait les oreilles. Rose imagina une grande échelle venant la sauver, un pompier ardent, musclé, la soulevant, nue, dans ses bras. Sa veste en cuir, ses gants râpeux, ses lourdes bottes. Elle roula sur le côté. Posa un pied à terre.

Balaya le sol pour repérer son slip. Un slip Dior qu'elle mettait pour les grandes occasions et qui avait coûté une blinde, assorti au soutien-gorge. Elle les lavait à la main avec une lessive spéciale qui coûtait une blinde aussi.

– Montre-moi comment tu veux que je t'embrasse ! lui lança Leo comme un défi en rejetant ses bandelettes de pharaon.

– J'ai jamais donné de leçons !

– Apprends-moi, Rose. Je voudrais tellement que ça marche entre nous. Arrête de bouder.

– Je boude pas.

– On fait la paix ?

– Accepte, dit Rose l'alias.

– J'ai plus envie du tout. Je veux rentrer chez moi. Avec le pompier.

– Allez ! Un dernier effort…

Rose se força à sourire. Se rapprocha de Leo. Posa un doigt sur sa bouche. Fit glisser le doigt sur la courbe des lèvres, les commissures, l'ourlet du bas. Oh oui ! Je voudrais tant un baiser chaud, velouté, un long baiser tranquille, qui prend son temps, qui rassasie, intrigue, qui donne et se retire, appuie un peu pour promettre, fait naître un frisson des reins jusqu'à la tête, un bon baiser bien donné, avec une autorité tranquille, parfois furieux, parfois peureux, et moi, tiède, frissonnant sous la vague, immobile, ne sachant quand elle va casser, quand je vais être emportée. Un baiser qui chavire. Qui renverse et me jette, chaude, soumise, contre la bouche de celui que j'ai choisi pour faire la guerre. La délicieuse guerre des corps qui se désirent.

Rose prit une profonde respiration.

– Je te dis comment, moi, j'aime qu'on m'embrasse ?

Leo opina.

– Tu commences par des petits baisers légers, doux, appuyés, pas appuyés. Tu doses pour voir. Tu joues avec ma bouche. Comme si c'était un bonbon. Tu vois ?

Il écoutait, sérieux, grave, et elle fut émue.

– Tu me fais attendre. Tu n'enfonces pas ta langue tout de suite comme pour boucher un trou. Tu essaies de savoir ce que j'aime. Je te réponds par des gémissements qui te renseignent. Je te caresse, on progresse, on fait connaissance, on apprend l'autre, et puis, tu pénètres dans ma bouche et quand je suis bien excitée, tu peux faire tout ce que tu veux... absolument tout ce que tu veux !

– Comme ça ?

Leo parcourait les lèvres de Rose, donnait des petits coups de langue, des petits coups de lèvres. Mordillait, caressait, léchait. Rose gémit pour lui montrer qu'il était sur le bon chemin. Elle resserra les bras autour de son cou, se frotta contre lui, chuchota « mmm, c'est bon... ». L'encourageant à continuer. Un début de plaisir chauffait ses reins, ses seins. Elle commençait à bouillonner.

Leo s'arrêta net et demanda :

– Tu aimes ?

– Mmmmoui..., elle ronronna en exagérant un peu.

Elle gardait les yeux mi-clos pour retenir le plaisir.

– Parce que je voudrais être sûr de bien m'y prendre… Tu me tapes sur l'épaule si ça va pas, d'accord ?

Rose grogna. Son corps se glaça, hurla « oh ! noooon » mais elle se tut.

Il fallait tout recommencer.

Elle n'était plus sûre d'avoir envie. Elle avait l'impression d'être un chien de berger dans les alpages qui surveille le troupeau. Bientôt elle allait aboyer. Elle pensa aux montagnes, à la neige, aux refuges, au vin chaud. Elle n'avait jamais fait de ski.

Si, une fois…

Ils avaient loué des skis, des bâtons, des chaussures. Avaient pris le remonte-pente. Paul avait descendu une piste et déchaussé. « C'est pas pour moi ! Vas-y, toi. Je t'attendrai en terrasse. J'ai plein de livres à lire. » Il l'attendait dans les restaurants d'altitude. Il y avait trop de jolies filles autour de lui. Elle avait déchaussé, un peu déçue.

Mais il y avait les nuits…

Et ça changeait tout.

Émoustillé par sa bonne note en baisers, Leo avait pris de l'assurance et attaquait les seins.

– Tu aimes comme ça ? il demanda en tournant le bout d'un sein dans un sens comme s'il donnait un tour de clé dans une serrure.

Rose se sentit incapable de répondre, partagée entre l'envie d'éclater de rire et l'envie de partir. Leo dut prendre son silence pour de la réprobation car il proposa une autre solution :

– Et comme ça ?

Il tourna le bout du sein dans l'autre sens.

Rose se retenait de pouffer.

Leo enfonça un doigt pour voir si elle mouillait.

Rose pensa à un thermomètre et se figea.

Elle s'imagina dans l'arrière-boutique de monsieur Jean-Claude, suspendue à un crochet, ligotée, bâillonnée, les cuisses écartées. Monsieur Jean-Claude l'exhibait à un client afin d'en obtenir le meilleur prix. Il faisait l'article. La ceinture de Leo en main, la boucle lui rayait les seins, le cuir lui zébrait le ventre, les fesses. Un doigt s'enfonçait en elle. Il prenait un téton, pinçait, tournait, ça faisait mal, mais c'était bon. Rose eut un afflux de sang dans le corps, son sexe se gonfla, crépita. Le scarabée, *Coprophanaeus lancifer*, revint à toute allure et lui mordit le clitoris.

Elle hurla de plaisir.

Leo la contemplait, incrédule.

Il passa sa main entre les jambes de Rose pour vérifier si ce n'était pas du chiqué. Il retira ses doigts, satisfait.

Alors, ivre de toute-puissance, persuadé d'avoir compris la méthode du coït réussi, il se jeta sur Rose, lui roula dessus, la palpa, la pétrit, la tourna, la retourna en émettant des petits cris, stridents, aigus, très aigus, qui ressemblaient au chant du grillon mâle *Lerneca* lorsqu'il cherche une femelle pour s'accoupler. Tout en stridulant, le mâle tourne sur lui-même, saute, bondit, se lance dans une course éperdue pour démontrer sa force et sa vaillance. Leo aussi. Il lançait un bras, une main, claquait un sein, levait une jambe de Rose, levait l'autre, écrasait un mamelon, frappait ses fesses, « t'aimes ça, hein ? t'aimes ça ? ». Il ne se retenait plus. Il la pliait, la dépliait tel un canapé convertible.

Elle décida d'en finir au plus vite.

Elle le prit par les épaules. Ordonna « baise-moi ».

Il la regarda, les yeux allumés, s'exclama « ah ! t'es une belle salope, toi ! Putain ! Je vais te baiser ! Mais te baiser ! », se pencha pour atteindre le tiroir d'une table de nuit, attrapa une capote, déchira l'enveloppe d'un coup de dents. S'encapuchonna. Il avait les épaules qui tombaient, des poils sur le dos, des poils sur les bras, des poils jusque dans le cou.

Rose regarda sa montre, 23 h 28.

Leo se retourna, les lèvres luisantes, sa mèche barrant son nez, la main sur son pénis plastifié, le portant tel un trophée. Il ne se sentait plus de joie. Il progressait vers elle, répétant qu'il allait la baiser, qu'elle allait voir ce qu'elle allait voir, qu'il était dur, dur, et qu'il allait la lui mettre, et profond.

Pourquoi le vocabulaire érotique est-il si limité ? se demanda Rose, attristée. Soudain, les forces lui manquèrent, elle tomba dans le vide. Malheureuse. Désemparée. Dépossédée d'un rêve ancien où elle volait dans le ciel, un homme à ses côtés. Ils planaient, libres, forts, heureux, agitant leurs grandes ailes blanches. Elle ne savait plus exactement quel était ce rêve, elle avait oublié. Il allait lui manquer. C'était terrible qu'on le lui volât ainsi.

Dans la pénombre de la chambre, Rose lança à Leo un regard misérable, un regard de bête qu'on mène à l'abattoir. Elle aperçut son air fanfaron, ha, ha! il l'avait fait jouir, il l'avait fait se tordre de plaisir, elle ne pouvait pas dire le contraire, il l'avait entendue rugir. Elle allait moins faire la fière, maintenant.

Il lui mit son pénis sous le nez.

Un drôle de sexe. Recourbé au bout. Un pénis instrument de cuisine, qu'on peut accrocher au-dessus de l'évier à côté d'une louche. Ou d'une passoire. Mais pour quoi faire?

Il essaya de le lui fourrer dans la bouche, elle refusa.

Il le lui planta dans la main. Elle le prit du bout des doigts. Le branla un peu. En fermant les yeux. Il fit *tsst-tsst* en sifflant entre ses dents. Il n'était pas satisfait de sa prestation. Elle empoigna son sexe, l'introduisit dans son vagin, il s'engouffra en répétant « tu aimes ma bite, hein, ma salope? Tu aimes ma bite!».

Bientôt il va me brandir comme un lasso, sauter sur son cheval et partir au galop. Je me laisse faire. Je me déteste. Il me dégoûte. Je nage dans un océan de vomi. Qu'on en finisse, mais qu'on en finisse!

Elle regarda sa montre du coin de l'œil, minuit moins vingt.

Il la soulevait, la posait sur lui, la passait entre ses jambes, la retournait, l'inclinait, l'aplatissait, finit par se coucher sur elle en bon père de famille, bien calé sur les coudes. Il poussa son bassin, une, deux, trois, poussa encore, quatre, cinq, six… émit des râles, des soupirs, des prières à Dieu le Père, *Oh my God! oh my God!* suivis de voltes, de demi-voltes, de ruades et s'affala sur elle comme un cheval mort en bavant des litres d'écume.

Merci beaucoup !

La prochaine fois, j'apporterai un seau et une serpillière.

Qu'est-ce que j'ai dit ?

Il n'y aura pas de prochaine fois.

Je n'y survivrais pas.

Comment peut-on appeler les femmes « le sexe faible » ?
Aucun homme n'endurerait un tel traitement.

Quand tout fut terminé, que Leo gisait, essoufflé, sur le dos en
se grattant le ventre, répétant « c'était bon ! mais c'était bon ! »,
Rose se dégagea et se prépara à partir. Il lui fallait s'éclipser sans
éclat.

S'esquiver. Et ne jamais revenir.

Dans ce lit.

C'est le moment que choisit son téléphone pour sonner. Rose
sauta sur son portable comme sur une bouée de sauvetage.

C'était sa mère. Elle était arrivée le matin même à New York
et sortait d'un dîner avec les producteurs américains.

– Ce n'est pas trop tard pour t'appeler ?

– Euh… non !

Rose parlait tout bas afin que Leo n'entende pas.

– Je me suis dit que si tu dormais, tu aurais coupé ton téléphone… Alors voilà, je suis arrivée, pardon nous sommes arrivés,
William et moi. Nous sommes au Mercer, tu avais raison, les
chambres sont très belles. William est très content.

– Je peux te rappeler dans un quart d'heure ? chuchota Rose.

– Je vais me coucher. Je tombe de sommeil. Le dîner n'en finissait pas... et le décalage m'a rattrapée. Demain matin ?

– D'accord.

– Attends ! J'ai plusieurs rendez-vous mais on trouvera bien un moment pour... Tu travailles encore à cette heure ?

– Oui.

– Quelle brave petite fille !

– Merci, maman, merci.

Tu m'as sauvée, pensa Rose.

Elle raccrocha, reposa son téléphone, aperçut un truc trouble, visqueux, dans les poils du tapis berbère, noir et blanc. Elle se pencha. La capote dégorgeait à deux centimètres de son portable.

Rose attrapa son slip Dior, son soutien-gorge Dior, se rhabilla à toute vitesse, expliquant à Leo, « c'est ma mère, elle vient d'arriver à New York, je vais aller prendre un verre avec elle ».

– À cette heure ?

Il se pencha, regarda sa montre.

– Minuit moins cinq... J'avais très envie de dormir avec toi. J'avais acheté des croissants au Pain Quotidien.

– Une autre fois, sourit Rose en croisant les doigts dans son dos.

Babou lui avait appris à croiser les doigts quand elle mentait afin que Dieu lui pardonne.

– Elle reste longtemps, ta mère ?

– Quatre, cinq jours. Je sais pas exactement.

– C'était si bon, ma chérie. Tu es une vraie tigresse. Tu caches bien ton jeu. Fais-moi un dernier câlin avant de partir.

– Je peux pas. Elle m'attend…

Rose sourit, ouvrit les paumes en haussant les épaules comme si elle regrettait de devoir partir si vite. La main de Leo passait, repassait sur son bras, il enfonçait ses ongles, imitait le tigre féroce, retroussait ses lèvres, ses doigts descendaient entre ses cuisses, griffaient son sexe à travers le jean, la forçaient à écarter les jambes. Rose ne bougeait pas. Paralysée.

Je me laisse faire, je ne dis rien! Réagis, ma vieille. Bouge! Bouge!

Elle se dégagea, quitta le bord du lit, fit un petit signe de la main qui signifiait à bientôt, un petit sourire qui ne signifiait rien du tout et lança :

– De toute façon on se voit demain, non?

– Oui, dit Leo avec une moue de bébé repu.

Il se laissa couler sous les draps comme dans un bain chaud. Étendit un bras mou, demanda :

– Ça t'ennuie si je ne descends pas avec toi chercher un taxi?

– Pas du tout.

– Je crois que je vais dormir. Allez! *Take care**. Éteins les lumières dans la grande pièce. J'ai la flemme de me lever. T'as vu où était l'interrupteur général?

---

* Fais attention à toi!

– Pas de problème.

– Au revoir, ma chérie. Claque bien la porte !

Rose marchait vers SoHo. Elle avait remonté le col de son manteau et le tenait à deux mains. Elle aperçut le feu clignotant sur Church Street. Trois heures auparavant, à ce même endroit, elle avait eu envie d'appeler Babou et de lui crier son bonheur. Elle fit la grimace, souffla sur ses doigts gelés.

Elle avait oublié ses gants chez Leo.

Et si c'était ça, le résumé de ma vie sentimentale ? Compter mes gants perdus, marcher à une heure du matin dans des rues vides et menaçantes après avoir servi de Rubik's Cube à un homme ?

Bed bug, bed bug.

Elle eut envie de pleurer.

Mais pas de larmes.

Le vent soufflait des courants d'air glacé dans ses cheveux, sur ses oreilles, brûlait de froid le bout de son nez. Un type à vélo remontait West Broadway en sens interdit, de gros écouteurs sur les oreilles. Il hurlait dans la nuit « Searching for a Heart of Gold » de Neil Young. Les voitures faisaient des embardées, klaxonnaient. Un chauffeur de taxi baissa sa vitre, « *get the fuck* *out of the road, fucking douche bag** ». Le cycliste tourna à gauche et disparut. Un couple traînait devant Rose. Le type portait un casque de moto à la main, il s'arrêtait devant chaque vitrine éclairée, détaillant les pantalons, les chemises, les boots, les ceintures. La femme attendait en agitant des clés. Elle le tirait par la manche, « allez, viens! J'ai sommeil, moi ». Il la suivit à regret, la tête tournée vers une veste en fourrure cintrée à gros boutons noirs.

Ils vont s'endormir ensemble, pensa Rose.

Quelque part dans le monde, à cet instant précis, s'endort ou se réveille un homme qui sera mon amant, mon amour, mon ami, qui me présentera Jasper Johns, me couchera dans un grand lit et m'étonnera. J'aurai des enfants avec lui, des Lego, un chien noir et gris, des orgasmes à minuit.

Comme on l'avait décidé au chalet.

Au dernier étage qu'on avait loué en Airbnb. Paul finissait d'écrire le script de son documentaire, l'histoire d'Ernest, un enfant autiste, brillant. Je rédigeais ma thèse de troisième cycle. On ne skiait plus, on ne sortait plus, on commentait les faits et gestes d'Ernest, la vie des insectes, enroulés dans nos couvertures. On mangeait du pain, du chocolat, de la confiture de mûres. On parlait de ce qu'on ferait plus tard. On n'avait pas peur, on était téméraires. Il se penchait sur moi, m'embrassait après deux minutes de lutte où j'avais fait semblant de résister, il avançait, il

---

* Casse-toi, sac à merde !

reculait, et quand je me jetais sur lui, sa bouche se refusait. Il fallait l'écraser pour qu'elle m'écrase…

Est-ce que je l'ai aimé ? Je crois bien que oui.

Babou et lui, c'est maigre comme butin. Je dois me faire une raison, je suis comme les fourmis, je ne sens rien. On leur arrache les pattes, elles demeurent imperturbables.

Moi aussi.

Ce n'est pas vrai, quand on me tirait sur les bras, sur les jambes… je disais que ça me faisait mal.

Rose pila net devant le Broome Street Bar sur West Broadway.

– Qui me tirait sur la jambe ? elle demanda à haute voix, cherchant l'ennemi.

Une séquence de petit film flou en noir et blanc passa dans sa tête. Elle était couchée sur un tapis, un homme manipulait sa jambe, la faisait passer sur le côté, mettant en évidence ses fesses nues, ses cuisses nues. Pour la disposer ? l'opérer ? la déplacer ? Une chevalière brillait au petit doigt de la main d'un autre homme qui donnait des ordres, assis dans un fauteuil.

Rose eut un vertige. S'appuya contre la vitre du bar. Renversa deux mugs de café posés sur le rebord. Un nouveau morceau de puzzle venait de se mettre en place.

Il était 2 heures du matin à New York, 8 heures à Paris. Elle n'allait pas déranger docteur M.

Ce foutu décalage horaire !

Elle décida d'aller faire un tour au labo.

Après sa conversation avec Big Denise, Rose avait concocté un milieu à base de levures, de sels minéraux, de farine de maïs, d'agar-agar, auquel elle avait ajouté de la Lucioline et un extrait de régurgitation d'ouvriers termites. Elle avait placé le mélange dans un tube en verre et les larves de mouches par-dessus. Dans un second tube, elle avait glissé le milieu habituel et les mouches, sans Lucioline ni vomi de termite. Elle attendait de voir si les mouches du tube 1 vivraient plus longtemps que les mouches du tube 2. Selon Big Denise, le vomi d'ouvrier était censé arrêter le processus de vieillissement. Chaque nuit, à tour de rôle, Rose et Big Denise se rendaient au laboratoire et observaient l'évolution des tubes. Il pouvait se passer quelque chose à n'importe quelle heure du jour ou de la nuit et elles ne voulaient pas manquer l'événement. Pour le moment, elles n'avaient noté aucune différence entre les éprouvettes. C'était normal. À 25 degrés Celsius, une mouche vivait environ soixante-dix jours (quarante-neuf jours à 29 degrés et cent quarante jours à 18 degrés). Il leur faudrait attendre. Rose était impatiente. Il s'était produit un miracle une fois, il pouvait s'en produire un autre. Depuis son résultat à un millionième, Rose croyait à la sérendipité.

Elle sortait de Washington Square et approchait de la fac lorsqu'elle entendit des bruits. Cela provenait du campement des anti-Wall Street. Elle continua à avancer, accentuant sa démarche et la pesanteur de ses pas. C'était un truc qu'elle avait mis au point pour décourager un éventuel agresseur : elle marchait comme un homme, les épaules carrées, les poings serrés dans les poches.

Elle passa devant les corps allongés sur le trottoir, emmaillotés dans des sacs de couchage. Un homme s'était levé et titubait, vêtu d'une veste et d'un pantalon en treillis, un bandeau noir sur la tête. Il tenait une lampe de poche, balayait le ciel, le trottoir. Les poils de sa barbe collés par le froid dessinaient des sillons glacés qui brillaient dans la nuit. Ses cheveux ruisselaient de gras ou d'eau, Rose ne savait pas.

Elle ne vit pas venir le danger. Elle pensa que l'homme voulait aller pisser au coin de la rue. Elle s'effaçait pour le laisser passer quand elle sentit un poids s'abattre sur elle. Elle fut déséquilibrée. Sa tête heurta le sol, sa bouche s'écrasa sur le bitume, elle porta la main à sa tête pour se protéger. L'homme était couché sur elle et la bourrait de coups de poing. Elle entendit des bruits de pas. Un autre individu s'approchait. Elle ferma les yeux, se recroquevilla.

Chose étrange : elle n'avait pas peur, elle attendait que ça passe, comme si l'orage était prévu, obligatoire. Elle vit s'approcher une semelle de chaussure et se dit qu'elle allait être massacrée. Elle leva le bras. La semelle s'arrêta à quelques centimètres de son visage. Elle entendit une voix qui hurlait « *Fuck off, fucking asshole* * ! ». Cette voix lui était familière. Elle craignit de se relever. Préféra rester à terre. Il y eut un échange de coups sourds, de cris, de jurons. Une main s'abattit sur elle, l'empoigna, la souleva. Elle se retrouva enfermée, à l'abri, dans des bras.

---

* Fous le camp, espèce de trou-du-cul !

Elle se laissa aller contre celui qu'elle appelait déjà son sauveur quand elle le reconnut : c'était Sergueï.

Il la déposa à l'intérieur du bâtiment. Sortit un Kleenex de sa poche, le lui tendit.

– Il est froissé mais propre. Je veux dire qu'il a pas servi.

Rose fit signe que non, elle n'en avait pas besoin, elle ne saignait pas. Elle s'essuya la bouche du revers de sa manche, cracha des gravillons, se rajusta, reprit son souffle.

– C'est pas une bonne idée, Frenchie, de traîner dans les rues la nuit.

– J'ai pas peur.

Elle avait croisé les bras sur sa poitrine et le jaugeait avec défiance.

– C'est pas un reproche, il dit, accroupi à ses côtés. Simplement je ne serai pas toujours là pour te sauver.

– Me sauver ! elle ricana.

– Laisse tomber…, soupira Sergueï.

Rose se tordit la bouche et marmonna :

– Merci.

– Faut pas te forcer. J'ai pas fait ça pour être récompensé.

– Ben… C'est que… je te voyais plutôt dans le rôle de l'agresseur.

– J'ai compris. Pas besoin de me faire un dessin. Je vais aller bosser.

– Sur les papillons ?

– Sur les rythmes circadiens de la production de phéromones des papillons mâles. Je fais des prélèvements toutes les heures, jour et nuit, pour voir si la production est la même. Je suis spécialiste des phéromones aphrodisiaques, tu te rappelles ?

– Oui. Et ça m'étonne pas de toi.

– Je m'intéresse aussi aux anti-aphrodisiaques. Sur un tout autre insecte. En fait, je travaille sur deux sujets différents.

– Comme tout le monde, ici.

– Je veux trouver un produit contre les punaises de lit. Il y a une recrudescence terrible en ce moment. Et un marché s'ouvre. Il se frotta les doigts en plissant les yeux, « *money-money* », voulait-il dire.

– Tu parles des punaises mâles qui sautent tout ce qui bouge et peuvent baiser plusieurs femelles par copulation extragénitale ?

– Exact. Elles avaient disparu. On s'en était débarrassé à coups d'insecticide. Depuis cinq, six ans, elles reviennent. Résultat : les habitats en sont infestés. Les hôtels aussi. Les clients se font mordre, ils ont des boutons aussi larges que la paume d'une main. Ils font des procès, demandent des dédommagements. La plupart des hôtels paient pour étouffer le scandale. Ils cherchent à lutter contre ces bestioles. C'est pratiquement impossible.

– Si. En jetant les meubles, en décollant le papier peint, en brûlant les vêtements...

– Ou en mettant au point un anti-aphrodisiaque qui inhibe les mâles, les empêchant de forniquer, donc de se reproduire.

– Faudrait faire ça pour les hommes aussi.

– Tu veux dire pour les mecs comme moi ? dit Sergueï en se claquant la cuisse.

– J'ai pas dit ça.

– Tu l'as pensé. T'aimes pas les mecs ou quoi ?

– Si. Mais pas les gros machos qui avancent la queue à la main.

– T'aimes les hommes doux, gentils, raffinés... Les tapettes, quoi !

– T'es vraiment con. J'aime les mecs qui me respectent. Quand il y a du respect, on peut tout faire. Respect, tu sais comment ça s'écrit ?

– Ok, Frenchie, j'ai compris. La prochaine fois que je veux te sauter, j'enfile des gants blancs...

– Toi et moi ? Même pas en rêve !

– *Never say never.* On peut être attiré par quelqu'un qu'on déteste. La vie nous joue des tours parfois.

Il agita ses doigts en l'air et se dirigea vers l'ascenseur. Rose eut envie de lui dire de ne pas le prendre, mais elle se tut. Elle le préférait prisonnier dans une cage qu'errant dans les couloirs. Il mima deux pas de danse, se retourna, refit deux pas de danse et lança :

– Hé... Frenchie ! Tu connais l'anagramme de luciole en français ? C'est un Québécois qui me l'a dit hier. Je parlais de ton travail, il bosse lui aussi sur des lucioles, mais pas les mêmes que toi...

Il se mit à rire très fort. Son rire emplit la cage d'escalier, rebondissant d'étage en étage. Mais il ne réveilla pas le veilleur de nuit qui devait ronfler dans une pièce voisine, des bouchons dans les oreilles.

– Il m'a dit que l'anagramme de luciole, c'était... couille.

Il s'inclina, la porte de l'ascenseur se referma.

Rose s'écria malgré elle :

– Fais gaffe. Il tombe tout le temps en panne...

L'ascenseur s'ébranla. Rose prit l'escalier et commença à monter.

Tête de con, ce Sergueï! Il n'avait pas tort au sujet des punaises. Le mâle est une sorte de violeur en série qui perfore la femelle n'importe où sur la carapace avec son pénis en forme de clou. La femelle se retrouve enceinte du cou jusqu'au genou et pond des centaines de larves. Cela explique qu'elle se reproduise à si grande vitesse. Cette punaise est une suceuse de sang qui a commencé il y a longtemps par ponctionner les chauves-souris et qui, ayant goûté à l'homme, ne peut plus s'en passer. De nuit, sournoisement, elle se pose sur un dormeur, choisit un point, le suce avec entrain, puis passe à un autre jusqu'à ce que, repue, aux premières lueurs du jour, elle se retire dans un coin de matelas et digère son festin.

Rose entendit un bruit de ferraille, une, deux, trois secousses, et l'ascenseur s'arrêta dans un hoquet.

Elle rejoignit Sergueï entre le cinquième et le sixième étage. Le bouton d'appel clignotait, les portes en inox restaient bloquées.

– Pourtant j'appuie! J'appuie! disait Sergueï.

– Je te l'avais dit! Je monte toujours à pied, moi.

– Mais toi, tu es intelligente, alors que moi, je suis un gros con.

– Je vais finir par te trouver sympathique.

– Te réjouis pas trop vite... Ça m'est déjà arrivé, il va redémarrer.

– Je peux faire quelque chose pour toi? Comme ça on sera quittes.

– Et tu ne seras plus obligée de me parler ? C'est ça ?

– En gros, oui.

– Dis-moi un truc, Frenchie… T'es toujours aussi dure avec les mecs ?

– Tu te rends compte comment tu traites les femmes ?

– Tu t'es déjà laissé attendrir par un homme ?

– Si tu savais…, soupira Rose.

– J'ai pas entendu ! il cria.

Rose se reprit aussitôt. Elle venait de faire un début de confidence à un type qu'elle détestait.

– Frenchie, tu as déjà dit à un homme que tu l'aimais ?

Rose ne répondit pas.

– C'est bien ce que je pensais… Et un type t'a déjà proposé de l'épouser ?

Rose s'étrangla.

– T'es malade ! Tu crois que je vais te faire des confidences ?

– Tu l'as envoyé chier, je parie. À tous les coups, tu l'as envoyé chier…

Un après-midi…

C'était leur dernier jour au chalet.

À la crêperie Au chamois gourmand, ils avaient mangé des crêpes aux myrtilles, aux pommes, au caramel, puis étaient partis se promener dans la forêt. Ils avaient marché longtemps sans rien dire, heureux du silence autour d'eux, du bonheur de grimper l'un derrière l'autre, d'entendre les arbres craquer, des paquets de neige tomber sur le sol blanc immaculé.

Rose ouvrait la marche. Elle avait l'impression qu'elle faisait partie de l'étendue enneigée, du sentier pentu, des montagnes, des sapins. La vie allait durer toujours et tout serait toujours aussi parfait. Elle s'était appuyée contre un arbre et jouait à disparaître dans le blanc infini. Le soleil était chaud, elle transpirait, elle se baissa pour ramasser de la neige et se la passa sur le visage.

Il arriva à sa hauteur, s'essuya le front, reprit son souffle. Il lui demanda de fermer les yeux.

Rose obéit.

Il lui prit la main.

« Rose…

– Oui, Paul.

– Rose…

– Je suis là. »

Je suis là et je voudrais toujours être avec toi.

« Rose… Veux-tu être ma femme ? »

Rose avait ouvert les yeux. Paul lui tendait une boule de neige qu'il avait dû confectionner dans son dos quand elle marchait, avec deux petits cailloux, un bout de bois en guise de nez pointu et une bague sertie d'un diamant, qui mimait une bouche arrondie. La boule de neige lui souriait, le minuscule diamant crachait mille feux. Rose eut la détestable sensation que le monde rétrécissait d'un seul coup, qu'elle tombait dans un piège, dévalait un précipice. Prisonnière. Elle était faite prisonnière.

Elle avait regardé la main qui tenait la boule de neige. Et avait dit non !

Paul avait reculé d'un bond. Son regard allait de sa main à

Rose, de Rose à sa main. Plusieurs fois. Elle lut dans ses yeux qu'il n'arrivait pas à le croire.

C'était ça, exactement, il n'arrivait pas à le croire.

Il avait lâché la boule de neige, s'était essuyé la main sur son pantalon et avait détalé en sautant par-dessus les caillasses du sentier. Elle était restée appuyée contre l'arbre. Étourdie. Assommée.

Être la femme de Paul, c'était ce qu'elle désirait le plus au monde.

Elle avait dit non. Elle ne savait pas pourquoi.

Elle n'avait pas ramassé la bague.

De retour au chalet, elle avait trouvé son billet de train sur la table et un mot, «tout est réglé».

Elle l'avait appelé chaque jour, il raccrochait.

Elle dormait sur son paillasson, il l'enjambait.

Il ne la voyait pas. Elle n'existait plus.

C'est alors qu'elle avait mangé des bâtonnets de Lexomil.

Il avait les doigts des mains palmés. Le petit doigt et l'auriculaire de chaque main collés l'un à l'autre. À l'école, on l'appelait Coin-Coin. Ses parents lui ébouriffaient les cheveux en disant, «mais Coin-Coin, c'est pas méchant. Les canards, c'est très mignon!».

Au collège et au lycée, c'était devenu vraiment méchant. Il était grand, il savait se battre. Il s'était battu.

Il ne s'était pas battu pour la garder.

Elle n'avait plus jamais eu de ses nouvelles.

– Rose ! cria Sergueï. Va réveiller le gardien de nuit. Ce foutu ascenseur ne redémarre pas.

– Je te croyais plus fort que lui. Je suis déçue.

– ROOOOSE !

– Ok. J'y vais. Et on sera quittes pour toujours !

Le lendemain, au bureau, Leo passa à côté de Rose, la frôla, laissa traîner son doigt sur la manche de son pull, murmura « t'es libre, ce soir ? ». Rose eut l'impression qu'un oursin la piquait. Une grosse boule de colère lui bloqua la gorge.

Elle déglutit, répondit :

– Ma mère est là. Je peux pas faire autrement que de la voir, tu comprends ?

Pourquoi je mens ? Je me mets au centre de mon cercle et je lui dis que c'est fini. Sans m'énerver.

– Présente-la-moi.

– T'es dingue !

Rose avait craché ces mots avec une telle violence que Leo fut surpris.

– Je ne comprends pas… Tu lui dis que je suis juste un copain, pas qu'on couche ensemble.

C'est vrai. On a COUCHÉ ensemble. Je voudrais tellement l'oublier. Tellement ! Je vais ranger Leo dans les statistiques.

Un chiffre, rien de plus. Mon douzième amant. Maigre bilan comparé à celui de ma mère. Mais si elle me pose une question... au moins, je pourrai lui dire qu'à New York...

Et je ne passerai pas pour une gourde.

Pourquoi je veux faire bonne impression sur ma mère ? Je ne suis pas une imprimante. Je ne suis pas une imprimante. Je ne suis pas une imprimante. Je ne suis pas une imprimante.

Leo se balançait d'avant en arrière dans ses souliers marron.

– Tu sais, la soirée Hilma af Klint... C'est ce samedi soir finalement. On pourrait y aller ? Elle sera partie, ta mère, samedi soir ?

– Sais pas.

– Tu m'avais dit qu'elle restait quatre, cinq jours...

Vas-y. Dis-lui que tu comptes pas recommencer. Tu es trop concentrée sur ton travail, tu ne penses qu'à ça... et patati et patata.

– Écoute... Je te préviens dès qu'elle repart. D'accord ?

Leo fit alors un truc qui donna à Rose l'impression d'être empalée sur une tringle à rideau, il se pencha et l'embrassa dans le cou.

Rose donna un coup de coude pour le chasser.

Elle cogna dans le vide. Il était reparti.

– Et maintenant je ne sais plus comment m'en dépêtrer... Il ne se rend compte de rien. Il ne voit pas qu'il m'insupporte.

Il était 8 heures et demie du matin. Big Denise l'écoutait, le menton posé sur sa main gauche.

– Non seulement j'ai passé une nuit horrible... mais il veut recommencer.

Big Denise tripotait sa cuillère à café.

– Je le hais avec une violence totalement disproportionnée ! C'est pas la première fois que ça m'arrive. Je fantasme sur un mec, je languis, je dépéris, je ne pense qu'à lui et dès qu'il s'approche de trop près, je le rejette comme une banane pourrie.

Rose s'interrompit. Big Denise l'écoutait sans bouger, sans dévorer ni crumble ni bagel ni beignet. Devant elle, il n'y avait qu'une grande tasse de café.

– T'es malade ? demanda Rose.

– Non, pourquoi ?

– Tu manges pas. Je t'ennuie avec mes problèmes ?

– Rose, calme-toi. Je ne mange pas parce que je t'écoute, j'ai envie de comprendre. Et puis, y a la queue au comptoir des pâtisseries.

– Y a rien à comprendre. Je suis tarée, c'est tout.

– Y a une explication et tu dois la connaître.

– Oui. Je suis tarée, je te dis.

Big Denise souffla, exaspérée.

– Tu n'es pas la première à tomber sur un caméléon ! Tu devrais plutôt te demander pourquoi tu n'as pas songé à interrompre le massacre et à partir ?

– T'as raison, dit Rose. C'est peut-être pour ça que je suis si violente… Je suis en colère contre moi.

– C'est parce qu'on est habituées à ce qu'on nous traite mal. On ne réagit pas et on s'en veut. Ce sont des milliers d'années de femmes non respectées qui gisent en nous. Y a du boulot !

Rose essaya d'imaginer la vie sexuelle de Babou. Babou lui avait avoué qu'elle faisait « ça » parce que, après, Papou était plus facile à vivre.

– En fait, continuait Big Denise, pensive, les garçons ne réfléchissent pas. Ils nous caressent comme ils se branlent. C'est beaucoup trop fort. Ça fait mal. Le pénis, c'est droit, robuste, ça se brandit comme une arme de guerre ; le clitoris, c'est fragile, fripé, sensible. Il faut le manipuler avec douceur. Pas le frotter comme on nettoie sa voiture.

Elle but une gorgée de cappuccino. Lécha la moustache de crème que le café avait déposée sur ses lèvres et ajouta :

– Je pense d'ailleurs qu'il y a des mecs plus délicats avec leur voiture qu'avec le clitoris de leur copine.

– Je me demande même s'ils savent où il se trouve.

Elles allèrent faire la queue au comptoir des pâtisseries. Remplirent leur assiette, choisirent une table où elles pourraient s'étaler. Big Denise continuait à réfléchir en engloutissant beignets, bagels et crumbles. Rose émiettait son croissant pour qu'il dure plus longtemps.

– Le problème, c'est qu'on travaille ensemble… J'ai été bête, mais bête ! J'aurais jamais dû…

– C'est très simple. Tu fais ce que font toutes les filles et tous les garçons, tu lui envoies un message où tu lui dis que tu as passé un bon moment... c'est pas vrai, mais on s'en fiche... mais que tu n'as pas envie d'une histoire sérieuse.

– Tu crois que ça va suffire ?

– Et t'en rajoutes, tu écris que tu sors d'une relation très forte, que tu n'es pas encore guérie, qu'il vaut mieux que vous restiez amis. Comme ça tu ne te brouilles pas avec lui.

Les conseils de Big Denise étaient pleins de bon sens. Rose eut envie de l'embrasser. Elle était à nouveau libre. Plus jamais prisonnière. Un grand ciel bleu venait d'entrer dans le café.

– Tu m'as dit que tu voyais quelqu'un à Paris..., ajouta Big Denise.

– Oui, mais depuis que je suis là, on se parle par Skype et pas souvent, à cause du décalage.

– Tu devrais l'appeler.

Le téléphone de Rose était resté sur la table. Il se mit à vibrer, un sms de Leo s'afficha.

Rose montra le téléphone du menton à Big Denise.

– C'est lui, elle dit à voix basse.

– Rose, pouffa Denise, pourquoi tu chuchotes ? Il nous entend pas !

Elles éclatèrent de rire.

– C'est comme si tu avais peur, remarqua Big Denise.

– Peut-être que si je réponds pas, il va se lasser...

– Tu peux toujours essayer.

Ce que fit Rose.

Leo envoyait des sms.

Des drôles, des anodins, des qui parlaient de la météo, d'une expo, d'un film, d'un restaurant nouveau. Ils finissaient presque tous par « je parie que tu es avec ta mère, c'est pour ça que tu réponds pas ».

Ils lui paraissaient aussi incongrus qu'un lancer de confettis sur une tombe.

Leo était les confettis, elle, la tombe.

Elle se sentait impuissante. Comme si elle allait être OBLIGÉE de repasser entre ses mains. Elle envoya un message à docteur M. Demanda un rendez-vous, spécifia « c'est urgent ».

Il était 13 h 10 quand docteur M. commença à faire bouger ses doigts de droite à gauche, de gauche à droite. Elle avait demandé à Rose de se concentrer sur les premières phrases qu'elle avait prononcées après les banalités d'usage : « La première fois, je devais avoir dix ans. J'étais seule à la maison. On a sonné à la porte, j'ai ouvert. Il y avait trois hommes sur le paillasson. »

Les yeux de Rose suivaient les doigts, droite-gauche, gauche-droite, droite-gauche, gauche-droite. Elle chassait les pensées, les commentaires qui lui traversaient la tête et se concentrait sur les images qui lui venaient.

Et voilà qu'à force de suivre les doigts de docteur M., elle ressentit des chatouillements, des picotements et une vague, une immense vague noire, remplie de sanglots, de goudron, de mégots s'éleva, vint s'écraser sur sa poitrine et pulvérisa la couche de béton. Rose fut submergée, projetée dans un autre univers. Le petit film flou en noir et blanc s'afficha en Technicolor sur écran géant.

C'était un mercredi après-midi.

Ce jour-là, elle n'avait pas classe. Elle restait à la maison. Elle n'avait pas le droit de sortir. Elle faisait ses devoirs et après, elle regardait la télévision. Ou elle lisait. Ou elle observait ses insectes dans la salle de bains. Elle avait fêté ses dix ans la veille. Seule avec sa mère. Il restait la moitié du gâteau d'anniversaire dans le frigo. Dix bougies roses et la plaque en pâte d'amandes verte, « Joyeux anniversaire, Rose chérie ». Sa mère avait dit « on le finira demain soir, d'accord ? Toutes les deux en amoureuses ». Rose avait gardé les bougies pour les faire fondre et enterrer une armée de fourmis.

On avait sonné. Elle avait ouvert la porte à trois hommes.

Trois hommes avec des lunettes noires. Quelque chose n'était pas normal. Elle avait reculé.

Deux des trois hommes étaient de taille moyenne. L'un avait un ventre comme un ballon qui débordait de son pantalon, l'autre un tic. Il enroulait d'un doigt une boucle de cheveux blonds sur sa tempe et tournait, tournait. Et le troisième ? Il était grand, mince, élégant. Son regard tombait de haut. Il portait une chevalière au petit doigt. Un chapeau perché en arrière. Une cicatrice fendait son sourcil gauche, laissant apparaître une virgule de chair rose dans les poils noirs. Ses lunettes étaient petites, rondes. Rose sentit la tension des muscles de son cou, de son visage. Il dominait les deux autres.

Ils étaient entrés.

L'homme mince et élégant lui avait demandé de jouer du piano pour ses amis, deux grands musiciens qui préparaient un concert pour enfants. Ouf! Tout va bien, s'était dit Rose, Chopin, c'est pas dangereux. Maintenant je suis sûre qu'il n'y a pas de problème.

Ils avaient dit aussi qu'ils étaient des amis de sa mère. Elle leur avait demandé s'ils voulaient une part du gâteau d'anniversaire.

Le plus étrange, c'est qu'elle ne se souvenait pas de leurs visages. Elle voyait des détails comme les lunettes noires, la mèche blonde, la cicatrice dans les sourcils, la chevalière au petit doigt, mais leurs visages restaient flous.

Elle avait joué Chopin, ils avaient dit « très bien! très bien! ».

C'est comme ça que ça avait commencé.

Après...

Le film n'avançait plus.

Elle fit bouger ses yeux de gauche à droite, de droite à gauche. Docteur M. dit « on a tout notre temps, ne paniquez pas ». Rose serra ses mains entre ses cuisses, fit une grimace, sentit les larmes monter.

Le film redémarra.

– Très bien, très bien. Maintenant on va faire des photos, avait dit l'homme mince et élégant.

Ils étaient allés dans sa chambre.

Rose voyait le couloir, la porte à droite, son lit, l'armoire, son bureau, ses cahiers, le béret du marin avec le pompon rouge posé sur un dictionnaire. Ils avaient dit « ce serait mieux si tu te déshabillais... ». Le gros ventre avait sorti un appareil photo. Le blond l'avait déshabillée. Il ne lui avait pas arraché ses vêtements. Oh non ! au contraire, il l'avait fait doucement. Avec des doigts très doux qui faisaient courir des frissons sur sa peau. Le petit gros prenait des photos pendant que le blond défaisait un bouton, écartait une bretelle, faisait glisser sa culotte sur ses jambes, *clic-clac, clic-clac*, elle entendait le bruit froid, métallique, de l'appareil qui ponctuait chaque geste. Et puis l'homme à la boucle blonde l'avait couchée sur le sol. Délicatement. L'homme à la chevalière s'était assis dans le fauteuil. Il donnait des ordres en fumant des cigarettes, en écrasant ses mégots dans un grand cendrier jaune sur lequel était écrit « Pastis... ». Elle ne voyait pas les autres lettres. Le petit gros la visait avec son appareil. Elle avait l'impression qu'ils avaient répété, que c'était un ballet. Elle était une ballerine dans une boîte à musique, un bras levé, une jambe pointée, le grand écart, une pirouette et *clic-clac-clic-clac*, les doigts froids sur sa peau, les doigts froids qui ouvraient ses cuisses, dégageaient une fesse, la caressaient, la palpaient, elle respirait une odeur d'eau de Cologne, une odeur de bergamote, de jasmin, de violette. Comme le parfum qui montait dans le jardin de Babou à Saint-Aubin après la pluie.

Que dirait Babou si elle voyait ces trois hommes dans sa chambre ? Elle avait refermé les jambes et crié « Non, non ! ». Avait repoussé l'homme qui se penchait sur elle. « Je veux pas ! Je veux pas ! » L'homme à la chevalière avait fait un geste. Sa bague brillait. Lançait des éclairs rouges. On lui avait donné à boire un liquide vert à la menthe, fort, très fort, très sucré, ça faisait comme un bonbon plein d'alcool. Elle s'était rallongée. Avait entendu des mots qui disaient « comme tu es jolie ! Tu es la plus jolie petite fille du monde. Tu aimes faire des photos, hein ? Tu aimes faire des photos... ». La tête lui tournait. La fumée faisait un rideau épais dans la pièce. Un homme tirait sur sa jambe, effleurait ses cuisses, entre ses cuisses, effleurait son ventre. Elle se laissait faire, molle, molle. L'homme sur le fauteuil avec la chevalière la fixait derrière ses lunettes noires. Il donnait des ordres. En bougeant la main, plus haut, plus bas. La chevalière dorée se déplaçait, jetant des éclairs rouges. L'homme à la mèche la décoiffait. Tirait sur un bras, sur une jambe. Et *clic* et *clac* et *clic* et *clac*. Rose pensait aux papillons qu'elle attrapait à Saint-Aubin, qu'elle étouffait à l'éther et épinglait dans des petites boîtes. Une épingle au bout de chaque aile, une épingle dans le thorax, une dans l'abdomen. Son préféré était l'*Agraulis vanillae*. Un ami de madame Delamare le lui avait offert dans une boîte en verre.

Elle était un papillon. Elle volait dans le ciel.

L'homme assis dans le fauteuil tripotait son manteau sur ses cuisses et ça bougeait en dessous. Il laissait échapper des soupirs rauques comme si on lui raclait le ventre. L'homme à la mèche blonde relevait les cheveux de Rose, lui disait de fixer le monsieur dans le fauteuil, lui prenait le menton pour qu'elle le regarde bien en face alors qu'il se tordait en faisant des grimaces. Elle pensait, c'est moi qui fais ça ? Elle se sentait sale. Et toute-puissante. Un filet de bave coulait sur ses lèvres. L'homme à la mèche blonde l'essuyait.

Quand elle se réveilla, tout était en ordre autour d'elle.

Elle se dit qu'elle avait rêvé. Un mauvais rêve.

Elle passa un doigt sur son visage. Un petit filet vert séchait sur sa joue, un filet vert, sucré, qui avait le goût de menthe.

– Vous n'avez pas de mouchoirs près de vous ? dit docteur M.

– Pourquoi ?

– Parce que vous pleurez beaucoup...

Pourtant elle riait. Ça ne se voyait pas ?

Elle gambadait pieds nus sur le gazon frais, ça ne se voyait pas ?

Elle virevoltait et s'envolait, ça ne se voyait pas ?

– On pourrait faire une autre séance. Dans deux, trois jours. À la même heure ?

Rose acquiesça.

– Et si ça ne va pas, téléphonez-moi. À n'importe quelle heure du jour ou de la nuit.

– Merci, docteur.

Rose raccrocha, fit un virement de 80 euros.

Sa mère appela, elle ne décrocha pas.

Sa mère envoya un message, « dîner mercredi soir, rendez-vous dans le hall du Mercer, 19 h 30, on ira chez Balthazar ».

Rose envoya un pouce qui voulait dire ok.

Elle irait ou pas. Elle déciderait à la dernière minute selon l'évolution des mouches dans les tubes.

Elle s'était mise, sans y penser, au centre de son cercle.

Elle reçut un mail de Babou.

Le bébé était né. Il s'appelait Mathis. Pesait 3,52 kilos et mesurait 51,5 centimètres. Les filles se portaient bien.

Adama était toujours aussi « charmant ».

« Je crois bien que je suis amoureuse, écrivait Babou. Il me fait vivre des choses que je n'aurais jamais cru connaître. »

Rose en voulut à Babou de lui faire cet aveu.

Leo continuait à lui envoyer des textos. Rose ne répondait pas. Ses messages étaient acariâtres ou passionnés.

« Dis donc, elle a bon dos, ta mère ! », « Tu te fous de moi ? », « T'as un autre mec ? », « Excuse-moi, mais ton silence me rend fou », « Rose, *please*, je ne veux pas te perdre »…

Avec une série de cœurs, de fleurs.

Et une photo de lui tenant un bouquet… de roses.

– Le silence, ça marche pas. Il comprend pas.

– Dis-le-lui franchement alors…

Rose sentait que Big Denise se lassait de son feuilleton avec Leo. Elles étaient toutes les deux sur les nerfs. Les nuits passées à observer les mouches dans les tubes en verre les éprouvaient.

– T'es le chef. Fais comme les mecs. Vire-le.

– Le virer ? dit Rose, manquant s'étrangler. Tu plaisantes ?

– Non, pourquoi ? Est-ce qu'ils hésitent, eux ?

– Il y en a des bien, tout de même. Tu peux pas tous les jeter à la poubelle.

– Je me gênerais, tiens !

– Ok, dit Rose qui voulait par-dessus tout conserver l'amitié de Big Denise, on n'en parle plus. D'ailleurs, je m'en fiche...

La nuit, elle était réveillée par des rêves étranges. Elle allumait la lumière et les notait. Il y en avait un qui revenait sans arrêt : elle marchait dans la rue quand elle apercevait, projetée sur un pan de mur ou une façade d'immeuble, la photo d'un homme mince, élégant, qui l'appelait par son prénom.

« Tu aimes faire des photos, Rose ? Tu aimes faire des photos ? »

Il la regardait mais elle n'arrivait pas à le VOIR.

Elle se réveillait en sueur.

Un soir, fin février, dans les couloirs du laboratoire, Rose tomba nez à nez avec Hector qui enlevait sa blouse, ses surchausses et se préparait à partir.

– T'as fini ? elle demanda.

– Non. Je dois revenir dans deux heures pour un bilan.

– Tu veux qu'on aille manger un morceau au Marlton ? Il y a une cheminée et la cuisine est plutôt bonne.

– J'adore cet endroit. Sauf qu'on va tomber sur tous les étudiants et les profs de la NYU, c'est leur cantine.

– Et alors ? On s'en fiche, on n'a rien à cacher, dit Rose.

Il secoua la tête.

– Et puis tu es marié, non ?

– Oui, tu as raison, il répondit après une brève hésitation.

Ha, ha ! se dit Rose, peut-être qu'il avait envie d'être seul avec moi ?

Peut-être qu'il n'est pas si marié qu'il le prétend ?

En quittant l'université, dans le hall, ils croisèrent Leo.

Rose se sentit prise en flagrant délit. Elle rougit. Évita son regard. Se précipita vers la sortie.

– Vous êtes en froid ? dit Hector en marchant vers le Marlton.

– Non…, bredouilla Rose.

– Sais pas… Une impression comme ça.

– On travaille toute la journée ensemble, alors…

Elle souffla, eut un geste vague en agitant les mains, un geste qui voulait tout expliquer sans rien dire. Elle ne fut pas certaine, au regard étonné qu'il lui lança, qu'Hector avait compris.

– Tu habites où ? elle demanda pour changer de sujet.

– Sur Wooster. Au 101.

– Pas mal.

– C'est une coloc. On est deux. C'est trop cher sinon… Et toi ?

– Je suis logée par l'université. Dans les grands immeubles sur Bleeker.

– Veinarde !

Au Marlton, ils trouvèrent une table pas loin de la cheminée. Une serveuse leur apporta une corbeille de pain et une carafe d'eau avec des glaçons. Elle posa le menu dans les assiettes, récita les « *special of the day* » et s'excusa : il n'y avait plus de pâtes aux calamars.

– Ça tombe bien, j'aime pas ça, dit Hector.

– C'est parce que tu sais pas les cuisiner…

– Tu sais, toi ?

Il souriait d'un air amusé. Pas moqueur du tout. Elle aima ce sourire et l'accrocha dans sa mémoire.

– C'est ma grand-mère qui m'a appris…

Le téléphone de Rose sonna. Un sms de Leo.

« C'était Hector, le Français au cinéma ? »

Rose ne répondit pas. Elle retourna le téléphone sur la table. Coupa le son.

– Il faut les démarrer à feu vif pendant dix minutes environ, avec des tomates fraîches, des oignons, du laurier, du thym, et puis baisser à feu très doux, couvrir et les laisser cuire pendant…

Le téléphone se mit à vibrer.

– Excuse-moi, dit Rose. Je vais l'éteindre.

– Réponds. Sinon il va biper toute la soirée, dit Hector, amusé.

Ah ! Ce sourire !

Le sourire d'un homme tranquille, bien dans sa peau, au centre de son cercle. Un homme avec un idéal, généreux, enthousiaste, à qui on ne fait pas avaler n'importe quel calamar.

L'homme idéal.

Il divorcera, on se mariera, on aura deux enfants, Victor et Lili, on habitera Amiens dans une belle maison en briques rouges

avec croisillons anciens, volets en bois blanc, grand escalier intérieur Henri III. Il travaillera sur le ver Molitor et…

Leo avait écrit : « C'est lui, hein, c'est lui ? Je suis sûr que c'est
lui. » Rose haussa les épaules, excédée. Il a trois mots de vocabulaire, ce type ! Et depuis quand écrit-on « hein » dans un sms ?
C'est NUL.

Big Denise avait raison. Elle allait trancher. Et net.

« Arrête de m'écrire. Oublie-moi. Limitons nos relations au
travail. »

Qu'importe sa réaction, elle partait vivre à Amiens avec
Hector, Victor et Lili, sa *Lamprohiza splendidula* et les *Tenebrio
molitor*. Ils deviendraient deux éminents chercheurs, les Pierre et
Marie Curie de la biologie. On parlerait d'eux dans les journaux,
le Nobel leur serait attribué ex æquo, ils étaient beaux, brillants,
amoureux, *the talk of the town**. Elle coupa son téléphone. Tendit son menu à Hector et lui demanda de choisir pour elle.

– Vas-y, j'aime tout ! elle dit dans un long soupir d'épouse
comblée.

Cet homme était bien plus séduisant que ce débile qui lui
décollait les ovaires et crachait de la colle.

– *Hi guys ! Two French people having diner, what a treat*** !

Jennifer était plantée devant eux, hanches en avant, petit sourire sarcastique aux lèvres. Les bras croisés sur la poitrine, elle

---

* Les stars de la ville.

** Salut, vous deux ! Deux Français en train de dîner ensemble ! C'est la fête !

les dévisageait. Ses yeux allaient de l'un à l'autre comme si elle attendait une explication. Comme s'ils lui devaient une explication.

Elle alla s'asseoir à côté d'Hector, passa une main de propriétaire sous son bras et prit l'air victorieux de la fille qui a récupéré son sac, ses clés, son portefeuille et son téléphone.

Rose se força à sourire.

– Tu veux dîner avec nous ?

Le garçon venait de poser l'addition, Hector divisait la note en trois quand le téléphone de Rose bipa.

– Je croyais que je l'avais éteint…, elle s'excusa.

Hector se retint de rire pour ne pas la trahir devant Jennifer. Il glissa une main dans la poche de son pantalon pour prendre de l'argent, se déhancha, fouilla, fouilla. Rose trouva le mouvement de ses hanches, de son épaule gauche si… excitant qu'elle subit une attaque du *Coprophanaeus lancifer*.

Elle repoussa le téléphone contre la corbeille à pain et l'ignora.

– Je retourne travailler, déclara Hector en se levant. Salut les filles !

– Je viens avec toi, cria Jennifer en lançant un bras de pieuvre.

Rose les regarda s'éloigner. Elle se sentit seule, très seule. Et même pire : abandonnée.

Bed bug, bed bug, rien ne marche pour moi.

Elle retourna son téléphone. Encore un sms de Leo.

« D'accord, Rose. Tu as raison. Il ne faut jamais mélanger travail et sentiments. Reprenons comme avant, restons bons copains. »

Rose lut et relut le message. Elle ne s'attendait pas à ce qu'il capitule si facilement. Il aurait dû protester, se débattre, remplir un dossier de réclamation. Elle fut à la fois soulagée, vexée.

Et triste.

Il allait lui manquer.

Elle perdait un mari, des enfants, un sapin de Noël, un grand loft blanc. TROIS personnes qui l'aimaient, la chérissaient. Et même QUATRE, s'ils avaient eu un autre enfant.

Elle était peut-être passée à côté d'une belle histoire d'amour. Elle ne s'était pas donné le temps de connaître le VRAI Leo.

Elle contempla le feu dans la cheminée. De belles bûches, bien rondes, bien calibrées, se consumaient. Elles crépitaient, faisant un VRAI bruit de bois qui brûle, dégageant une VRAIE chaleur. Les flammes montaient, descendaient avec une étonnante régularité. Le bois était sec, bien aéré. Il ne fumait pas. Quelqu'un avait passé du temps à construire ce feu. Chaque matin, avant que le restaurant ouvre, il calculait la taille des bûches, leur consistance, leur agencement, l'espace entre les tronçons, la force et l'orientation du vent qui soufflait dehors, disposait des bûchettes, craquait une allumette, soufflait sur le feu et revenait l'alimenter afin que les flammes durent.

Le temps et l'effort étaient récompensés : le feu était beau, constant.

Elle n'avait pas donné le temps à Leo. Elle l'avait jugé, exécuté. Avec hâte et jubilation. Qu'avait-il fait de si rédhibitoire ? À part lui baver dessus, lui arracher les ovaires et lui demander d'éteindre les lumières en partant ? Personne n'est parfait. Elle non plus. Elle avait refusé une fellation et bâclé une branlette.

Le feu serait mort depuis longtemps si elle avait dû veiller sur lui.

La serveuse lui demanda si elle pouvait débarrasser. Il lui fallait mettre la table pour le petit déjeuner du lendemain.

– Le Marlton est un hôtel aussi, tout doit être en place pour demain matin, elle expliqua en souriant. Allez vous asseoir près du feu si vous attendez quelqu'un.

Rose ramassa ses affaires et se leva. Passa près de la cheminée. Le feu continuait de brûler avec la même ardeur. Regarde-moi, prends exemple sur moi, clamait-il en léchant la pièce de ses lueurs ardentes. Regarde ce que font patience et longueur de temps.

Rose détourna le visage. Se hâta vers la sortie en enroulant son écharpe autour du cou. La prochaine fois, elle se promit, la prochaine fois je serai plus attentive, plus généreuse, plus…

Elle s'arrêta net.

Est-ce qu'elle avait vu pendant la soirée quelqu'un poser une bûche ou travailler le feu avec des pincettes, comme Babou le faisait à Saint-Aubin dans la salle à manger ?

Non. Personne.

Elle fit demi-tour. Revint près de la cheminée. Se pencha sur l'âtre : deux gros tuyaux de gaz alimentaient de fausses bûches qui laissaient échapper de fausses flammes.

Docteur M. proposa un rendez-vous à 13 h 30, heure de Paris. 7 h 30 à New York.

Elle apparut sur l'écran, jeune femme gracile, presque fragile, le teint pâle, le regard acéré, sombre, la raie au milieu, les cheveux noirs, lisses, attachés en une queue-de-cheval basse. Elle ressemblait à une sœur Brontë. Rose penchait pour Charlotte.

Devant elle, il y avait un verre, une carafe d'eau et des sous-verres en bois bicolores afin d'éviter les ronds sur la table. Docteur M. ne supportait pas les ronds sur la table et le revendiquait. Elle n'avait pas peur de passer pour une maniaque de la propreté. Elle se fichait de ce qu'on pouvait penser d'elle. Rose aimait cette attitude qui signifiait je suis comme ça et si ça ne vous plaît pas, tant pis. C'est votre problème, pas le mien.

– Vous allez bien ? demanda docteur M. en se grattant la gorge.

– Vous êtes enrhumée ? dit Rose. Si vous êtes malade, on n'est pas obligées de se parler aujourd'hui. Je peux attendre, vous savez.

– C'est la pollution, dit docteur M. Paris est devenu irrespirable.

– Ici on respire, on est sur l'océan…

– Vous allez bien ? répéta docteur M.

Rose dit que oui, pour le moment, mais…

– Je fais toujours le même rêve. Je marche dans les rues de Paris et sur les murs, grand comme une affiche de cinéma, un homme me regarde. J'ai le sentiment qu'il voit à travers moi, que je suis sa chose. Il me retient prisonnière. Comme s'il avait des serres au bout des doigts. Et il répète toujours la même phrase : «Tu aimes faire des photos, Rose ? Tu aimes faire des photos ? »

– Très bien, nous allons balayer sur ce rêve. »

Les doigts repartirent, droite-gauche, gauche-droite, droite-gauche, gauche-droite.

Les souvenirs revinrent.

Les trois hommes ne venaient pas tous les mercredis.

Parfois ils sonnaient à la porte trois mercredis de suite et puis ils disparaissaient pendant trois, quatre mois. Mais quand ils ne venaient pas, c'était... comment dire ? Encore pire ? Rose attendait, pétrifiée. Enfermée dans la salle de bains, penchée sur les pinces d'un scarabée ou les élytres d'une cantharide femelle. Elle s'exhortait à ne pas ouvrir si on sonnait.

J'ouvrirai pas, j'ouvrirai pas, j'ouvrirai pas, elle scandait, recroquevillée sous le lavabo.

Mais si je n'ouvre pas, ils enfonceront la porte, ça fera du bruit dans l'immeuble. On accusera maman de laisser sa petite fille toute seule, sans personne pour la garder. ET ON LA LUI PRENDRA.

Sa mère le lui avait laissé entendre un jour où Rose s'était plainte – sans oser dire pourquoi – d'être seule le mercredi après-midi.

« Ce n'est pas le bout du monde. Il faut bien que je travaille. Comment on ferait pour vivre sinon ? Tu crois que ton père me donne de l'argent ? Il me donne pas un sou ! »

Rose finissait toujours par ouvrir et se dirigeait toute seule vers la chambre. Elle attendait qu'on la déshabille, qu'on la prenne en photo, qu'on la couche sur le tapis, qu'on lui tire un bras, une jambe.

Mais un jour, ce fut différent.

L'homme mince et élégant sonna à la porte. Seul sur le paillasson. Il la conduisit vers la chambre en posant une main gantée de cuir sur son épaule. La fit allonger sur le lit. Glissa sa main gantée de cuir entre ses jambes et ordonna « ferme les yeux, j'ai une surprise pour toi ». Elle avait fermé les yeux. Mais qu'à moitié.

– Et après... Il était nu... et...

Elle éclata en sanglots.

Docteur M. la regardait et son regard disait « courage, c'est la dernière fois que cet homme vous fait du mal ».

Rose s'accrocha au regard et raconta.

Elle raconta qu'ensuite, elle avait couru se réfugier sur le balcon, elle avait tiré les battants de la fenêtre qui s'était comme par magie refermée et elle avait hurlé. Il avait essayé de la faire revenir dans la chambre mais elle hurlait si fort qu'il avait reculé. Et puis... sûrement... il ne voulait pas qu'on l'aperçoive, à côté d'elle, sur le balcon filant. Nu et nue.

Alors il avait pris le béret de marin qui traînait sur son bureau et l'avait posé sur sa tête. Derrière la vitre, elle le regardait. Il déambulait dans la chambre en faisant le clown, en roulant des yeux, en louchant, en tirant la langue, en bondissant comme une grenouille avec ses longues pattes blanches, poilues, et un truc entre les jambes qui pendouillait.

Elle avait hurlé encore plus fort.

Il avait lancé le béret de marin contre le mur, s'était rhabillé, avait quitté la chambre en claquant la porte.

Rose avait appelé sa mère à son bureau, c'était avant qu'elle n'ouvre sa propre agence. Le téléphone glissait entre ses mains. Sa mère avait répondu, « prends une douche, rhabille-toi et descends chez la concierge. Je vais rentrer tôt... On en reparlera ».

Le soir, sa mère l'avait écoutée, avait soupiré, lui avait ébouriffé les cheveux, l'avait prise par le menton et, les yeux dans les yeux, avait dit « on ne va pas en faire toute une histoire. Toutes les petites filles se font violer ».

Et désormais, chaque mercredi, Rose descendait chez la concierge. Elle faisait ses devoirs. Répondait aux livreurs, aux gens qui demandaient des renseignements quand la concierge s'absentait.

Elle regardait la télévision en attendant que sa mère vienne la chercher.

Parfois elle dormait dans la loge.

Elle ne faisait plus d'histoires. Elle avait appris à faire semblant.

Faire semblant, c'est éviter de penser. C'est repousser à plus tard. C'est se détruire à petit feu par peur d'affronter la réalité.

Quand parfois il lui arrivait d'en reparler, sa mère balayait l'air de la main, « arrête de faire des histoires, Rose, toutes les petites filles se font violer ». Valérie avait d'autres soucis en tête. Elle ouvrait sa propre agence, elle devait rédiger des contrats, choisir des meubles, des luminaires, des secrétaires, débaucher des acteurs, il lui fallait absolument une ou deux stars. « Je ne peux pas commencer qu'avec des débutants, elle disait au téléphone, comment je vais payer mes traites ? »

Petit à petit Rose avait « oublié ». Il lui arrivait même de se demander si c'était VRAIMENT arrivé. Si elle n'avait pas EXAGÉRÉ. Après tout, elle n'en était pas morte, hein ?

Les yeux de docteur M. brillaient de tendresse. Son regard soutenait Rose pendant qu'elle se mouchait dans l'épaisse liasse de Kleenex qu'elle avait préparée. Elle pleurait, pleurait. Elle éprouvait un sentiment d'exaltation si puissant qu'elle ne pouvait s'empêcher de sourire et de pleurer en même temps. Une banquise grise se détachait de son plexus. Elle respirait.

Elle passa la main sur sa poitrine, la barre n'était plus là.

Aperçut les nuages gris et blancs qui stationnaient au quatorzième étage et se lança un premier défi.

Elle allait inviter Leo Zackaria à dîner.

Il entra dans le restaurant en rattrapant sa mèche, sourit au maître d'hôtel, à la fille qui le conduisit jusqu'à la table, s'assit face à Rose, aligna ses couverts, son assiette, son verre rempli de glaçons, regarda autour de lui. Il semblait à l'aise et on pouvait même avancer qu'il avait un atout dans sa manche tant il paraissait affable et sûr de lui.

– Tu vas bien ? Je ne suis jamais venu ici…, il dit.

– Moi, non plus. J'ai regardé sur Resy* et je me suis dit que ça avait l'air pas mal.

Il esquissa un sourire.

– Au moins ce n'est pas un japonais...

Rose lui sourit en retour.

– Je suis désolée. Tu avais voulu me faire plaisir et je n'ai pas su...

Oh ! pourquoi je dis ça ? Pourquoi je m'excuse ? Ce n'est pas une bonne manière d'entamer ma nouvelle vie.

– Mais le coup de l'*uni* m'a rappelé une pipe...

Leo émit un petit rire étranglé qui disait qu'il ne savait plus très bien sur quel pied danser.

– Ta mère est repartie ?

– Non, pas encore.

– Elle se plaît à New York ?

– Elle est venue pour affaires. Pas pour faire du tourisme. Elle va produire un film avec des Américains.

– Elle est dans le cinéma ?

– Elle se lance. C'est sa première fois. Elle est très ambitieuse.

Il parcourait le menu en se grattant le menton. Le claqua d'un air décidé.

– Tu sais ce que tu veux ? il dit.

– Oui.

Il appela le garçon. Ils passèrent commande. Leo choisit une bouteille de vin, « une bonne bouteille, il faut célébrer ça ».

----

* Application pour trouver un restaurant à NY comme Yelp ou Timeout.

– Célébrer quoi ? demanda Rose.

– La reprise de nos relations ! J'ai eu peur que... hum... hum... enfin, que « cela » change quelque chose à notre travail ensemble.

– Non. Pourquoi ? On va redevenir collègues et ce sera très bien.

– Je croyais que tu allais te vexer...

Pourquoi c'est moi qui serais vexée ? À quoi joue-t-il ?

Rose se rembrunit pendant que Leo continuait :

– Maintenant, en fait, cela va être plus simple. On va pouvoir parler business et rien que business. J'aurais beaucoup aimé avoir une histoire avec toi mais je préfère encore faire des affaires...

Rose faillit lui rafraîchir la mémoire mais décida que ça n'en valait pas la peine.

– C'est bien pour cela que je voulais qu'on se parle ce soir, dit-elle. Je sais que tu favorises les cosmétiques, et tu as compris que je veux mettre ma découverte au service de la médecine. Et des malades.

– Justement. Je voulais t'en parler... Je suis en pourparlers avec des gens d'un labo, très intéressés par notre petite luciole...

C'est MA luciole. Pas notre luciole !

– Laisse-moi parler d'abord, l'interrompit Rose.

Leo se tut. Leva les mains pour montrer qu'il avait compris, qu'il l'écoutait, que l'heure était importante.

– Il y a des moments dans la vie où tu décides un truc, dit-elle en appuyant ses coudes sur la table. Tout le monde pense que tu fais le choix le plus difficile, le plus vertueux, on t'admire, on te félicite, mais pour toi, c'est le contraire. C'est facile, plus que facile, parce que c'est la seule chose que tu peux faire. Tu ne te poses même pas la question.

Leo l'écoutait, le cou tendu, tentant de deviner ce qu'elle allait dire.

– Je suis arrivée à la conclusion que MA luciole peut être fantastique dans le traitement du cancer. Qu'elle soit performante pour faire des crèmes de beauté, je le sais, mais franchement, je m'en fiche. C'est pourquoi je choisis la recherche médicale. Je ne peux pas faire autrement. Je ne pourrais plus me regarder dans une glace si...

– L'un n'empêche pas l'autre, la coupa Leo. On peut faire le cosmétique et le médical. Comme tu le sais, je me suis beaucoup absenté ces derniers temps. J'ai rencontré des gens très bien qui bossent pour une firme de cosmétiques et...

– Attends... j'ai pas fini, dit Rose. Tu sais très bien que, pour un usage cosmétique, pas plus de cinq pour cent du produit ne doit pénétrer dans l'épiderme. C'est pour cette raison qu'on obtient très vite l'autorisation de mise sur le marché. Alors que pour la médecine, il faut près de dix ans pour obtenir la validation.

– Oui, dit Leo. Et alors? Laisse-moi te parler...

– Je te préviens que je ne lâcherai pas et je te rappelle que je suis en position de force...

– Je sais. Je sais aussi que tu vas avoir besoin d'argent pour développer tes recherches médicales…Tu vas le trouver où ?

– Je ne sais pas encore.

– Tu ne le SAIS pas ? Rose ! Ne me dis pas que… Non !

Il jouait l'incrédule. Ouvrait des yeux exorbités et écartait les bras.

– C'est pas possible, Rose !

Rose fulminait. Il avait raison. Il ne suffisait pas de trouver la molécule, de la soumettre à la RMN, de prouver que c'était bien une molécule inconnue qui pouvait, à très faible concentration, tuer les cellules cancéreuses, il fallait aussi avoir de l'argent pour l'exploiter. Sinon le chercheur se faisait détrousser. Et pour le moment, elle n'avait pas un sou. Tout entière absorbée par ses travaux, elle avait repoussé à plus tard l'aspect financier de son travail.

Leo devina son embarras. Il replaça sa mèche, enfonça sa fossette, lui fit un large sourire d'ami qui lui voulait du bien et dit :

– Et si je te proposais quelque chose ?

– Vas-y, marmonna Rose, le visage fermé, les doigts occupés à massacrer un coin de nappe blanche avec les dents de sa fourchette.

Lui, il a trouvé l'argent. Lui, il a pris le temps de courir les routes et les rendez-vous, et lui, il va m'escroquer. Avec le sourire et sa fossette dans la joue gauche.

– Je fais un deal avec ce labo cosmétique et, dans le contrat, il est stipulé que tu touches vingt-cinq pour cent des bénéfices sur la vente de tous les produits qui utilisent de la Lucioline dans leur formule. Et comme ça tu finances tes recherches.

Rose le considéra, méfiante.

– C'est possible, ça ?

– Tout à fait. Je me suis renseigné.

– Oui mais... qui me dit que tu n'oublieras pas cette belle promesse ?

– On va procéder légalement, Rose. Avec un avocat, Lupaletto, le labo, toi et moi. Tout le monde aura sa part et tout le monde sera content.

– Tu ferais ça, vraiment ?

– Oui. Parce que ce que TU as trouvé, Rose...

Il avait fait exprès d'accentuer le pronom personnel. Pour lui rendre justice ou pour l'amadouer ? Rose se méfia à nouveau.

– ... est une vraie découverte. Suite à ce que tu m'avais laissé entendre, j'ai moi aussi fait des essais de dilution. J'ai testé TA molécule sur des plaques de kératinocytes et j'ai constaté la cicatrisation et la régénération des cellules de la peau. En plus, Rose, ce n'est pas toxique. Tu as tout bon ! J'en ai parlé au labo... Sans leur livrer de secrets, je te le promets !

– Il s'agit de quel labo ?

– Spizner & Spizner.

– Tu ne leur as pas donné trop de détails ? Tu es sûr ?

– Sûr.

– Et ils ne t'ont pas tiré les vers du nez ?

– Non.

– Parce que ces gens-là sont très forts. Ils te font passer un vrai interrogatoire et toi, tu réponds, flatté de les intéresser et d'être

si intéressant. Tu livres plein d'informations sans même t'en apercevoir ! C'est arrivé à Sherman. Ils l'ont pressé comme un citron
et ils ont terminé l'entretien en lui promettant de le rappeler très
vite. Il était persuadé d'avoir le contrat. Il attend toujours le
coup de fil lui annonçant la bonne nouvelle. Ce qui est sûr, en
revanche, c'est qu'ils se sont servis de toutes les infos qu'il leur
avait données.

– Je n'ai rien dit. Je me suis méfié. Ils sont prêts à investir,
Rose. Ils offrent beaucoup d'argent. Je ne parle pas de milliers
de dollars, non… Je parle de beaucoup plus ! Et c'est juste le
début…

Il se tut. Se mit à pianoter sur la nappe, content de son effet.
Ses yeux brillaient, disaient allez… dis un prix. Balance un chiffre !

Rose ne voulait pas s'abaisser à jouer à ce petit jeu. Elle voulait
garder la main. Elle était la cheffe, il était le subalterne. Il devait
annoncer le montant. Et elle déciderait d'accepter. Ou pas.

Ils se regardaient, muets. Le premier qui parlerait prêterait
allégeance à l'autre. Les minutes passaient, ils finissaient leur
verre de vin, poussaient un morceau de pain, contemplaient le
jardin, examinaient leurs doigts, leurs mains. Remuaient sur leur
chaise.

Leo la regarda, surpris par ce silence. Il eut un mouvement de
tête qui voulait dire vas-y, dis un prix.

Rose fit celle qui ne comprenait pas. Leo demanda un papier
et un crayon à la fille qui l'avait conduit à la table. Rose croisa
les bras et le regarda gribouiller sur la feuille blanche.

Il était en train d'écrire : « Deux millions de dollars. Rien que
pour signer ! »

– Je commence à avoir du respect pour toi…, dit Rose en retenant un hurlement de joie.

DEUX MILLIONS DE DOLLARS !

UTILE, elle allait être deux millions de fois UTILE.

– Merci.

– Et même une certaine affection…

– Attention, Rose… Ne glisse pas sur la pente fatale ! On pourrait ne plus maîtriser la situation et se retrouver bien embêtés…

Elle pouffa en pensant au baiser caméléon.

– Pourquoi tu ris ? dit-il, étonné.

Rose bloqua son souffle et son rire.

– Tu n'as pas aimé la nuit qu'on a passée ensemble ?

– Euh… Honnêtement ?

– Oui. Vas-y. Je suis curieux de savoir.

– Non, j'ai pas aimé du tout, du tout.

Leo la fixait, stupéfait.

– T'es sérieuse ?

– Tu m'as fait MAL, Leo. Mal quand tu m'as embrassée, mal quand tu m'as sautée, mal tout le temps… Je ne dis pas ça pour te faire de la peine, mais parce que ça peut t'aider. Et puis, je pense à celles qui vont suivre et j'aimerais bien leur épargner ce que j'ai subi…

Leo, le visage appuyé sur ses poings, la regardait, abasourdi. Les mots de Rose étaient en train de monter jusqu'à son cerveau et il se concentrait pour les déchiffrer.

Rose appela la serveuse et demanda l'addition.

– Tu veux qu'on aille prendre un verre quelque part ?

Le lendemain, c'était le 12 avril et Rose marchait sous la pluie, abritée sous un parapluie aux baleines retournées acheté deux dollars à la sortie de la station de métro Union Square. Le vent qui soufflait depuis deux jours l'avait détraqué. Rose avait l'impression de porter un arrosoir sur la tête.

Elle se dirigeait vers la friperie Beacon's Closet sur la 13e Rue et la Cinquième Avenue pour se trouver une nouvelle tenue. C'était plus chic que Goodwill, qui lui plaisait bien aussi. Ce soir, elle dînait avec sa mère et il lui fallait mettre le paquet. Somme allouée pour l'occasion : 85 dollars.

Après la proposition de Leo, elle avait décidé d'augmenter son train de vie. Il lui fallait dilapider l'énergie qui montait en elle. Un flux continu de bonne humeur, d'envies, d'idées saugrenues. Comme d'embrasser le premier venu. Ou de s'habiller en vert laitue.

Tout lui paraissait appétissant.

Elle remplit la cabine d'une robe rose, d'une robe bleue, d'une robe noire fourreau. Trouva un imperméable bleu marine Prada, un cardigan jaune, des boots rouges, un foulard Balenciaga.

Elle acheta tout. 84,85 dollars.

Bingo ! Elle était dans les prix.

Elle allait rencontrer sa mère.

Me voici, maman ! J'ai une, deux, trois belles robes en ma possession, un imper *so chic*, un cardigan jaune électrique jamais vu auparavant. Et, maman, j'ai un amant. Mon treizième.

Enfin... Un bientôt-amant. Hector, futur Prix Nobel, ex æquo avec moi. On habite Amiens, on a deux enfants, son père a une usine de vers de farine qui produit dix mille tonnes de protéines par an.

Et quoi d'autre ? Je déborde de projets. De quoi remplir des cartons et des camions. Je vais être UTILE. Maman, oh ! maman ! Je marche sur l'air. Et tu sais quoi ? Je ne t'en veux plus. Je ne t'en veux plus du tout. Tu ne pouvais pas faire autrement.

Ce n'est plus mon problème.

Le Mercer se trouvait à l'angle de Spring et de Mercer Street. Un bel hôtel en briques rouges avec de hautes portes, de hautes fenêtres en arcades. L'entrée sur la rue ressemblait au quai d'une gare de campagne. Un auvent en forme de verrière, une pendule SNCF, un long trottoir, des taxis qui jetaient hommes, femmes, enfants, malles et valises dans les flaques. Un géant en casquette et pèlerine rangeait les bagages, tendait un parapluie, sifflait les taxis, ouvrait la portière, lançait « *Take care !* » comme s'il était votre meilleur ami.

Un affairement de chaque instant !

Cet hôtel était un petit monde à part. On y entrait comme dans un cercle fermé, chaque résident pouvait se vanter d'être très important, très élégant, très en vue. On y croisait des gens que l'on apercevait dans les journaux ou à la télévision. Célébrités qu'on choisissait d'ignorer étant donné qu'on était aussi en vue qu'elles.

Lorsque le client entrait, il était avalé par un grand rideau beige et recraché dans un vaste hall, ou lobby, meublé de canapés blancs, marron, noirs, de tables basses, de fauteuils profonds. Un plafond très haut, des murs très blancs, une bibliothèque immense contenant des milliers de livres. Une foule s'y pressait. On y parlait toutes les langues. Les gens s'apostrophaient en poussant des cris de joie, de surprise, tous terriblement beaux, terriblement heureux, terriblement riches. Terriblement à l'aise. Chez chacun on sentait la volonté d'être à la fois simple et raffiné, banal et extraordinaire, amical et hautain. Attention, semblait dire chaque personne qui tendait le bras pour commander un cocktail, regardez-moi bien, je suis très important.

Rose, effrayée, se figea à l'entrée.

Quand le grand rideau beige vint onduler contre son dos, elle décida de se mettre au diapason et avança, délicieusement élégante, lasse, importante. Elle aperçut sa mère, renversée dans un profond fauteuil. Elle parlait au téléphone, ses longues jambes croisées, ses cheveux répandus sur les épaules comme si un artiste les avait disposés, ses lèvres rouges, ses yeux noirs. Et cet air… cet air de dominer le monde que Rose lui enviait.

Elle gribouillait dans son agenda, mordillait le bout de son stylo argenté, faisait la moue, souriait, penchait la tête comme si elle était filmée. Elle portait un tailleur Chanel à carreaux noirs et blancs. Rose savait pourquoi. Elle désirait épater les producteurs américains afin qu'ils ne s'imaginent pas qu'ils allaient la rouler dans la farine.

Toute l'énergie de Rose fondit. Un vent froid souffla sur ses genoux. Elle avança vers sa mère, se laissa tomber sur le siège à côté d'elle, maladroite et soumise.

– Bonjour, maman.

Valérie releva la tête. En un éclair, elle détailla la robe nouvelle, les boots rouges, l'imperméable Prada. Esquissa un petit sourire qui disait « pas mal, bien essayé... 12 sur 20 ».

Fit signe à Rose d'attendre, elle était occupée au téléphone.

– Pas de problème, dit Rose en refermant son imper pour effacer la robe rose.

Quand Valérie eut fini sa conversation, elle regarda l'heure et déclara qu'elles devaient filer chez Balthazar, elles étaient très en retard.

– On n'aura pas eu le temps de se parler, ma petite chérie. Je le regrette beaucoup. Mais William et les producteurs nous attendent. Je les ai laissés ensemble pour qu'ils fassent plus ample connaissance. Pour le moment, tout se passe très bien. On est sur le point de signer. Je suis excitée, mais excitée ! C'est un dîner si important pour moi ! J'ai un de ces tracs. Comment tu me trouves, ma chérie ?

Rose répondit ce qu'elle répondait toujours :

– Tu es très belle, maman.

Balthazar sur Spring Street. La brasserie à la mode de SoHo. Exacte réplique d'une brasserie parisienne. Bruits de conversations, ordres hurlés, exclamations. Garçons hautains avec long tablier blanc autour des reins. Maître d'hôtel attribuant les tables comme des récompenses. File d'attente soumise et disciplinée. Une débauche de miroirs, de banquettes rouges, de larges luminaires blancs au plafond.

Valérie fit signe au maître d'hôtel qu'elle rejoignait des amis. Subjugué par son aplomb et son tailleur Chanel, il la laissa passer. Rose suivit, dans le sillage de sa mère.

Deux hommes étaient assis à une table. Ils se levèrent. Se présentèrent : Sydney et Michael. Ils tapèrent sur l'épaule de Rose, la félicitèrent d'avoir une mère si dure en affaires. Ils brandissaient le pouce, admiratifs, « oui, vraiment ! Une dure à cuire, votre maman ! ».

– William n'est pas là ? demanda Valérie.

Il y avait une pointe d'inquiétude dans sa voix.

– Il est allé là où les hommes vont tout seuls, répondit celui qui s'appelait Sydney. Ou peut-être était-ce Michael.

Les deux hommes s'effacèrent et laissèrent la banquette aux deux femmes. Valérie s'installa et se mit à bavarder de leur projet d'une voix qu'elle voulait enjouée. Elle manifestait une insouciance qu'elle était loin de ressentir, devina Rose. Elle parlait de contrat, de perspectives, d'exclusivité en remuant ses longs cheveux noirs qui brillaient sous les lumières blanches. Ses mains aux ongles rouges hachaient l'air, sa bouche rouge ordonnait, les deux hommes l'écoutaient tels deux moucherons pris dans un aérosol de phéromones.

– Hollywood a beaucoup changé, disait l'un. On prend aujourd'hui des précautions qu'on ne prenait pas avant... On pèse au gramme près la moralité de chaque participant et ça ralentit la signature des contrats.

– C'est sûr, renchérit l'autre. Rappelez-vous l'anecdote que rapporte Truman Capote dans *La Côte basque*...

– L'histoire de Harry Cohn et de Sammy Davis Junior? fit l'autre.

– Je ne la connais pas, dit Valérie en piquant une olive verte farcie d'une amande dans le ramequin face à elle. C'était qui, déjà, Harry Cohn?

– Le patron de la Columbia. Quand il apprit que Sammy Davis Junior sortait avec Kim Novak dont il était fou, il envoya un tueur à gages qui menaça Sammy Davis, « hé, négro! t'as déjà perdu un œil, tu veux vraiment devenir aveugle? ». Le lendemain, Sammy Davis épousait à Las Vegas une danseuse de cabaret... noire! Vous imaginez ça, aujourd'hui? Impensable. On fait gaffe à chaque mot qu'on prononce. On vérifie les antécédents du moindre éclairagiste, de sa femme, de sa fille et si la grand-mère a dit « *fuck*! » en 1957, on n'embauchera pas le type. C'est devenu dingue! Tiens, voilà notre ami.

Il restait une place en bout de table pour William. Celui-ci vint s'y asseoir après avoir embrassé Valérie et salué Rose en lui posant la main sur l'épaule. Rose se raidit et inclina la nuque.

– On commande une bouteille de champagne? dit William en feuilletant la carte des vins à toute vitesse pour arriver aux champagnes.

Ses doigts virevoltaient sous la lumière des luminaires au plafond. Rose aperçut l'éclat d'une chevalière, un sourcil fendu, une plaque de peau nue. Elle se figea, la bouche sèche, le souffle coupé. Elle n'entendait rien. Ne voyait rien. La chevalière lançait des éclairs plus haut, plus bas, à gauche, à droite. Le visage de l'homme restait flou. Rose ferma et rouvrit les yeux plusieurs fois pour tenter de dissiper le brouillard et de voir ses traits.

– Garçon ! dit William.

Le garçon s'approcha.

– Vous avez du Ruinart blanc de blancs ?

Il commanda une bouteille, joignit les mains, posa son menton sur ses doigts enlacés. Son regard froid effleura Rose. Il ne prit pas la peine d'exprimer sa surprise à la vue de ce visage qui avait changé, non ! Il le balaya comme s'il retrouvait de la menue monnaie ou un Kleenex froissé et les remettait en poche.

Je suis sa chose. Je vais prendre le couloir, tourner à droite, entrer dans la chambre et…

Valérie bavardait, faisait des projets, se félicitait que tout se passe si bien.

– C'est pour cela que j'ai voulu que ma fille soit là ! Afin qu'elle soit fière de sa maman, n'est-ce pas, Rose ?

Rose hocha la tête. Le gant en cuir de l'homme pesait sur sa nuque, il la faisait allonger sur le lit. Lui ordonnait de fermer les yeux. Un courant d'air froid emprisonna ses genoux.

– Elle ne parle pas anglais ? demanda Sydney ou Michael.

– Mais si ! rit sa mère. Couramment ! Elle étudie à la NYU. Elle doit être intimidée, c'est tout. N'est-ce pas, Rose, ma chérie ?

Et dans le « Rose, ma chérie », il y avait, « Merde, fais un effort ! C'est mon soir ! Ne ruine pas tout en faisant la gueule ». Valérie mimait le bonheur d'être mère, l'attention d'une maman envers sa fille.

– Vous savez, on a grandi ensemble, Rose et moi. Quand son père est parti, elle était petite. Ma réussite est sa réussite. Elle a été une enfant parfaite. Raconte, Rose, ce que tu fais à New York. C'est passionnant, vous allez voir...

Rose secoua la tête.

– J'ai pas envie, maman. Je suis fatiguée, elle dit en français.

Les producteurs firent semblant d'avoir compris. L'homme au sourcil fendu ne quittait pas Rose des yeux. Impassible, presque irrité par sa résistance.

– Elle est très sérieuse, votre fille, dit Michael ou Sydney. Vous l'avez très bien élevée.

Valérie dodelina de la tête, confuse, et remercia.

– J'ai fait de mon mieux. J'étais toute seule et ce n'était pas facile...

– Elle aurait pu être actrice, elle est très jolie.

– Je dois dire que je l'ai pas mal réussie ! minauda Valérie.

– On pourrait lui donner un rôle dans la série, proposa William. Elle est très photogénique.

Valérie toussota. Deux petites boules dures apparurent sous ses mâchoires, elle jeta un regard noir à William.

– On commande ? Vous savez ce que vous allez prendre ? elle dit.

Le gant en cuir ouvrait ses jambes, les écartait. Rose se sentit fondre de terreur. Elle bégaya, « non, non, je ne veux pas ».

– Tu ne veux pas quoi, ma chérie ? dit Valérie d'une voix abrupte qui lui ordonnait de se taire.

– Je ne veux pas, je ne veux pas.

– Il fait trop chaud ici. Et ce bruit ! dit William. Je vais l'emmener dehors pour qu'elle respire.

Rose regardait l'assiette devant elle. Vide, blanche. Elle pensa, comme un bidet. Ne comprit pas. Puis un souvenir revint, elle eut envie de vomir. De grosses gouttes suintaient sur son front. Elle ferma les yeux. Se retint à la table. Les rouvrit.

Les Américains l'observaient, intrigués.

L'homme dans ma chambre... Il s'appelait comment ? Si je me rappelle son nom, il va s'incarner, je vais revoir son visage, sa manière de s'asseoir, de se lever, le visage des deux autres hommes. Et je lui cracherai à la gueule.

On ne crache pas à la gueule d'un fantôme.

– Ça va passer, dit Valérie. Il lui arrive d'avoir des malaises, ça ne dure pas longtemps. En français on appelle ça malaise vagal. Je ne sais pas comment on dit en anglais...

– *And you, mister Matthews, do you know...* * ?

William Matthews.

Il était français, son vrai nom était Michel Potiron, mais il avait pris un pseudonyme américain. Beau, très beau, ténébreux, sensuel, dangereux. Une star de cinéma célèbre en France, mais aussi en Amérique. Un jour, il avait disparu des écrans et il n'était plus venu à la maison. Sa mère n'avait plus jamais prononcé son nom et on ne parlait plus de lui dans les journaux ou à la télévi-

---

* Et vous, monsieur Matthews, vous savez... ?

sion. Valérie avait gagné beaucoup d'argent grâce à lui. Elle en avait profité pour rompre avec Raymond – elle n'en avait plus besoin – et bien d'autres encore. De nombreux proches étaient tombés dans les oubliettes sans que Rose comprenne pourquoi. La concierge avait trouvé grâce à ses yeux.

Seule, dans la nuit, Rose marchait, ahurie.

Ça avait été facile, si facile. Elle n'en revenait pas.

Elle ne tremblait pas, elle ne pleurait pas, elle tenait à la main un parapluie tout neuf.

On venait d'apporter les entrées, elle était prostrée sur la banquette, des milliers d'émotions bourdonnaient dans sa tête. Elle entendait les bruits du restaurant, loin, loin, comme des filaments de sons. Elle avait regardé l'heure, 21 heures pile. C'est le « pile » qui l'avait décidée. « Vas-y ! C'est PILE le moment ! »

Elle s'était redressée, avait coincé une mèche de cheveux derrière l'oreille, éclairci sa voix et, en montrant William Matthews, elle avait dit sans crier, ni pleurer ni trembler :

– Cet homme a abusé de moi quand j'étais petite. Ça a commencé quand j'avais dix ans. Il venait avec deux copains le mercredi après-midi quand ma mère était au bureau. Et ça a continué. Lui tout seul. Je veux que vous sachiez avec qui vous allez travailler. Parce qu'il va recommencer, c'est sûr. Il n'a pas honte. Il se croit tout permis. S'il vous plaît, protégez les petites filles qu'il approchera…

Elle avait repoussé la table. S'était levée. Était sortie sur le trottoir.

Il pleuvait encore.

Elle avait ouvert le parapluie déglingué. Avait reçu un arrosoir sur la tête.

Avait balancé le parapluie dans une poubelle.

Était revenue sur ses pas.

En avait piqué un tout neuf dans le dos du portier en train de héler un taxi.

Elle remonta Spring Street, traversa Broadway, Greene Street, arriva sur Wooster Street, pensa à Hector, regarda l'heure : 21 h 45. Elle chercha si elle avait son numéro de téléphone. Ne le trouva pas.

Sonna à l'interphone. S'annonça.

Une voix lui répondit, il lui sembla que ce n'était pas celle d'Hector mais la connexion était mauvaise, il se pouvait qu'elle ait mal entendu.

Un homme grand, mince, les cheveux coupés très court, portant de larges lunettes en écaille et un tee-shirt mauve avec une inscription « Sauvons les vers de terre et les coléoptères », lui ouvrit. Rose se rappela qu'Hector lui avait dit qu'il vivait en coloc.

– *Hi! My name is Denis. You must be Rose. Hector told me about you**…

---

* Hello! Je m'appelle Denis, vous devez être Rose, Hector m'a parlé de vous…

« Il faut que je parle à Hector. On est mariés, tu sais », faillit dire Rose. Elle se retint. Milieu du cercle, distance et dignité.

– Hector n'est pas là ?

– Il est parti travailler au labo. Il a des problèmes avec ses vers ténébreux ! Tu peux l'attendre ici si tu veux. J'allais ouvrir une bouteille de pinot noir. Ça te dit ?

Rose fit oui de la tête.

Cet homme dans son tee-shirt mauve avait un regard de savant doux. Un regard de dictionnaire. Elle se sentit intelligente, et même brillante. Il n'avait rien de spécialement beau, des yeux trop petits, une bouche trop grande, un nez trop long, mais il diffusait une chaleur, un bien-être qui donnaient envie de se pelotonner contre lui.

Denis, Denis. On se mariera. On aura trois enfants, un chien, un perroquet qui parlera français. L'été, on louera une maison à Sag Harbor, on fera du bateau, on grillera des marshmallows, je préparerai des sandwichs tomate-mozzarella et… Arrête, Rose ! Arrête ! Tu recommences à fantasmer ! Milieu du cercle, distance et dignité.

Le tire-bouchon fit un bruit sec, Denis respira le bouchon, eut l'air satisfait et servit deux verres de pinot noir.

– Alors comme ça, tu travailles sur une luciole alsacienne ? il dit en repoussant un tas de magazines pour se carrer dans un canapé un peu défoncé au tissu écossais décoloré. Il laissait à Rose le plaisir de se balancer dans le rocking-chair.

– Oui, dit Rose en regardant autour d'elle.

Il y avait des livres partout : sur les étagères, par terre, sur la table, les fauteuils. Partout aussi : des bloc-notes *yellow pads*, des carnets à spirale, des mugs dont le fond était noir, craquelé de café, des plantes vertes à moitié jaunes, des paniers remplis de baskets, de chaussettes, et sur la table, un crâne transparent dont elle apercevait les os, les lobes et les sillons. Un appartement de célibataires. Jamais une femme n'a traîné ici, se dit Rose.

– Elle s'appelle comment, ta luciole ? demanda Denis, mâchant sa première gorgée de vin en connaisseur.

– *Lamprohiza splendidula.* J'en ai tiré une molécule miracle pour soigner le cancer et ses conséquences.

– C'est formidable !

– Tu es chercheur aussi ?

– Je suis psychiatre et biologiste. Je travaille sur la mémoire et la restitution des souvenirs de la petite enfance. Tu sais ce que disait votre Jean-Paul Sartre ?

Rose secoua la tête.

– Il a dit tant de choses !

– Il disait : « l'enfance décide ». Tout est dans ces deux mots. « Enfance » et « décide ».

– À partir de quel âge on commence à avoir des souvenirs ?

– De vrais souvenirs ? Pas avant 6 ans. Avant, c'est le trou noir. On appelle ça l'amnésie infantile.

– Mais les souvenirs d'avant 6 ans... ils sont définitivement perdus ?

– Il semblerait que non. C'est ce que vient de démontrer un chercheur new-yorkais. Il a placé des rats, jeunes et adultes, dans une cage où se trouvait une zone de danger. Quand un rat s'y aventurait, il recevait une décharge électrique. Les rats adultes comprenaient vite et, après une ou deux décharges, ils évitaient la zone de danger.

– Et les plus jeunes ?

– Ils prenaient des décharges à répétition. On les a retirés de la cage et on les y a remis, une fois adultes. Ils ne se souvenaient pas du danger et sont retournés traîner dans la zone interdite. Ce qui a permis de mettre en évidence l'amnésie infantile. Il se passe quelque chose dans notre petite enfance mais, une fois adulte, on a oublié.

– C'est exactement ça..., dit Rose, troublée.

– La suite va t'étonner... Si, avant de mettre le jeune rat devenu adulte dans la cage, on lui envoie une petite décharge électrique, il va dès lors éviter la zone dangereuse.

– Ça veut dire qu'il se rappelle le danger...

– ... et que le souvenir d'enfance est revenu. Et donc que ces souvenirs sont toujours présents mais qu'on ne sait pas forcément comment et où aller les chercher.

– Le rat est un mammifère, la structure de son cerveau ressemble beaucoup à celle du cerveau des humains, dit Rose.

– Oui. En fait, il y a deux choses à retenir. La première, c'est que les souvenirs de la petite enfance ne sont jamais perdus mais conservés quelque part dans notre cerveau. Toute la question, c'est de connaître le bon stimulus qui pourra les réactiver.

Les doigts de docteur M. qui vont de droite à gauche, de gauche à droite, de droite à gauche, de gauche à droite...

– La seconde chose, c'est que rien de ce qu'il se passe dans la petite enfance n'est anodin. Ce vécu-là peut déterminer des comportements particuliers lorsqu'on devient adulte. Les futurs parents ne devraient pas perdre de vue que l'enfant est capable de tout se rappeler un jour.

– Je le sais bien. Je suis soignée par une psy qui pratique l'EMDR. Son travail consiste à faire resurgir les souvenirs traumatiques et à les déminer.

– Je connais l'EMDR. C'est formidable, surtout quand on a vécu des traumatismes. C'est une belle thérapie. Longtemps après avoir arrêté les séances, on continue à nettoyer le passé. Donc à guérir...

Je me rappelle... quand maman cherchait son acteur important.

Je me rappelle... ses interminables conversations au téléphone. Le ton suppliant qu'elle prenait parfois. Les soirées où elle ne desserrait pas les dents. On dînait dans la cuisine en silence, face à face. Elle prenait un bout de jambon, allumait une cigarette, me disait « mange, ne me fais pas perdre de temps ». Une tranche de jambon sous plastique, de la purée en flocons au goût de carton et « vite au lit ».

Le cendrier débordait de cigarettes. J'allais me coucher.

Quand elle me croyait endormie, je me relevais. L'espionnais dans le salon. Elle faisait ses comptes, des papiers étalés sur la table, et se tenait le front.

Et puis un soir, elle était rentrée avec des cadeaux plein les bras et une bouteille de champagne. Elle m'avait acheté une loupe binoculaire, des plaques de verre, des bocaux, des casiers.

Elle m'avait serrée contre elle. Elle portait au revers de sa veste une broche Yves Saint Laurent faite de petits cœurs en faux diamants qui m'écorchaient la joue. Pendant une semaine j'ai gardé une entaille.

« Ça y est, ma chérie ! J'ai décroché le gros lot », elle avait dit, deux petites boules dures saillant sous ses mâchoires.

La bouteille de champagne était restée enveloppée dans son papier de soie, une semaine sur la table.

Puis elle l'avait rangée sous l'évier.

Denis lui demanda si elle désirait un autre verre de pinot noir.

Il voulut savoir ce qu'elle pensait du vin. Elle était française, elle s'y connaissait. Hector lui avait appris à goûter les « divins nectars ».

– Tu es déjà allé en France ? demanda Rose, qui se balançait sur le rocking-chair, une jambe repliée sous elle.

– On en parle chaque année et jamais on ne le fait...

Rose posa les lèvres sur son deuxième verre de pinot noir. Cela faisait beaucoup d'alcool pour la soirée. Son père buvait comme un gouffre. À la naissance de Rose, on avait prévenu sa mère : l'enfant aurait le foie fragile. Cela s'était révélé juste. Au bout de deux verres, Rose avait mal au cœur et la tête qui tournait.

Son père ? Elle aurait aimé avoir une photo de lui. Un vieux pull. Ou une carte postale. Elle eut envie de rentrer en France. Elle imagina le mail qu'elle enverrait à Lupaletto :

Bonjour Ronald,
J'ai le grand plaisir de vous annoncer que ma mission est remplie et bien remplie. Grâce à ma persévérance et à mon intuition...

– Tu sais, Rose, quand on est abandonné ou maltraité dans son enfance, on se sépare de l'autre, des autres, mais on se sépare de soi aussi. C'est très douloureux. On s'enferme dans une cage. On ne supporte pas qu'on vous aime, à peine qu'on vous touche... C'est sur cela que je travaille actuellement.

– Comment ? demanda Rose. Excuse-moi, je pensais à autre chose.

– Je disais que... lorsqu'on a été maltraité, enfant, on a du mal à aimer l'autre mais on a du mal aussi à s'aimer soi-même. Or, sans amour pour soi, on ne peut pas aimer l'autre. Et c'est très douloureux...

Rose reçut une déflagration en pleine poitrine. Les larmes piquaient ses yeux.

– Je suis désolée, c'est l'effet de l'EMDR.

Elle rit nerveusement. Se remit à pleurer.

– Pleure, Rose, pleure. Laisse-toi aller...

Denis lui tendit la boîte de Kleenex. Il s'appuya contre le dossier du canapé et la contempla, attentif, tendre. Ses yeux brillaient comme ceux de docteur M.

Rose laissa couler ses larmes.

Quand elle eut fini, elle murmura merci et se moucha. Demanda si elle pouvait se rafraîchir dans la salle de bains. Il lui montra le chemin.

Elle baigna ses yeux, son front, ses joues, son cou. But de l'eau au robinet. Se peigna avec un peigne en corne qui traînait. Se regarda dans la glace. Aima ses yeux, son nez, sa bouche. Et sa robe rose à laquelle elle décerna 20 sur 20.

Elle respira une eau de toilette qui se trouvait à gauche du lavabo, Eau Sauvage de Christian Dior. Bon choix, elle se dit, ce doit être celle d'Hector. En renifla une autre, à droite, Acqua di Giò d'Armani. Pas mal non plus! Sûrement celle de Denis. À tous les coups, Hector voudra qu'il soit le parrain de Lili ou de Victor. C'est un homme fin, rassurant. Bien au milieu de son cercle, lui aussi.

Il n'y avait qu'une salle de bains. Ce n'était pas comme chez Leo.

Rose jeta un œil dans le couloir. Des vestes, des parkas, des manteaux étaient suspendus à des crochets comme dans les couloirs d'école, des gravures et des dessins accrochés aux murs. Des photos de famille. Et une photo de la tour Eiffel illuminée.

Au bout du couloir, se trouvait une chambre vaste et claire.

Une seule chambre. Un seul lit.

Et sur une table, la photo d'Hector et de Denis enlacés devant un sapin de Noël.

Vers 23 h 30, Rose se leva et partit. Hector n'était toujours pas revenu du laboratoire. Elle avait embrassé Denis, avait passé les bras autour de son cou et lui avait déclaré « I love you beaucoup ».

La pluie avait cessé. Elle avait besoin de marcher.

Elle traversa Washington Square. Les réverbères dessinaient des trous de lumière dans le parc. Un halo isolait un homme qui, la tête sur son sac, dormait sur un banc avec une seule chaussure. Elle chantonna « Un homme, un sac, une godasse ». Chercha une rime en « asse ». Essaya badass, coriace, carapace. Bifurqua sur « Deux hommes, une chambre, un lit ». Des rimes en « i », il y en avait plein. Il se mit à pleuvoir comme un arrosoir.

Elle ouvrit son parapluie.

En arrivant chez elle, elle repensa à la proposition de Leo et se dit que cela semblait trop beau. Elle ne devait pas se laisser aller à l'euphorie. Elle pénétrait dans un territoire dangereux où régnaient la compétition, l'appât du gain, l'envie. Ouvre l'œil, Rose, et ne t'emballe pas. Lis chaque ligne de contrat, étudie chaque proposition, ne lâche rien.

Elle remplit la bouilloire, sortit un mug, un sachet de verveine et réfléchit.

Et si Leo ressemblait à cette espèce d'araignée brésilienne, la *Paratrechalea ornata* ? Pour obtenir l'autorisation de s'accoupler, le mâle doit apporter une offrande, sinon il a de grandes chances d'être mangé par la femelle avant même de passer à l'action. Cette offrande est une proie emballée dans de la soie en guise de papier-cadeau. Il commence à danser vers la femelle sur sa toile. Si la chorégraphie lui plaît, la femelle accepte le cadeau et le transfert de sperme dans la foulée. Pendant l'accouplement, le mâle revient fréquemment face à la femelle pour mettre son cadeau en valeur, lui rappeler qu'il vient de lui, puis il reprend son labeur… S'il insiste ainsi, c'est qu'il craint que sa partenaire n'ait un trou de mémoire et ne le croque une fois la partie de pattes en l'air terminée. En effet, la *Paratrechalea ornata* ne dédaigne pas de dévorer son amant s'il traîne trop longtemps autour d'elle.

Rose reprit la rédaction du mail à Lupaletto :

Bonjour Ronald,
J'ai le grand plaisir de vous annoncer que ma mission est remplie et bien remplie.
Grâce à ma persévérance et à mon intuition, j'ai mesuré une activité à 100 % de la Lucioline sur les cellules cancéreuses MCF7 jusqu'à des dilutions au millionième de ma solution mère à 1 mM, soit 10 pM * ! En diluant encore par 10, elle reste active à 50 %, et par 100 cela ne sort pas du bruit de fond. La CL50 est donc de l'ordre du picomolaire, soit quasiment

___

* mM : millimolaire ; pM : picomolaire. La concentration picomolaire de la Lucioline (ou 1 pM) est de 0,592 nanogramme ou 592 picogrammes par litre, l'équivalent du volume d'une tête d'épingle de Lucioline (2 mg) dans une piscine olympique.

1 000 fois moins que les anticancéreux sur le marché. De plus, la Lucioline est sans effet sur les cellules témoins CHO à 100 mM. Ces travaux vont me permettre de mettre au point un protocole efficace qui non seulement guérira les malades mais leur assurera un traitement sans les effets secondaires de la chimiothérapie : douleurs, perte de cheveux, fièvre, fourmillements, maux de tête, vomissements et tout le reste.

Je suis prête à rentrer en France et à vous exposer les détails de ma découverte.

J'ai hâte de vous présenter mon projet.

En toute cordialité,

Rose Robinson

La réponse de Ronald Lupaletto fut immédiate. Rédigée à 6 h 23, heure française. L'homme était matinal.

Bravo, Rose. Je suis fier de vous. Vous avez réussi. Rentrez vite, vous avez ma pleine confiance.

Elle était devenue Rose.

Plus de « ma petite Rose », de tapotage sur la tête, de fesse lustrée, désinvolte, posée sur le bord du bureau quand il lui parlait.

Bientôt ce serait « mademoiselle Robinson ».

Il était 1 heure du matin. Rose n'arrivait pas à dormir.

Elle se lava les dents, se brossa les cheveux, se coucha, fit un, deux, trois Sudoku. Éteignit. Ralluma. Éteignit. Ralluma. Éteignit.

Tourna et se retourna dans son lit.

Élabora un plan en dix points.

Comme les Dix Commandements.

Je rentre à Paris, j'expose à Lupaletto mon accord avec Leo. Lui annonce que je monte une start-up. Je prends un avocat. Demande une avance au Muséum en attendant le premier chèque du labo de Leo. Fais confirmer à Leo sa proposition de deux millions de dollars.

DEUX MILLIONS DE DOLLARS, tout de même.

Ces dollars lui donnèrent faim.

Elle se releva, fouilla dans le frigo, trouva une tablette de chocolat sous une vieille tomate pourrie. Jeta la tomate, emporta le chocolat dans son lit. Pas plus de deux barres, elle se promit, pas plus de deux barres.

Cinq barres plus tard, elle reprenait sa liste.

Trouver d'autres investisseurs pour ne pas dépendre de Leo. Dénicher des locaux, un labo. S'autoproclamer PDG pour avoir la main sur l'affaire et ne pas se faire berner. Répartir les royalties entre elle, Lupaletto et le Muséum. S'octroyer un salaire mensuel de 5 000 euros. Prendre en charge la partie scientifique, recruter un commercial. Faire les premiers tests sur des souris, synthétiser la molécule. Ah ! Et puis aussi... chercher un appartement, parce qu'elle n'habiterait plus jamais rue Rochambeau. Plus jamais.

Affronter sa mère.

Emmener Babou avec elle.

Elle recompta. Cela faisait plus de dix tâches.

Elle s'endormit, épuisée.

Sa mère l'attendait devant l'université. En face du campement des «en colère contre Wall Street». En imper noir. Avec des lunettes noires plus larges que d'habitude. Modèle 1968, Jackie Kennedy poursuivie par les paparazzi.

Adossée à la grille du parc, Valérie fumait, une jambe repliée contre la grille. Des passants se retournaient. Elle leur tirait la langue.

Il y a des trucs que j'aime beaucoup chez cette femme, se dit Rose.

Dès que Valérie vit sa fille, elle jeta sa cigarette, l'écrasa du bout de son escarpin de huit centimètres et marcha à sa rencontre.

– Tu as tout fait capoter. Tu es fière de toi? Je me retrouve à poil, sans projet.

Rose se baissa, ramassa le mégot et le jeta dans une poubelle.

Elle proposa à sa mère d'aller au Lafayette Café. Elle ne risquait pas d'y rencontrer des étudiants. Les cafés y coûtaient trop cher.

– Pourquoi tu me hais? dit Valérie à peine assise en remontant d'un doigt ses lunettes noires.

Ce qui est bien avec ma mère, c'est qu'on ne perd pas de temps. Elle aborde toujours les problèmes de front.

Valérie s'humecta les lèvres, se remit du rouge, de la poudre sur le nez, commanda un décaféiné avec une goutte de lait. Rose prit la même chose.

– Je ne te hais pas. Je ne t'ai jamais haïe.

– On dirait pas. Après ce que tu m'as fait hier soir...

– Cet homme est un salaud. Un prédateur. Et tu es sa complice.

Valérie ricana.

– Les grands mots! Tout de suite! Comme si ce n'était pas toute la vie qui était comme ça!

– Arrête, maman, arrête! Et puis je ne te hais pas, je ne te fais pas confiance, c'est différent.

– Tu n'aimes que Babou...

– C'est une grande dame. Tendre, généreuse...

– Une femme sèche, calculatrice.

– Elle m'aime, en tout cas!

– Elle n'aime personne. À part elle. Elle ne m'a jamais aimée. Pire encore, elle m'a empêchée d'imaginer ce que pouvait être l'amour. Elle me prend pour une intrigante ou, pour employer un mot qu'elle ne prononcerait pas, pour une belle salope... C'est terrifiant d'avoir une mère comme elle.

– Et une mère comme toi?

– T'as raison. Je n'ai jamais été une mère.

Elle sourit à l'envers en laissant tomber les coins de sa bouche.

– Mais je n'ai jamais été une enfant non plus. J'ai pas eu le temps. Babou m'a détruite. Papou aussi. Ils faisaient la paire.

– Tu en dis trop ou pas assez. Je comprends rien.

– Demande à Babou. On verra si elle aura le courage de te

raconter... Tu ne te rends pas compte à quel point elle te manipule.

– Toi aussi, tu m'as manipulée.

– Peut-être parce que j'ai été élevée comme ça ?

– Tu ne m'as jamais protégée. Jamais défendue. Tu le sais très
bien.

– Je me souviens plus.

– Et pire encore, tu ne m'as jamais crue. J'étais une enfant,
maman, une enfant !

– Les petites filles mentent beaucoup, tu sais. Elles inventent
des tas de choses.

– Je ne mentais pas ! Tu le sais très bien.

– Il y a des choses qu'il vaut mieux oublier.

J'ai pas envie de recommencer le même ballet tragique. Ma
mère qui hausse les épaules, me traite de menteuse. Moi qui
pleure et réclame justice...

– Et mon père ? Pourquoi tu ne m'en as jamais parlé ?

– Ton père ? Il était dingue !

– Ça veut dire quoi ?

– Que ça devait finir dramatiquement...

– Arrête de parler par énigmes ! On ne joue pas, maman, on
se parle cette fois-ci.

Valérie sourit mais c'était un sourire fané qui venait de très
loin.

– Il avait la beauté du diable, comme on dit... Et j'étais folle
de lui. J'ai tout accepté. Les autres femmes, les nuits de

déglingue, sa bande de copains... Il traînait avec des types qui jouaient, trafiquaient. Un jour, peu de temps après notre divorce, les flics m'ont appelée. On avait trouvé son corps au bord d'une autoroute. Un règlement de comptes entre deux casinos. J'ai signé le rapport d'autopsie. Le flic a refermé le dossier et a dit, « c'est la vie ».

– C'est violent !

Rose déglutit. Elle se leva, prétexta l'envie de faire pipi, descendit au sous-sol, se réfugia dans les toilettes.

Elle ne voulait pas pleurer devant sa mère.

Quand elle revint, Rose s'arrêta sur la dernière marche de l'escalier. Contempla Valérie. Elle avait enlevé ses lunettes noires et se frottait les yeux. Son visage sans lunettes pour la protéger... Nue. Fragile enfant et vieille femme usée. Si au moins j'arrivais à avoir pitié... Si j'arrivais à lui sourire, à l'embrasser, à lui dire « je t'aime, maman ». Mais je ne peux pas. Je ne peux pas. Ce n'est pas seulement à cause de l'homme du mercredi, non, celui-là est en train de s'effacer, mais ce sont toutes ces années à attendre un baiser, une caresse. Tout ce temps à t'attendre, maman. Et voilà, tu es devant moi et je ne ressens rien. Plus rien.

Rose alla se rasseoir, chercha un fond de café dans son mug, racla avec sa cuillère. Il restait un peu de sucre cristallisé. Elle lécha la cuillère. Regarda sa mère qui jouait avec les branches de ses lunettes. Tourna la tête, leva le bras, demanda la note.

– Me laisse pas, Rose... Me laisse pas.

Jennifer organisa un pot d'adieu pour le départ de Rose.

Elle avait déplié une nappe blanche en papier sur son bureau. Disposé un bouquet de fleurs, des bouteilles de chardonnay et de pinot noir. Des cakes aux olives et au citron sur lesquels était écrit « *Farewell, sweetie. We love you** ». Une assiette de fromages et de raisin. De gros grains noirs et blancs. Des allumettes au cheddar. Des gambas à la sauce tomate. Des ailes de poulet teriyaki. Des tranches de pâté français avec un petit drapeau tricolore planté dessus.

Elle s'était donné du mal, tout était parfait.

Elle leva son verre et prononça quelques mots en français :

– Tu vas nous manquer !

Rose la serra dans ses bras et l'embrassa.

Sergueï se chargeait d'ouvrir les bouteilles et de goûter les vins. Il prenait une gorgée et la mâchait en regardant Rose.

Rose ne put s'empêcher de rire. Il s'approcha et, se penchant sur elle, chuchota :

– J'ai bien refermé ma braguette et je ne me gratterai pas les couilles.

Leo avait mis son polo noir aux pointes relevées. Il prit Rose à part et lui annonça que les gens du labo voulaient la rencontrer avant son départ, «ils sont chauds bouillants, il n'arrêtait pas de dire. Chauds bouillants, chauds bouillants».

---

* Au revoir, ma chérie, nous t'aimons tous !

Redcliff, un large sourire barrant son visage, fit un discours et prédit à Rose et à Leo un avenir brillant. Il avait parlé à Lupaletto, ils fondaient tous les deux de grands espoirs sur la Lucioline. « Une coopération franco-américaine qui se révélera fructueuse, ce qui, par les temps qui courent, est rare », ajouta-t-il dans un clin d'œil.

– Vous vous lancez en politique ? lui demanda Rose quand il eut terminé.

– Dieu m'en garde ! dit-il en levant les mains comme pour repousser un péril.

Big Denise écrasa Rose dans ses bras en lui faisant promettre de ne pas l'oublier. Dans vingt-deux jours, les mouches élevées à la Lucioline livreraient leur secret. On saurait si elles mourraient ou survivraient.

– Croise les doigts ! Croise les doigts ! Et reviens vite !

– C'est toi qui viendras me voir à Paris, répondit Rose. On continuera nos expériences dans le cadre de mon travail.

Hector trempait les lèvres dans son verre de vin blanc en se tenant à bonne distance de Jennifer.

– Pourquoi tu ne dis pas que tu es marié ? Ce serait plus simple, dit Rose.

– Ma vie privée est privée. Je refuse qu'on sache tout de moi.

– Tu préfères jouer les mystérieux.

– J'ai horreur de la fausse intimité. Je ne suis ni sur facebook ni sur Instagram ni sur aucun réseau. Et je coupe mon téléphone le week-end. Si on veut me joindre, on m'envoie un mail et je le lis quand je veux…

– *I love you*, Hector.

Il la regarda, excédé.

– Tu deviens très sentimentale, Rose. C'est énervant.

– Excuse-moi. J'ai du retard, je me rattrape. J'ai décidé d'apprendre à aimer. Et à bon escient. Ça m'enivre un peu.

– Je te préfère sobre.

Rose leva son verre, remercia ses collègues. Leur offrit à chacun un porte-clés tour Eiffel qui s'illuminait quand on appuyait dessus. Elle en avait commandé une quinzaine à Babou. Le colis était arrivé à temps.

Épilogue

— *I*ls ont adoré les tours Eiffel, Babou. Ils les ont fait clignoter en criant « Paris ! Paris ! ».

C'était le soir. La nuit commençait à tomber dans la cuisine de la rue Rochambeau, face au square Montholon.

– Je suis allée les acheter sur place, dit Babou. Et j'ai gratté derrière pour qu'on ne voie pas qu'elles étaient fabriquées en Chine.

– T'es trop forte !

– Et tu as vu ? Je me suis acheté des bracelets, des boucles d'oreilles et un joli tablier avec des fleurs de toutes les couleurs.

Pourvu qu'elle me dise pas que c'est pour plaire à Adama ! Je n'ai aucune envie qu'elle me parle de sa vie sentimentale et sexuelle, je veux qu'elle reste ma grand-mère.

– Tu n'aimais pas mes tabliers gris.

– Comment tu le sais ? J'ai jamais rien dit.

– Je le savais, c'est tout. J'ai aussi pris soin de ton pianiste en ton absence. Mais depuis une semaine, il a disparu. J'ai demandé aux gens du quartier, personne ne sait où il s'en est allé. Il a tout bien nettoyé avant de partir.

– Il ne m'a jamais dit un mot.

– Mais tu y retournais quand même…

Rose était passée au 8, rue Rochambeau prendre ses affaires. Valérie suivait un tournage en Roumanie, puis partait en repérage au Vietnam. Elle ne rentrerait pas avant quinze jours. Babou préparait une salade d'artichauts poivrade. Elle les avait lavés et les essuyait dans un torchon.

– Tu nous quittes vraiment ? dit Babou.

– J'emporte le principal, je reviendrai vider ma chambre quand j'aurai trouvé un appartement. En attendant, je vais habiter chez Kirsten. Si tu veux venir vivre avec moi ensuite…

– Ta mère a besoin de moi.

– Il faut que tu prennes soin d'elle, Babou. Elle va pas bien.

Babou coupait les tiges des artichauts à l'aide d'un couteau pointu. Son petit couteau noir auquel personne n'avait le droit de toucher. Il pouvait sectionner un doigt si on n'y prenait garde.

– Ça a toujours été difficile entre ta mère et moi…, soupira Babou, mais je dois rester. Vous vous êtes disputées à New York ?

– Non. On a parlé.

– De quoi ?

– Tu le sais très bien, Babou. Tu le sais très bien…

Pour la première fois de sa vie, Rose jeta un regard sévère à sa grand-mère.

Ne fais pas semblant, s'il te plaît. Ne mens pas. Quand on parle, on choisit ce qu'on veut montrer de soi, mais cette fois, dis-moi la vérité.

Babou se taisait. Une forteresse de silence.

Alors Rose parla.

Elle raconta le dîner chez Balthazar, les producteurs américains, la présence de William Matthews, la réaction de sa mère, les séances chez docteur M., le béret de marin, la phrase qui revenait tout le temps.

– Toujours la même, « arrête de faire des histoires, toutes les petites filles...

– ... se font violer », compléta Babou en évitant le regard de Rose.

Elle épluchait les feuilles basses des artichauts avec la concentration d'un automate.

– Comment tu le sais ? dit Rose. T'étais pas là quand elle m'a dit ça... Elle te l'a raconté ?

– Non.

– Mais alors...

Babou avait repris son couteau et taillait les artichauts en tranches aussi fines que celles d'un carpaccio.

– Babou... Regarde ce que tu fais ! Tu vas te couper un doigt !

Babou posa son couteau, s'assit, roula un bout de son tablier, le tritura.

– Il faut que tu me parles, dit Rose.

Le coin du tablier roulait, roulait, Babou le pressait de ses doigts. Elle serrait les lèvres comme pour empêcher les mots de sortir.

– Babou... C'est important.

321

Il avait fait si étouffant ce jour-là que les murs chauffaient comme dans une serre. Dans le square, les arbres demeuraient immobiles. Pas un souffle ne venait agiter les premières feuilles vertes enroulées telles des cigarettes. Babou s'essuya le visage, releva ses cheveux sur le front.

– Trente-trois degrés... et on est fin avril ! Je suis épuisée.

– Tu as pensé à boire aujourd'hui ?

Babou secoua la tête.

– J'ai pas soif.

– Mais il faut boire !

– Tu as vu ces drôles de bêtes sur les murs ?

– Ce sont des tipules..., dit Rose.

– On dirait des moustiques.

– Ils appartiennent à la famille des moustiques, mais ils ne piquent pas. Ce sont de gentils moustiques...

Babou fit une moue dubitative.

– Des gentils moustiques ? Ça n'existe pas !

Si tu savais ! Des chercheurs viennent de mettre en évidence le premier cas de stridulation copulatoire chez un mâle tipule. Quand ce dernier pénètre la femelle, son pénis, muni de cils vibratiles, se met à vibrer et, tout le temps qu'il s'agite en elle, il lui envoie des trépidations. On appelle le sexe du tipule le « pénis chantant ». Mâle et femelle semblent apprécier et hululent de plaisir lors de l'accouplement qui dure longtemps.

Babou lâcha le coin de son tablier qui se déplia sur ses genoux.

– Il y en a partout sur le mur ! Regarde !

Elle en compta jusqu'à onze.

– J'en ai jamais vu autant de ma vie !

Elle porta la main à sa poitrine et retint son souffle.

Rose comprit que Babou essayait de changer de sujet de conversation.

– Regarde-moi, Babou, et dis-moi comment tu sais ce que maman m'a répondu. Ne triche pas. Je ne supporterais pas que tu me mentes.

Babou, d'une voix atone, murmura :

– « Arrête de faire des histoires, toutes les petites filles se font violer »... C'est ce que j'ai répondu à Valérie quand elle est venue me dire que monsieur Auvers l'avait...

– Toi, Babou... !

– Monsieur Auvers nous avait prêté une grosse somme d'argent à un moment où le magasin n'allait pas bien. On dépendait de lui. S'il coupait le robinet, on était fichus. Je n'ai pas voulu faire de scandale, alors... quand Valérie est venue me raconter qu'il l'avait... enfin...

– Qu'il l'avait violée, dis-le ! Aie ce courage. Elle a eu le courage d'endurer, aie celui d'avouer que tu l'as pas défendue.

– Je m'en suis voulu, je m'en suis toujours voulu.

– Mais on s'en fiche ! C'est à elle que tu aurais dû penser, pas à toi.

Maman violée, moi violée. Mais alors...

C'est la même tragédie que chez la puceronne *Rhopalosiphum prunifoliae*. Les hommes ne font pas mieux que les pucerons. Ils reproduisent le même schéma. Trois générations dans le même sac. Si l'aïeule est agressée, la mère et la petite-fille le sont aussi. Même choc, même peur, même douleur.

Babou baissait la tête. Ses tempes étaient mouillées, elle les essuyait du revers de la main, puis ses doigts allaient courir sur son front comme si cela allait l'aider à se souvenir. Elle poussa un soupir. Rose apercevait les peignes en simili-écaille qui retenaient ses cheveux et, par-delà, accrochés au mur, le calendrier des Postes et le thermomètre.

— Babou, toi aussi alors… tu as été…

Babou releva la tête. Sa bouche tremblait. Elle pleurait, immobile, sans renifler ni faire de bruit.

— J'étais petite… À la campagne… on se faisait renverser…

— Tu en as parlé à ta mère ?

Babou se tut.

— Tu en as parlé à ta mère et elle t'a dit qu'il ne fallait pas en faire toute une histoire, que toutes les petites filles se faisaient violer ? Parce que la mère de ta mère et ainsi de suite… C'est ça, hein ? C'est ça ?

Babou resta un long moment sans parler. Puis elle se redressa. Finit de tailler les artichauts, coupa le haut des feuilles, éminça trois radis, en parsema les artichauts, ajouta des copeaux de parmesan, nappa le tout d'un filet d'huile d'olive verte, d'un jus de citron. S'essuya les mains et déclara comme si elle se parlait à elle-même :

— Je parlerai à ta maman. Je lui demanderai pardon…

Dans la pièce que Kirsten avait mise à sa disposition, Rose, allongée sur une banquette qui lui servait de lit, consultait les petites annonces immobilières. Lupaletto lui avait fait une avance de 15 000 euros pour qu'elle puisse subvenir à ses besoins les plus urgents. Il ne savait plus que faire pour la satisfaire, multipliait les attentions, les mièvreries, les « tout va bien, Rose ? Que puis-je faire pour vous ? ».

Forcément, se disait Rose, il va gagner beaucoup d'argent avec ma Lucioline... Pas tout de suite, bien sûr. Mais dans dix ans... Elle rapportera des millions aux actionnaires et ce, pendant le temps de la validité du brevet, soit une vingtaine d'années. Je ne suis plus sa petite Rose, je suis sa rente, sa retraite dorée, son billet de Loto gagnant !

Les annonces défilaient sur leboncoin et PAP, Rose prenait des notes, comparait, soulignait. Elle voulait un balcon filant, une vue sur des arbres, un étage élevé, deux pièces, salon, cuisine séparée, rester dans le même quartier, le IXe arrondissement. Pas trop loin de Babou. Un loyer autour de 1400 euros. Elle avait calculé qu'en faisant des Airbnb, elle s'en sortirait.

Elle griffonnait des chiffres, des additions sur son bloc à spirale. Elle pensait qu'elle n'avait plus eu de nouvelles de sa grand-mère depuis une bonne semaine lorsque son téléphone sonna. C'était Babou. Elle voulait la voir sur-le-champ.

– Sinon je n'aurai plus le courage..., elle murmura.

Elle l'attendait dans un café rue Pierre-Semard.

Elle tenait son sac sur ses genoux et avait commandé un Perrier-rondelle qu'elle surveillait comme s'il allait lui échapper.

Rose l'embrassa sur le front, commanda la même chose et s'assit en face d'elle. Elle avait vue sur les portes battantes de la cuisine et les regardait s'ouvrir et se fermer à cadence régulière, laissant entrevoir en un éclair des casseroles fumantes, des piles d'assiettes blanches, un jambon suspendu à une ficelle, des torchons à carreaux, des baguettes de pain en épis.

– J'ai décidé de te parler alors ne m'interromps pas, s'il te plaît, dit Babou en fixant son Perrier.

Rose hocha la tête.

– Alors voilà... Ce que je vais te raconter, je le sais par madame Delamare. Pas par ta mère. Elle ignore que je sais tout ça.

Le garçon décapsulait la bouteille de Perrier, la posait avec un verre sur la petite table, glissait la note sous une soucoupe. Puis donnait un coup de chiffon autour du verre.

Rose ajouta deux glaçons, remua avec une longue cuillère, pressant la rondelle de citron contre la paroi du verre.

– Il faut que tu saches que ta mère et Jeanine Delamare ont été très amies...

Jeanine Delamare, la mère du fils Delamare qui glissait sa main dans ma culotte. Jeanine Delamare qui passait en courant à 10 heures du soir parce qu'elle avait oublié la moutarde pour le gigot ou qu'elle avait raté sa mayonnaise.

– Je me souviens, elle jouait les fofolles, dit Rose.

– Mais pas au point de ne pas calculer. Elle a épousé Marcel Delamare, qui avait une belle situation et de l'argent. Ils ont eu un fils qui a repris la charge de notaire du père à Saint-Aubin. Un petit joufflu que tu terrorisais, tu te rappelles ?

Rose ne put s'empêcher de sourire.

– Elles se parlent encore ?

– Oui, même si elles ne se voient plus beaucoup. Il y a entre elles un lien mystérieux. Elles se partagent des secrets un peu honteux, je pense. Un peu canailles, comme elles disaient en pouffant dans leurs mains comme des collégiennes.

Babou se pencha et but une gorgée d'eau pétillante. Elle déglutit avec difficulté. Elle n'aimait pas l'eau et encore moins l'eau gazeuse. Rose se demanda pourquoi elle avait commandé un Perrier. Peut-être était-ce l'idée qu'elle se faisait d'une vraie Parisienne dans un café ?

– Elles ont le même âge. À dix-huit ans, elles sont venues s'installer toutes les deux à Paris. Elles voulaient « réussir », Saint-Aubin était trop petit. C'étaient deux jolies filles et elles ont beaucoup fait la fête. Elles ont pris des petits boulots de secrétaire, puis ta mère est devenue super-secrétaire puis assistante. Pendant ce temps, Jeanine végétait. Elle trouvait la vie à Paris trop dure, Saint-Aubin lui manquait. Je crois, moi, qu'elle avait un long poil dans la main. Enfin, ta mère a rencontré ton père, ils se sont mariés. Les deux femmes se sont un peu perdues de vue. Ou ton père a essayé de séduire Jeanine, cela ne m'étonnerait pas. Toujours est-il que Jeanine est rentrée chez ses parents et a épousé Marcel Delamare. Mais elle a toujours gardé le contact avec ta mère et c'est par elle que j'ai appris ce que je vais te dire.

– Tu le sais depuis longtemps ? demanda Rose, à la fois avide de savoir et inquiète d'apprendre quelque chose qui allait la blesser.

– Ne m'interromps pas, s'il te plaît. Sinon je vais caler...

Babou s'affaissait comme si le poids qu'elle portait était trop lourd.

– Jeanine m'aimait bien. Elle venait souvent me voir au magasin. Papou avait un faible pour elle. Elle était jolie, insouciante, coquette..., tout ce qu'il détestait chez une femme, mais bon... il l'aimait bien.

Babou se pencha et reprit une gorgée de Perrier. Rose n'avait pas touché au sien. Elle écoutait, devinant l'importance de ce que Babou allait lui révéler.

– Lorsque cet homme, celui qui t'a fait tout ce mal, cet acteur célèbre... ce salopard...

Rose sursauta. Elle n'avait jamais entendu Babou prononcer un gros mot.

– ... t'a fait cette chose ignoble..., ta mère en a parlé à Jeanine Delamare. C'était au moment où elle montait son agence, elle désespérait de trouver une vedette pour étoffer son catalogue. Les candidats ne se bousculaient pas. Valérie n'était pas assez connue, pas assez puissante. Elle était sur le point de renoncer. C'était terrible pour elle. Elle allait se retrouver démunie de tout. Avec ce type, Raymond, qui mettait du beurre dans les épinards mais lui répugnait, « il me rend sale, moche, vieille », elle disait à Jeanine. Et puis la « chose » est arrivée. Elle ne m'en

a pas parlé vraiment. Elle a juste évoqué un « accident ». Sans
préciser. Et je n'ai pas osé lui poser de questions. Mais j'ai bien
vu qu'elle était effondrée. D'autant plus que...

– Ça lui était arrivé à elle ! ne put s'empêcher de dire Rose.

Babou prit une profonde inspiration, souffla et continua :

– Elle en a parlé à Jeanine. C'est elle qui lui a suggéré de
faire chanter William Matthews. Elle était assez fière de son
idée. Et ta mère l'a écoutée. Elle a dit à ce salopard « c'est
dégueulasse ce que t'as fait, mais si tu viens dans mon agence,
je me tais. Je ne te balance pas ». Je dois te dire que je n'ai rien
su de tout cela sur le moment. Je l'ai su après... quand ça a été
trop tard.

Babou posa sa main sur celle de Rose. Rose se crispa, retira
sa main. Elle tourna la tête, ferma les yeux, serra très fort ses
paupières pour empêcher les larmes.

Monnaie d'échange, monnaie d'échange, j'ai servi à ça !
J'étais petite, si petite, terrorisée. Avec, pour seul rempart le
mercredi, la concierge qui devait me garder, mais parfois
s'absentait... Je me disais qu'il viendrait me chercher dans la
loge et alors...

Babou, les yeux dans le vide, continuait :

– Valérie lui a donc mis le marché en mains et le William a
bien été forcé d'accepter. C'est comme ça que l'agence de ta
mère a démarré et qu'elle est devenue la plus grosse agence
artistique de Paris parce que ensuite beaucoup d'acteurs et
d'actrices ont suivi.

– Et après ? demanda Rose en écrasant la rondelle de citron au fond du verre.

– Tout a très bien marché pendant assez longtemps. Le William enchaînait les films, Valérie, les contrats. En France, à l'étranger. Et puis un jour, elle a appris qu'il avait recommencé sur un tournage. Avec une fillette de dix ans, la petite fille d'un électricien. Ça a fait toute une histoire. Le William a payé le père pour qu'il se taise. Il lui a donné beaucoup d'argent. Le père a accepté de ne pas porter plainte. Valérie a convoqué William, elle lui a dit qu'elle le virait... sans le virer. Elle le gardait au cas où... C'était déjà arrivé que des acteurs mis sur la touche connaissent une nouvelle gloire. Après ça, il ne travailla plus beaucoup, même plus du tout. De toute façon, il commençait à vieillir et les contrats se faisaient plus rares. Jusqu'au projet avec les Américains qui sont venus le chercher. Une aubaine pour ta mère !

– Combien de petites filles ont été agressées ? Il n'a jamais dû s'interrompre. C'est un grand vicieux.

– Cette histoire a profondément marqué ta mère et bizarrement l'a éloignée de toi...

– Mais pourquoi ? s'exclama Rose, choquée. Pourquoi ?

– Parce qu'elle se sentait coupable, elle avait honte. Elle t'en voulait de lui rappeler sa lâcheté. C'est Jeanine Delamare qui m'a dit ça.

– Elle en sait des choses, madame Delamare ! ricana Rose, blessée.

– Je n'ai pas beaucoup d'estime pour elle...

– Ben... j'espère ! cria Rose.

– Ça ne t'a pas empêchée de faire ta vie, ma chérie. Ça t'a rendue plus forte, même. Regarde comme tu te débrouilles bien !

– Babou... S'il te plaît ! Ne me sors pas ce vieux truc, « ce qui ne tue pas rend plus fort » ! Pas toi, Babou, pas toi. Je déteste cette phrase. Elle est si facile à dire, si horrible à entendre...

Babou tendit les bras vers Rose qui recula.

– Pas maintenant ! Je peux pas !

Elle se détourna, aperçut un couple de touristes dans la rue qui prenaient des photos de vieux pavés parisiens. Ils portaient la même paire d'espadrilles et le même tee-shirt orange, « I love Paris ».

– Tu as parlé à maman ? dit Rose en se retournant vers Babou, sans la regarder.

– Elle n'est pas encore rentrée de Roumanie mais je le ferai, je te le promets.

Rose faillit demander à sa grand-mère si elle avait senti que sa petite-fille était en danger. Elle renonça.

Elle n'avait plus envie de parler de ça.

Elle voulait cependant poser une dernière question. Ensuite, elle refermerait le passé. Le remettrait dans sa boîte et l'oublierait.

– Il était comment, mon père ?

Babou la regarda, surprise.

– Ton papa ? Charmant ! Drôle ! Bel homme, très séduisant. Il emballait toutes les femmes sans rien faire. Un coup d'épaule et elles le suivaient. Ta mère en était folle. Mais ce n'était ni un mari ni un père. Ni... rien du tout. Il était, comment te dire... inconsistant. On ne pouvait jamais compter sur lui. Il était violent aussi.

– C'est pour cela que tu n'aimes pas les hommes charmants ?

– Peut-être... Ta mère a beaucoup souffert avec lui. C'est le seul homme qu'elle a aimé. Il lui en a fait voir de toutes les couleurs. Jusqu'à sa mort.

– Je sais, elle m'a raconté.

Babou tripotait la petite bouteille de Perrier vide, grattait l'étiquette.

– Décidément je n'aime pas l'eau avec des bulles...

Rose attendait l'autobus 30. Ses sandales neuves lui sciaient les orteils. Elle allait devoir s'arrêter dans une pharmacie pour s'acheter des pansements. Sandales nouvelles, appartement nouveau. Elle venait de trouver SON appartement. Rue d'Hauteville. Quarante mètres carrés, 1 500 euros. Sixième étage, sans ascenseur. Avec parquet ancien, moulures au plafond. Comme dans un film, grande classe ! La propriétaire l'avait choisie parce qu'elle était fonctionnaire et ne portait aucun tatouage. Elle avait dû rayer « cuisine séparée » et « balcon filant » de ses prétentions, mais avait aperçu deux marronniers dans la cour qui feraient l'affaire et régaleraient ses yeux.

Elle emménageait dans un mois et demi. Emménager était un grand mot, mais elle y tenait.

Docteur M. avait raison.

Le barrage en béton avait explosé. Tout se déroulait, porté par une vague lisse, inexorable. Il suffisait de suivre le mouvement, de glisser, glisser. Ne pas revenir en arrière. Ne pas reprendre de vieilles pensées, de vieilles habitudes.

Les morceaux du puzzle retombaient à leur place. La remettant d'aplomb, lui donnant de la force.

Rose laissait faire, émerveillée.

Ça avait l'air magique, pourtant ce n'était pas magique.

Mais si! elle ne pouvait s'empêcher de penser parfois, c'est magique.

Une femme vint s'asseoir à côté d'elle sur le banc de l'abribus. Elle regarda le temps d'attente affiché sur le bandeau lumineux et soupira : « Onze minutes! Onze minutes! Après, ils nous disent de prendre les transports en commun! »

Elle pesta, ramassa ses sacs de courses. Redressa une botte de carottes dont les fanes tombaient sur le trottoir. Une sauterelle bondit hors du sac, vola avec un bruit de sécateur fou et alla se poser sur le pied nu de Rose dans la sandale. Rose ne bougea pas. Ça fait combien de temps que je n'ai pas vu de sauterelle? Elle arrive d'où, celle-là? On dirait une *Phaneroptera nana,* une jolie petite sauterelle verte plutôt méditerranéenne mais qui remonte vers le nord depuis quelques années. Le mâle *nana* produit une stridulation très aiguë pendant la nuit pour attirer la femelle. Tellement aiguë que, passé trente ans, on ne l'entend plus car l'oreille humaine devient sourde avec l'âge, elle ne capte plus les fréquences au-dessus de 17 000 Hertz. Je l'entends, donc je n'ai pas encore 30 ans !

Le téléphone de Rose sonna. La sauterelle s'envola, emportant le bruit de sécateur fou.

C'était la propriétaire de l'appartement. Sa fille venait de pianoter sur internet pour en savoir plus sur Rose – elle s'en excusait bien sûr – et venait d'apprendre que Rose était la fille de Valérie Robinson, de la célèbre agence artistique L'Atelier.

– Et alors… Je me suis dit que… Sans vouloir vous déranger… Vous me dites si… Mais… J'aimerais beaucoup avoir une photo dédicacée de Vincent Bauer. Vous croyez que c'est possible ?

– Mais bien sûr ! s'exclama Rose, qui avait craint un instant que la propriétaire ne se soit ravisée et ne veuille plus lui louer l'appartement.

– Merci, merci beaucoup. Je l'aime tellement. Il est si… Je compte sur vous, hein ? Je compte sur vous !

– Oui, dit Rose, soulagée. Pas de problème.

– Et… et… S'il pouvait écrire mon prénom… Je m'appelle Hélène.

– Je vous l'apporterai le jour où on signera le bail, d'accord ?

Rose décida de changer ses plans et de passer à l'agence de sa mère. Valérie était en voyage, mais sa secrétaire lui fournirait une photo de Vincent Bauer qu'elle signerait de sa main. Agathe était habituée. Elle imitait de nombreuses signatures.

Agathe s'exécuta en un tour de main.

– Et voilà ! elle sourit en lui tendant la photo dédicacée. Il en fait des ravages, celui-là ! Tu passes voir ta mère ? Elle est dans son bureau.

– Elle est rentrée ? dit Rose, surprise.

Elle n'avait pas envie de voir Valérie mais il était trop tard, elle ne pouvait plus reculer.

– Elle a annulé le Vietnam. Le projet est tombé à l'eau. Les temps sont durs, tu sais !

– Je l'ai toujours entendue dire ça...

– Oui mais maintenant, c'est vrai.

Le bureau de Valérie possédait trois fenêtres qui donnaient sur le boulevard des Capucines. Au-dessus d'une célèbre brasserie, le Grand Café, qui ne fermait jamais. On pouvait y manger à toute heure du jour et de la nuit. C'était la cantine de sa mère.

Valérie, au téléphone, lui fit signe de s'asseoir. Rose montra le cadran de sa montre pour signifier qu'elle était pressée. Valérie écourta sa conversation et raccrocha.

– Tu es magnifique, ma chérie ! Si...Si... Babou m'a raconté la petite luciole et tout et tout. Bravo ! Tu es brillante. Je suis fière de toi. Quelle réussite !

– C'était bien, le tournage en Roumanie ? dit Rose.

Valérie rabattit l'air de sa main en secouant la tête.

– M'en parle pas ! Que des emmerdes ! J'en ai marre de ce métier ! Je suis fatiguée. Je dois vieillir...

Valérie fit la moue comme si elle n'était pas tout à fait convaincue de devenir vieille et se mit à tapoter des papiers devant elle.

– On peut pas dire que je croule sous tes nouvelles depuis

que tu es rentrée… Un mois et demi et pas une minute pour appeler ta mère !

– J'ai eu plein de choses à faire.

– Le téléphone, c'est pas fait pour les chiens…

– Maman… Commence pas.

Valérie se rejeta dans son fauteuil Pullman, ergonomique et pivotant, et secoua sa crinière noire. Rose crut apercevoir des fils blancs dans la chevelure de sa mère. Ce devait être un jeu de lumière car elle n'avait rien décelé à New York.

– Je ne t'en veux plus pour ce qu'il s'est passé à New York, Rose. Même si tu m'as fait perdre des millions de dollars. Je veux que ce soit bien clair.

– Manquerait plus que ça !

– Et je voulais même te dire que ça m'a fait du bien qu'on évoque tout ça…

– Quoi « tout ça » ?

– Ben… tu sais bien…

– Maman… Quand vas-tu appeler les choses par leur nom ? T'es énervante, tu sais ! Pire même… T'es insultante.

– Tu recommences ! On ne peut jamais parler avec toi !

Valérie levait les bras comme si elle prenait le Ciel à témoin.

Rose se tut. C'était toujours pareil. Et c'était toujours de sa faute.

– Mais je t'aime, ma petite chérie, je t'aime ! Je ne sais pas comment t'en convaincre, mais je t'aime.

Rose eut envie de se retourner pour vérifier que sa mère s'adressait bien à elle, qu'il n'y avait pas quelqu'un d'autre dans la pièce.

– Rose, tu m'entends… ?

Rose souleva les épaules en signe d'incompréhension.

– JE T'AIME, articula Valérie.

Rose ne savait pas quoi répondre. Elle trouvait la situation très embarrassante. Impudique, même.

– JE T'AIME…

Valérie regardait sa fille dans les yeux. Elle insistait, fronçait les sourcils, et comme Rose ne répondait pas, elle soupira :

– Tu pourrais quand même me dire « moi aussi » !

Mais justement, maman, je ne peux pas.

Je ne peux pas.

Je veux bien m'occuper de toi quand tu seras vieille, te payer toutes les aides-soignantes nécessaires et superflues, faire en sorte que tu ne manques de rien, que tu aies ta bouteille de vin blanc et ta liqueur de cassis, mais je ne peux pas t'aimer comme tu me le demandes.

Ce que j'avais de cœur, tu l'as tellement massacré qu'il ne m'en reste plus beaucoup. Et j'aimerais que le peu qu'il me reste palpite pour d'autres que toi.

Je ne te déteste pas, mais je ne peux plus t'aimer. C'est trop tard. J'aurais tellement aimé avoir une maman… J'en ai rêvé, tu sais. Il m'est arrivé d'être clouée sur place quand j'entendais dans un magasin ou dans la rue une fille dire « maman » à une mère qui répondait « oui, ma chérie ».

Je m'arrêtais, foudroyée, debout. Incapable d'avancer.

Tu te souviens, maman, de la fin d'*Autant en emporte le vent*?

Quand Scarlett se traîne aux pieds de Rhett Butler et le supplie de rester parce qu'elle l'aime, elle l'aime ?

Tu te souviens de ce qu'il lui dit ?

« *Frankly, my dear, I don't give a damn.* »

Eh bien, franchement maman... Je suis très heureuse que tu m'aimes, mais ce n'est plus mon problème, je m'en fiche complètement.

Et puis, parce qu'il fallait qu'elle aille acheter un pansement avant que les pharmacies ne ferment, Rose se leva, embrassa sa mère et partit.

Un samedi soir de décembre, à la Taverne alsacienne, Rose dînait avec Leo, de passage à Paris. Ils buvaient à la santé de la luciole, du nouveau labo de Rose, de son nouvel appartement, du premier chèque de 500 000 dollars qu'elle avait déposé à la banque. Les autres allaient suivre, Rose et son avocat y veillaient.

– J'avais oublié que le dollar était bien moins fort que l'euro, dit Rose. 500 000 dollars, ça fait à peine 444 000 euros... Je me suis fait avoir !

– Plains-toi... Tu dois être la start-up débutante la plus riche du moment.

Ils avaient chacun commandé une bouteille de vin, rouge pour Rose, blanc pour Leo. Une choucroute royale pour Leo, une douzaine d'huîtres Gillardeau n° 3 pour Rose.

– On ne boit pas de rouge avec les crustacés ! protesta Leo. En plus, un rouge des Pouilles ! Bien trop fort !

– J'adore ce Primitivo di Manduria. D'ailleurs maintenant, je ne fais que ce qui me plaît. Et ça me porte plutôt bonheur.

– Comment va Lupaletto ? Toujours charmant ?

– Pire encore ! dit Rose. Il me fait des courbettes, se répand en salamalecs. C'est presque ridicule. L'avocat que tu as choisi a été parfait. Mon avocat aussi l'a trouvé parfait. Nous faisons une paire d'associés épatants...

Bien meilleurs qu'en amants ! se dit Rose en se rappelant le baiser caméléon et la partie de rodéo dans le lit de Leo.

– Je sais exactement à quoi tu viens de penser, dit Leo.

Rose rougit.

– Impossible !

– Et je peux t'annoncer que je suis en passe de devenir le champion des baisers veloutés. Je ne récolte que des compliments...

Je n'aime pas du tout l'idée qu'il embrasse d'autres filles. On était mariés, on avait deux enfants, un sapin de Noël, il s'est vite consolé !

– T'es au courant pour Big Denise ? dit Leo. Elle va monter sa start-up, elle aussi.

– Je sais, on se parle chaque semaine et on fait le point. Notre projet avance. Les mouches traitées avec ma Lucioline et son vomi de termites sont toujours vivantes. C'est dingue ! Ce n'est pas encore gagné mais on y croit très fort.

– Parce que tu travailles aussi avec elle ? Dis donc, t'arrêtes pas !

Le garçon leur présentait la carte des desserts, Rose la repoussa en pensant, trois kilos en trop, trois kilos en trop, Leo hésitait entre un bavarois et une tarte aux noix quand ils furent interrompus par une voix trompette :

– J'ai appris que tu étais à New York ! Tout l'hiver ! Et tu m'as pas appelée une seule fois !

C'était Paula Alsberg. Les hanches appuyées au bord de la table, le sourire dentifrice.

– J'ai pas arrêté de bosser, dit Rose. J'ai rien fait d'autre.

– T'as travaillé sur quoi ? Ça m'intéresse.

– Sur une luciole qui...

Leo était intervenu et développait les merveilles de la luciole alsacienne.

– Je pourrais faire un article dans le journal, proposa Paula.

– Attends qu'on ait vraiment quelque chose de géant à te présenter, dit Rose. Ça ne devrait pas tarder.

– Mais tu me gardes l'exclusivité ?

– Promis.

– Je vous laisse un moment. Je vais me laver les mains, dit Leo.

Il s'éloigna, sous le regard indifférent de Paula.

– Il est bien élevé, celui-là ! Il comprend tout de suite qu'il est de trop.

– Tu te souviens pas de lui ? demanda Rose.

– Je devrais ? J'ai couché avec lui et j'ai oublié ?

Rose haussa les épaules en riant.

– J'adore la choucroute ! saliva Paula en regardant une belle saucisse qui restait dans le plat de Leo. Tu crois que je peux lui en piquer un bout ? Il ne s'en apercevra pas...

Elle se laissa tomber sur la banquette face à Rose, joignit le geste à la parole, prit le couteau de Leo, trancha un bout de belle saucisse rose, la trempa dans la moutarde et l'enfourna.

– Tu m'avais demandé son téléphone un soir au cas où..., dit Rose.

– C'est possible. Mais j'ai trouvé bien mieux. Je ne perds plus de temps avec les mecs. Ils en valent pas la peine. Et j'ai trop de choses à faire.

– Un escort ? dit Rose.

– Non ! s'exclama Paula.

– Un robot ?

– Presque...Un appareil qui fait tout. Tu le programmes : avec ou sans pénétration, clitoris uniquement, massage lent ou rapide, succion ou effleurement selon ton humeur, du temps dont tu disposes. Ça tient dans ton sac, ça marche à tous les coups et tu n'as pas besoin de faire la conversation. *Womanizer*. Cent cinquante dollars sur Amazon. Une copine m'en a offert un pour mon anniversaire. Quand il marche plus, tu le jettes et t'en achètes un autre. Génial, non ?

Chez les moucherons *Ceratopogonidae* du genre *Culicoides*, les femelles sucent le sang des mammifères, comme le font les femelles moustiques. Mais le vampirisme ne suffit pas à leur bon développement, elles pratiquent aussi le cannibalisme sexuel. Les mâles, inconscients du danger, se rassemblent en nuées pour les attirer. Ils s'agglutinent, volettent, vrombissent pour se faire remarquer. La femelle pénètre le nuage masculin, choisit un mâle et l'accouplement a lieu en plein vol. Alors qu'ils sont en train de copuler, la femelle perce avec ses pièces buccales la tête de son partenaire et lui injecte sa salive digestive. Le mâle est bientôt réduit à l'état de purée liquide. Elle l'aspire alors comme avec une paille. La carapace vide et desséchée du mâle tombe en poussière, sauf son pénis qui continue à s'activer, pour le plus grand plaisir de la moucheronne. Les femelles *Culicoides* n'éprouvent de l'intérêt que pour un être dévitalisé dont elles dévorent la vie.

– Hou, hou ! T'es où, là, Rose ? Tu nous as quittés ? riait Leo en faisant un clin d'œil à Paula.

Il était revenu des toilettes et finissait de s'essuyer les mains avec sa serviette.

– Rose a des absences parfois, elle part dans ses calculs, ses projections, et c'est dur de la ramener au monde réel. On peut la perdre !

Rose sourit et regarda Leo, assis à côté de Paula. Soulagée de le savoir vivant. Elle éprouva de la peine pour lui, pour elle, pour tous les hommes et pour toutes les femmes.

Fuck the Womanizer ! se dit-elle. Je ne veux pas aimer un être dévitalisé ni un gadget électrique. Je veux aimer un être vivant, entier. Est-ce que cette personne existe quelque part dans le monde ?

Merci

En France :

Merci, merci à Roland Lupoli, biologiste éminent, qui m'a accompagnée durant la rédaction de mon roman, me proposant des histoires insensées (et pourtant bien réelles !) d'insectes en réponse aux comportements sentimentaux et sexuels de mes héroïnes et héros bien humains.

Sans lui je n'aurais jamais été aussi bien renseignée et grâce à lui, je n'écrase plus ni mouches, ni moustiques, ni araignées, ni fourmis. Maximum respect !

Merci à Yves Crouau, mon premier contact scientifique, qui m'a raconté anecdotes et croustillances avant de me présenter... Roland Lupoli.

Merci à Camille Clément.

Merci à Sophie Montgermont.

Merci à toutes celles qui sont venues me chuchoter des confidences pas piquées des hannetons, qui me tiraient des oh ! et des ah ! et m'ont permis de construire le personnage de Rose.

Merci à Anna Jarota, mon agent, mon amie, que je peux réveiller à une heure du matin pour discuter du choix et de la place d'un mot pendant de longues heures.

Merci à Véronique Ovaldé, précise et généreuse.

Merci à Octavie, toujours présente même le poignet plâtré !

Merci à Thierry, mon ami chéri.
Merci à Carole, nuage de féminité et d'efficacité.
Merci à Coco, ma sœur de vie.

Merci à Francis, Richard, Gilles.
À Nathalie, Agnès, Mickael, merci, merci !

Merci à ma fille, Charlotte, qui a trouvé le titre de mon roman.
Merci à Clément, mon fils, avec qui j'ai de longues conversations sur le comportement des humains.

Merci à Jean-Marie, Romain, merci, merci.

À New York :

Merci à Kathy, Christy, Marianne, Maggy.
Merci à Eran.
Merci au Marlton Hotel, *my place to be in New York*.

… Sans oublier Boy, border-terrier de son état, qui vit chaque étape du livre roulé en boule à mes pieds tous les jours de 14 heures à 19 h 30, heure de sa promenade du soir.

Bibliographie

Bohuon C., Monneret C., *Fabuleux hasards. Histoire de la découverte de médicaments. Le hasard ne favorise que des esprits préparés*, EDP Sciences, Les Ulis, 2009.

Carayon J., « Insémination extragénitale traumatique et système paragénital chez les hémiptères *Cimicoidea* », thèse de sciences naturelles, Université Pierre-et-Marie-Curie, 3 vol., 1975.

De Cock R., « Biology and Behaviour of European Lampyrids », in *Bioluminescence in Focus*, V. Benno Meyer-Rochow (dir.), p. 161-200, 2009.

Downes J.A., « Feeding and mating in the insectivorous *Ceratopogonidae (Diptera)* », in *The Memoirs of the Entomological Society of Canada*, 110 : 1-62, 1978.

Eberhard W.G., Gelhaus J.K., « Genitalic stridulation during copulation in a species of crane fly », *Tipula (Bellardina)* sp. (*Diptera : Tipulidae*), in *International Journal of Tropical Biology*, 57(1) : 251-256, 2009.

Eisner T., Goetz M.A., Hill D.E., Smedley S.R., Meinwald J., « Firefly "femmes fatales" acquire defensive steroids (lucibufagins) from their firefly prey », in *Proceedings of the National Academy of Sciences of USA*, 94 : 9723-9728, 1997.

Eisner T., *For Love of Insects*, The Belknap Press of Harvard University Press, Cambridge, Massachusetts & London, England, 2003.

Fabre J.H., *Souvenirs entomologiques. Études sur l'instinct et les mœurs des insectes*, Robert Laffont, coll. « Bouquins », Paris, 1989.

Grassé P.-P., *Traité de zoologie, anatomie, systématique, biologie*, tome X : *Insectes supérieurs et hémiptéroïdes*, Masson, Paris, 1951.

Grassé P.-P., *Termitologia*, tome I, Masson, Paris, 1982.

Hegh E., *Les Termites*, Imprimerie industrielle et financière, Bruxelles, 1922.

Larousserie D., « La biologie française minée par l'inconduite scientifique », *Le Monde*, 22 octobre 2018.

Larsdotter Mellström H., Eriksson K., Janz N., Nylin S., Carlsson M., « Male butterflies use an anti-aphrodisiac pheromone to tailor ejaculates », in *Functional Ecology* 30, 2015.

Lupoli R., *L'Insecte médicinal*, Ancyrosoma, Fontenay-sous-Bois, 2010.

Morin H., Larousserie D., « Deux biologistes sanctionnés par le CNRS », *Le Monde Sciences*, 9 octobre 2018.

Nikbakhtzadeh M. R., Dettner K., Boland W., Gäde G., Dötterl S., « Intraspecific transfer of cantharidin within members of the family

Meloidae (*Insecta : Coleoptera*)», in *Journal of Insect Physiology*, 53(10) : 890-899, 2007.

De Parscau P., « Le mystère de la reine termite », in *CNRS Le Journal*. Vidéo 9 min 17 sec sur YouTube.

Potier P., Chast F., *Le Magasin du Bon Dieu. Les extraordinaires richesses thérapeutiques des plantes et des animaux*, Lattès, Paris, 2001.

Rodríguez-Muñoz R., Bretman A., Hadfield J.D., Tregenza T., « Sexual selection in the cricket *Gryllus bimaculatus:* no good genes ? », in *Genetica*, 132 : 287-294, 2008.

De Rosnay J., Ornish D., Junien C., Khayat D., Gouyon P.-H., *La Révolution épigénétique*, Albin Michel, Paris, 2018.

Roussange G., « Ÿnsect, le spécialiste des protéines d'insectes, lève 125 millions de dollars », *L'Usine nouvelle*, 21 septembre 2018.

Uehlinger B., « Das kleine Glühwürmchen *Lamprohiza splendidula* im Hemmentalertal (Stadt Schaffhausen) », Zürcher Hochschule für Angewandte Wissenschaften, 2011.

DU MÊME AUTEUR

Aux Éditions Albin Michel

J'ÉTAIS LÀ AVANT, 1999.

ET MONTER LENTEMENT DANS UN IMMENSE AMOUR..., 2001.

UN HOMME À DISTANCE, 2002.

EMBRASSEZ-MOI, 2003.

LES YEUX JAUNES DES CROCODILES, 2006.

LA VALSE LENTE DES TORTUES, 2008.

LES ÉCUREUILS DE CENTRAL PARK SONT TRISTES LE LUNDI, 2010.

MUCHACHAS 1, 2 et 3, 2014.

TROIS BAISERS, 2017.

Chez d'autres éditeurs

MOI D'ABORD, Le Seuil, 1979.

LA BARBARE, Le Seuil, 1981.

SCARLETT, SI POSSIBLE, Le Seuil, 1985.

LES HOMMES CRUELS NE COURENT PAS LES RUES, Le Seuil, 1990.

VU DE L'EXTÉRIEUR, Le Seuil, 1993.

UNE SI BELLE IMAGE, Le Seuil, 1994.

ENCORE UNE DANSE, Fayard, 1998.

Site internet : https://www.katherine-pancol.com

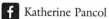 Katherine Pancol

 katherinepancolofficiel

Composition : IGS-CP
Impression en octobre 2019
Éditions Albin Michel
22, rue Huyghens, 75014 Paris
www.albin-michel.fr
ISBN broché : 978-2-226-44072-3
ISBN luxe : 978-2-226-18512-9
N° d'édition : 23382/01
Dépôt légal : novembre 2019
Imprimé au Canada chez Marquis Imprimeur inc.